SAFON UWCH DA   ...ETH
MEISTROLI'R TESTUN

TIRWEDDAU
ARFORDIROL

Golygydd
y Gyfres:
Simon Oakes

Peter Stiff

HODDER
EDUCATION
AN HACHETTE UK COMPANY

Safon Uwch Daearyddiaeth – Meistroli'r Testun: Tirweddau Arfordirol

Addasiad Cymraeg o *A-Level Geography Topic Master: Coastal Landscapes* a gyhoeddwyd yn 2018 gan Hodder Education

Ariennir yn Rhannol gan **Lywodraeth Cymru**

Part Funded by **Welsh Government**

Cyhoeddwyd dan nawdd Cynllun Adnoddau Addysgu a Dysgu CBAC

I Dominic a Nathaniel – boed iddyn nhw ddod i fwynhau, parchu a gofalu am dirweddau arfordirol a phopeth sy'n byw ynddyn nhw.

Mae'r gydnabyddiaeth, gan gynnwys cydnabyddiaeth ffotograffau, i'w gweld ar dudalen 215.

Gwnaed pob ymdrech i gysylltu â'r holl ddeiliaid hawlfraint, ond os oes unrhyw rai wedi'u hesgeuluso'n anfwriadol, bydd y cyhoeddwyr yn falch o wneud y trefniadau angenrheidiol ar y cyfle cyntaf.

Er y gwnaed pob ymdrech i sicrhau bod cyfeiriadau gwefannau yn gywir adeg mynd i'r wasg, nid yw Hodder Education yn gyfrifol am gynnwys unrhyw wefan y cyfeirir ati yn y llyfr hwn. Weithiau mae'n bosibl dod o hyd i dudalen we a adleolwyd trwy deipio cyfeiriad tudalen gartref gwefan yn ffenestr LlAU (URL) eich porwr.

Polisi Hachette UK yw defnyddio papurau sy'n gynhyrchion naturiol, adnewyddadwy ac ailgylchadwy o goed a dyfwyd mewn coedwigoedd cynaliadwy ac o ffynonellau eraill a reolir. Disgwylir i'r prosesau torri coed a gweithgynhyrchu gydymffurfio â rheoliadau amgylcheddol y wlad y mae'r cynnyrch yn tarddu ohoni.

Archebion: cysylltwch â Bookpoint Ltd, 130 Park Drive, Milton Park, Abingdon, Oxon OX14 4SE. Ffôn: +44 (0)1235 827827. Ffacs: +44 (0)1235 400401. E-bost: education@bookpoint.co.uk. Mae'r llinellau ar agor rhwng 9.00 a 17.00 o ddydd Llun i ddydd Sadwrn, gyda gwasanaeth ateb negeseuon 24 awr. Gallwch hefyd archebu trwy wefan Hodder Education: www.hoddereducation.co.uk.

ISBN: 9781398324411

© Peter Stiff, 2018 (Yr argraffiad Saesneg)
Cyhoeddwyd gyntaf yn 2018 gan
Hodder Education,
An Hachette UK Company
Carmelite House
50 Victoria Embankment
London EC4Y 0DZ

© CBAC, 2020 (Yr argraffiad Cymraeg hwn ar gyfer CBAC)

Llun y clawr © Larry Geddis/Alamy Stock Photo

Darluniau gan Barking Dog ac Aptara Inc.

Teiposodwyd yn India gan Aptara Inc.

Argraffwyd yn yr Eidal gan Printer Trento.

Mae cofnod catalog y teitl hwn ar gael gan y Llyfrgell Brydeinig.

MIX
Paper from responsible sources
FSC™ C104740
FSC
www.fsc.org

Cynnwys

Cyflwyniad

Mae'r arfordir yn amgylchedd dynamig, ac mae cyfuniad unigryw y môr, yr atmosffer a'r tir yn creu tirffurfiau a thirweddau sy'n ddramatig a chynnil. Mae'r newidiadau diweddar i'r cwricwlwm Safon Uwch wedi pwysleisio pwysigrwydd daearyddiaeth ffisegol, a bwriad y llyfr hwn yw cefnogi ac annog hynny gan ddefnyddio astudiaethau achos o bob cwr o'r byd. Gan fod lefel y môr yn codi yn sgil cynhesu byd-eang, mae angen datblygu gwybodaeth a dealltwriaeth fanwl o systemau a phrosesau arfordirol ar unwaith. Mae erydiad a llifogydd yn bygwth ein morlinau, sy'n golygu bod angen rheolaeth gynaliadwy ar draws y continwwm datblygiad. Bydd y llyfr hwn hefyd yn trafod gwerth tirweddau arfordirol o safbwynt aneddiadau, trafnidiaeth, masnach, twristiaeth ac echdynnu mwynau.

Cyfres Meistroli'r Testun Safon Uwch Daearyddiaeth

Nod y llyfrau yn y gyfres hon yw cynorthwyo dysgwyr sy'n ceisio cyrraedd y graddau uchaf. Er mwyn cyrraedd y graddau uchaf mae angen i fyfyrwyr wneud mwy na dysgu ar gof. Traean yn unig o'r marciau sy'n cael ei roi yn yr arholiad am gofio gwybodaeth mewn arholiad Daearyddiaeth Safon Uwch (*Amcan Asesu 1*, neu *AA1*). Mae cyfran uwch o farciau'n cael eu cadw ar gyfer tasgau gwybyddol mwy heriol, gan gynnwys **dadansoddi**, **dehongli** a **gwerthuso** gwybodaeth a syniadau daearyddol (*Amcan Asesu 2*, neu *AA2*). Felly, mae'r deunydd yn y llyfr hwn wedi cael ei ysgrifennu a'i gyflwyno'n bwrpasol mewn ffordd sy'n annog darllen gweithredol, myfyrio a meddwl yn feirniadol. Y nod gyffredinol yw eich helpu chi i ddatblygu'r 'galluoedd daearyddol' dadansoddol ac arfarnol sydd eu hangen arnoch i lwyddo mewn arholiad. Mae cyfleoedd i ymarfer a datblygu **sgiliau trin data** wedi'u cynnwys yn y testun drwyddo draw hefyd (gan gefnogi *Amcan Asesu 3*, neu *AA3*).

Mae pob llyfr *Meistroli'r Testun Daearyddiaeth* yn annog myfyrwyr i 'feddwl yn ddaearyddol' drwy'r amser. Yn ymarferol mae hyn yn gallu golygu dysgu sut i integreiddio **cysyniadau daearyddol** – gan gynnwys lle, graddfa, cyd-ddibyniaeth, achosiaeth ac anghydraddoldeb – yn y ffordd rydym yn meddwl, yn dadlau ac yn ysgrifennu. Mae'r llyfrau hefyd yn manteisio ar bob cyfle i feithrin **cysylltiadau synoptig** (sef gwneud cysylltiadau 'pontio' rhwng themâu a thestunau). Mae llawer o gysylltiadau wedi'u pwysleisio rhwng *Tirweddau arfordirol* a thestunau Daearyddiaeth eraill, fel *Lleoedd newidiol*, *Cylchredau dŵr a charbon* neu *Systemau byd-eang*.

Defnyddio'r llyfr hwn

Gellir darllen y llyfr hwn o glawr i glawr, neu mae'n bosibl darllen pennod yn annibynnol yn ôl yr angen. Mae'r un nodweddion yn cael eu defnyddio ym mhob pennod:

- Mae *Amcanion* yn sefydlu'r pedwar prif bwynt (ac adran) ym mhob pennod.
- Mae *Cysyniadau allweddol* yn syniadau pwysig sy'n ymwneud naill ai â disgyblaeth Daearyddiaeth yn ei chyfanrwydd neu ag astudio tirweddau arfordirol yn fwy penodol.
- Mae *Astudiaethau achos cyfoes* yn cymhwyso syniadau, damcaniaethau a chysyniadau daearyddol i gyd-destunau lleol yn y byd go iawn a'r problemau sy'n gysylltiedig â rheoli arfordirol mewn cyfnod pan mae lefel y môr yn codi. Mae *Lleoliadau enghreifftiol* yn cynnig cyd-destun ond mewn llai o fanylder.
- Mae nodweddion *Dadansoddi a dehongli* yn eich helpu i ddatblygu'r sgiliau a'r galluoedd daearyddol er mwyn cymhwyso gwybodaeth a dealltwriaeth (AA2) a thrin data (AA3).
- Mae *Gwerthuso'r mater* yn cau pob pennod drwy drafod mater allweddol yn ymwneud â thirweddau arfordirol (gyda safbwyntiau croes).
- Hefyd, ar ddiwedd pob pennod, mae *Crynodeb o'r bennod*, *Cwestiynau adolygu*, *Gweithgareddau trafod*, *Ffocws y gwaith maes* (i gefnogi'r ymchwiliad annibynnol) a *Darllen pellach* dethol.

Dynameg y system arfordirol – llifoedd egni

Mae tua miliwn cilometr o forlinau i'w cael ar draws y byd, ac mae amrywiaeth enfawr o dirffurfiau a thirweddau i'w gweld ar hyd y morlinau hyn. Mae'r arweddion hyn wedi datblygu, ac yn parhau i esblygu, o ganlyniad i'r ffordd mae gwahanol brosesau – sy'n defnyddio amrywiol ffynonellau egni – yn rhyngweithio. Bydd y bennod hon:

- yn dadansoddi arfordiroedd fel systemau egni agored
- yn ymchwilio i fewnbynnau egni: tonnau, llanwau a cheryntau
- yn archwilio adborth ac ecwilibriwm mewn systemau arfordirol
- yn asesu pwysigrwydd cymharol y ffynonellau egni yn y system arfordirol.

CYSYNIADAU ALLWEDDOL

Systemau Grwpiau o gydrannau sy'n perthyn i'w gilydd. Mewn daearyddiaeth ffisegol, mae systemau'n tueddu i fod yn 'agored' – hynny yw, mae ganddyn nhw fewnbynnau ac allbynnau. Mae'r arfordir yn system agored gan fod egni yn ogystal â defnyddiau, fel gwaddod, yn llifo drwyddi. Mae systemau'n gweithredu ar arweddion o bob maint – o gildraeth bach, yr holl ffordd i'r system gefnforol fyd-eang.

Ecwilibriwm Cydbwysedd o fewn system. Mae'n bosibl ystyried ecwilibriwm wrth archwilio unrhyw ddarn o forlin. Efallai bydd rhai lleoliadau'n derbyn mwy o egni tonnau nag arfer yn dilyn storm nerthol, a gallai hyn effeithio ar gyfradd erydiad tonnau. Gallai'r cynnydd hwn yn y gyfradd erydiad arwain at newid dramatig o ran adeiledd clogwyn, gan achosi iddo ddymchwel.

Adborth Ymateb awtomatig i newid mewn system. Mae adborth cadarnhaol yn arwain at ragor o newid. Er enghraifft, pan fydd egni tonnau yn cynyddu, gall sgwrio gwely'r môr, gan wneud y dŵr yn ddyfnach a gadael i hyd yn oed mwy o egni tonnau fynd i mewn i'r lleoliad. O ganlyniad, bydd egni'r tonnau yn cynyddu ymhellach. Mae adborth negyddol yn lleihau effaith y newid. Er enghraifft, pan fydd llai o egni tonnau yn mynd i mewn i'r parth arfordirol, gall olygu bod gwaddod yn dyddodi alltraeth, gan leihau egni'r tonnau ymhellach wrth i fwy o egni tonnau gael ei golli i ffrithiant.

Trothwy 'Pwynt sy'n sbarduno newid' mewn system. Er enghraifft, mae'n bosibl ystyried bod un don unigol yn system. Wrth iddi agosáu at y lan, mae uchder y don yn cynyddu nes bydd yn cyrraedd y trothwy. Yna, bydd y dŵr yn methu â chael ei gynnal bellach a bydd y don yn torri, gan achosi i'r dŵr ruthro yn ei flaen.

①Arfordiroedd fel systemau agored

▶ *Sut mae mewnbynnau, storfeydd a phrosesau, ac allbynnau yn gweithredu gyda'i gilydd i ffurfio'r system arfordirol?*

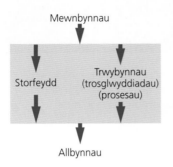

Mewnbynnau

Storfeydd

Trwybynnau
(trosglwyddiadau)
(prosesau)

Allbynnau

▲ **Ffigur 1.1** System agored

Mewn system agored, mae egni a defnyddiau yn symud ar draws ffiniau'r system. Mewn system gaeedig, dim ond llifoedd egni sy'n symud ar draws ei ffiniau.

Mae'r elfennau canlynol yn bresennol ym mhob system agored:

● mewnbynnau, e.e. egni, gwaddod
● storfeydd neu gydrannau, e.e. gwaddod, dŵr
● prosesau, e.e. hindreuliad, erydiad, màs-symudiad
● trwybynnau, e.e. egni, gwaddod, dŵr
● allbynnau, e.e. egni, gwaddod.

Mae deall sut mae systemau'n gweithio yn ddefnyddiol wrth astudio arfordiroedd oherwydd mae'n datblygu gwybodaeth a dealltwriaeth o lifoedd egni a defnyddiau. Mae'r rhain yn cyfuno i greu tirffurfiau penodol – er enghraifft, clogwyni a thraethau. Fodd bynnag, mae pennu ffiniau systemau yn gymhleth. A yw'n bosibl rhannu'r arfordir yn adrannau mewn ffordd synhwyrol? Ble mae un adran yn gorffen ac adran arall yn dechrau? Ar ôl pennu ffiniau rhesymol, gallwn weld, yn fuan iawn, fod hierarchaeth yn bodoli rhwng y systemau. Er enghraifft, mae'n bosibl isrannu system twyni tywod yn fathau gwahanol o dwyni – egin-dwyni, blaen-dwyni, twyni melyn a thwyni llwyd. Y tu hwnt i hynny, mae dau lethr/wyneb a brig gan bob cefnen twyn unigol.

Mae defnyddio systemau yn gymhleth, ond maen nhw'n ein helpu ni i adnabod amrywiol lifoedd a chydrannau, yn ogystal â deall sut mae tirffurfiau a thirweddau'n cael eu creu ac yn rhyngweithio â'i gilydd.

Diffinio'r arfordir

Yr arfordir yw'r man lle mae'r môr, y tir a'r atmosffer yn cwrdd. Efallai fod y cyfuniad unigryw hwn yn ymddangos fel pe bai'n lleoliad syml i'w astudio, ond mewn gwirionedd, mae'r sefyllfa'n fwy cymhleth. Lle mae clogwyni tal yn plymio'n uniongyrchol i'r môr, mae'r ffin rhwng y tir a'r môr i'w weld yn glir. Yn achos lleoliadau eraill, fel morydau eang ar dir isel, bydd y tir yn ymddangos yn **ddaearol** ar adegau, ond gall newid o fewn ychydig oriau i fod yn amgylchedd morol wrth i'r llanw lifo drosto.

Y cyd-destun mwyaf defnyddiol ar gyfer astudio arfordiroedd yw meddwl amdanyn nhw o safbwynt parth arfordirol. Mae'r parth hwn yn ymestyn rhwng y man pellaf yn y mewndir sy'n profi dylanwad y môr (er enghraifft, lle mae ewyn y môr yn glanio yn y gwynt) a'r man pellaf yn y môr sy'n profi dylanwad y tir (er enghraifft, pa mor bell mae'n bosibl gweld llif dŵr afon wrth iddo ymestyn allan i'r môr). Fodd bynnag, rhaid cofio am y

TERM ALLWEDDOL

Daearol Yn ymwneud â'r tir yn hytrach na'r môr neu'r atmosffer.

prosesau morol sy'n ymestyn y tu hwnt i ffiniau'r parth, er enghraifft cylchrediad gwaddod mewn cell alltraeth.

Gallwn ni hefyd ddefnyddio'r term **morlannol** wrth sôn am arfordiroedd. Fodd bynnag, nid oes modd diffinio arfordiroedd mewn un ffordd benodol, ac mae'r diffiniadau sy'n bodoli yn cael eu defnyddio mewn amrywiol ffyrdd. Wedi dweud hynny, mae'n bosibl disgrifio rhai ffiniau gofodol o fewn y parth arfordirol, gan gofio hefyd fod is-adrannau yn gallu bodoli (Ffigur 1.2).

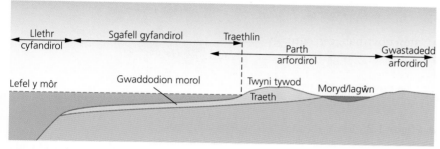

(a) Arfordir egni isel

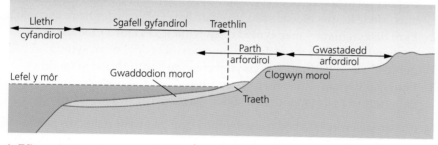

(b) Arfordir egni uchel

▲ **Ffigur 1.2** Is-adrannau gofodol ar yr arfordir

Ni fydd pob un o'r elfennau sy'n perthyn i fath penodol o arfordir yn bresennol, o reidrwydd, ym mhob lleoliad sydd â'r math hwnnw o arfordir. Does dim lagŵn i'w gael ar hyd pob darn o arfordir isel, er bod un yn Slapton, Dyfnaint, er enghraifft. Mae rhewlifoedd a llenni iâ wedi ehangu ac encilio sawl gwaith dros y cyfnod **Cwaternaidd** – proses sydd wedi chwarae rhan arwyddocaol iawn wrth ddiffinio'r parth arfordirol. Yn ystod y cyfnod hwn, mae lefel y môr wedi codi a gostwng dros 100 metr yn fertigol nifer o weithiau. Oherwydd hyn, mae prosesau a thirffurfiau arfordirol i'w cael ymhellach i'r mewndir a hefyd ymhellach allan i'r môr na'r morlin heddiw. Mae mwy o fanylion i'w cael ym Mhennod 5.

Mewnbynnau egni i'r system arfordirol

Mae tri math o ffynhonnell egni yn gyrru'r system arfordirol:

1 Egni solar
2 Egni disgyrchiant
3 Egni geothermol.

TERMAU ALLWEDDOL

Morlannol (*littoral*) Yr amgylchedd rhwng y lefelau uchaf ac isaf mae'r llanw'n eu cyrraedd.

Cwaternaidd Y cyfnod daearegol mwyaf diweddar sydd wedi bodoli ers tua 2.5 miliwn o flynyddoedd.

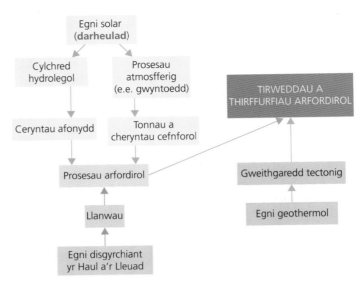

```
        Egni solar
        (darheulad)
         │        │
    ┌────┘        └────┐
    ▼                  ▼
Cylchred          Prosesau
hydrolegol        atmosfferig          TIRWEDDAU A
                  (e.e. gwyntoedd)     THIRFFURFIAU ARFORDIROL
    │                  │
    ▼                  ▼
Ceryntau afonydd  Tonnau a
                  cheryntau cefnforol
    │                  │
    ▼                  ▼
    Prosesau arfordirol         Gweithgaredd tectonig
              │                         ▲
              ▼                         │
           Llanwau              Egni geothermol
              ▲
              │
      Egni disgyrchiant
      yr Haul a'r Lleuad
```

▲ **Ffigur 1.3** Mewnbynnau egni i'r system arfordirol

1   Egni solar – mae hwn yn pweru'r gylchred hydrolegol, sy'n trosglwyddo dŵr o'r tir i'r parth arfordirol, er enghraifft. Mae'n gyfrifol hefyd am brosesau atmosfferig fel gwyntoedd sydd, yn eu tro, yn cynhyrchu tonnau a cheryntau.

2   Egni disgyrchiant – mae tyniad disgyrchiant yr Haul a'r Lleuad yn cynhyrchu llanwau. Mae disgyrchiant yn allweddol o ran symudiad defnydd i lawr llethrau, e.e. cwymp creigiau a thirlithriadau tanddwr.

3   Egni geothermol – mae hwn yn gyfrifol am weithgaredd tectonig sy'n gallu achosi i'r tir ymgodi neu soddi *(submerge)* ar hyd arfordir.

Mae'n bwysig cydnabod bod mewnbynnau egni yn gweithredu dros raddfeydd amser gwahanol iawn. Ar y raddfa ddaearegol (miliynau o flynyddoedd), gall egni geothermol achosi i blatiau ar hyd arfordiroedd gael eu cydgyfeirio a'u tansugno. Mae morlin deheuol **archipelago** Indonesia a llawer o arfordir gorllewinol De America yn derbyn mewnbynnau egni tebyg i'r rhain. Proses arall sy'n digwydd dros gyfnodau hir o amser, ond cyfnodau y gallwn ni eu mesur mewn cannoedd o filoedd o flynyddoedd, yw dyffrynnoedd afonydd yn boddi i greu morydau pan fydd lefel y môr yn codi. Ar ben arall y raddfa amser, mae modd i wyntoedd a thonnau gael eu cynhyrchu a marw o fewn ychydig oriau yn unig. Gallai ton unigol dorri ar draeth o fewn munud.

Mae egni yn caniatáu i 'waith' ddigwydd. Wrth i egni lifo drwy'r parth arfordirol, mae ecosystemau'n gweithredu, mae gwaddodion yn cael eu trawsgludo gan ddŵr a gwynt, ac mae tonnau'n torri yn erbyn wyneb clogwyn gan achosi i ronynnau o'r graig dorri. Os yw'r egni sydd ar gael yn y parthau arfordirol yn newid, mae'r 'gwaith' sy'n digwydd yn newid hefyd. Mae hyn, yn ei dro, yn effeithio ar y tirffurfiau a'r tirweddau sy'n datblygu.

▲ **Ffigur 1.4** Llosgfynyddoedd ar hyd morlin Indonesia

② Mewnbynnau egni – tonnau, llanwau a cheryntau

▶ *Ym mha ffyrdd mae tonnau, llanwau a cheryntau yn cludo egni i'r system arfordirol?*

Tonnau

Mae tonnau yn effeithio ar bob arfordir i ryw raddau, ond mae gweithgaredd tonnau yn amrywio'n sylweddol o un lleoliad i'r llall. Mae hyn yn wir am bob graddfa – o'r macro (byd-eang) i'r micro (lleol). Mae tonnau yn trosglwyddo egni ac yn gallu gwneud llawer o waith yn y parth arfordirol. Mae erydu, trawsgludo a dyddodi defnyddiau yn enghreifftiau o'r gwaith hwn. Wrth ddisgrifio tonnau, rydyn ni'n sôn am:

- uchder – y pellter fertigol rhwng brig y don a chafn y don
- hyd – y pellter llorweddol rhwng dau frig sy'n dilyn ei gilydd
- cyfnod y don – yr amser mae'n ei gymryd i ddau frig sy'n dilyn ei gilydd basio pwynt sefydlog
- serthrwydd y don – cymhareb uchder y don i hyd y don
- cyflymder y don – cymhareb hyd y don i gyfnod y don.

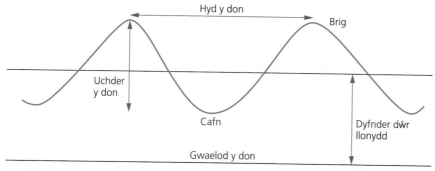

▲ **Ffigur 1.5** Nodweddion tonnau

Mae uchder ton yn ddisgrifydd defnyddiol gan ei fod yn aml yn awgrymu beth yw lefel egni'r don. Dyma ddwy fformiwla sy'n cael eu defnyddio'n aml i fesur uchder ton:

$$H = 0.031U^2$$
$$H = 0.36\sqrt{F}$$

lle mae H = uchder y don, U = cyflymder y gwynt (ms⁻¹) ac F yw'r cyrch (km). Mae 0.031 a 0.36 yn gysonion wedi'u deillio'n empirig.

Mae'r **cyrch** yn ffactor pwysig wrth drosglwyddo egni o'r atmosffer i'r dŵr. Mae'r trosglwyddiad egni mwyaf yn digwydd pan fydd gwyntoedd cryf yn chwythu i'r un cyfeiriad dros bellter hir am gyfnod hir o amser. Mae hyn yn cynhyrchu'r tonnau uchaf, sy'n dod â lefel uchel o egni tonnau i mewn i'r parth arfordirol.

 TERM ALLWEDDOL

Cyrch Y pellter mae'r gwynt yn chwythu dros ddŵr agored sy'n symud i un cyfeiriad o'r morlin.

Mae egni (E) ton mewn dŵr dwfn mewn cyfrannedd â lluoswm hyd y don (L), ac uchder y don (H) wedi'i sgwario:

$$E \propto LH^2$$

Mae'r fformiwla hon yn dangos bod cynnydd bach yn uchder y don yn achosi cynnydd llawer mwy, o ran cyfrannedd, mewn egni. Gan fod uchder ton yn gallu amrywio'n fawr mewn cyfnod o ychydig funudau, un uned sy'n cael ei defnyddio'n aml i fesur uchder ton yw 'uchder ton arwyddocaol'. Dyma uchder cymedrig traean uchaf y tonnau – cyfartaledd y mesuriadau wedi'u cymryd gan yr offer dros gyfnodau amser eithaf byr (ychydig funudau).

Egni tonnau ar raddfa fyd-eang

Ar raddfa fyd-eang, mae'n bosibl adnabod morlinau sy'n agored i lefelau gwahanol o egni tonnau ar sail y **prifwyntoedd**, y cyrch a'r **agwedd**. Mae dosbarthiad byd-eang tonnau egni uchel yn cyd-fynd â lleoliadau ardaloedd mawr o fôr agored a phatrwm gwyntoedd byd-eang.

Y morlinau sy'n derbyn egni tonnau uchel yn rheolaidd yw'r rheini yn rhanbarthau'r lledredau canol – i'r gogledd ac i'r de o'r Cyhydedd (Ffigur 1.6). Yma, mae stormydd atmosfferig, sy'n cylchredeg o amgylch y byd i gyfeiriad y gorllewin, yn digwydd yn rheolaidd ac yn aml, gan gynhyrchu tonnau mawr – hynny yw, tonnau sy'n uwch na 5 metr.

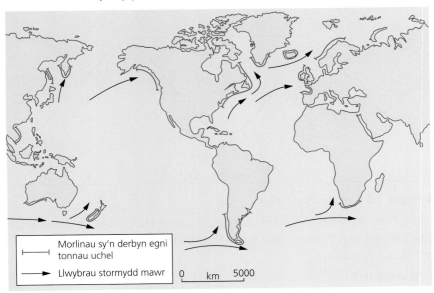

▲ **Ffigur 1.6** Lleoliad morlinau sy'n derbyn egni tonnau uchel

Yn Hemisffer y De, cafodd yr ardal rhwng 40 a 50 gradd i'r de ei alw'n ardal *'The Roaring Forties'*. Roedd y bobl oedd yn croesi'r ardaloedd hyn ar longau hwylio yn gorfod brwydro yn erbyn stormydd difrifol a'r tonnau oedd yn dod gyda nhw. Cafodd yr amodau gwyllt hyn ddylanwad sylweddol ar y llifoedd o bobl a nwyddau yn yr ardaloedd hyn, yn ogystal â datblygiad cynnar systemau economaidd, cymdeithasol a gwleidyddol yn y rhanbarth ac yn fyd-eang. Yr uchder ton arwyddocaol o amgylch Cape Horn, ar ben deheuol De America, yw rhwng 5 a 6 metr. Yn Hemisffer y Gogledd, mae'r stormydd a'r amodau ar y môr yn dal i fod yn ddifrifol, ond nid mor eithafol ag ydyn nhw yn Hemisffer y De. Y rheswm dros hyn yw bod eangdiroedd mawr Gogledd America, Ewrop ac Asia yn rhwystro'r llif aer, ond yn Hemisffer y De, mae llai o dir i achosi llusgiad ffrithiannol ar y gwynt.

Mae rhai morlinau yn y lledredau is, trofannol ac isdrofannol – fel morlinau De-ddwyrain Asia a'r ardaloedd o amgylch Cefnfor India a Môr Arabia – hefyd yn tueddu i ddioddef effeithiau tonnau storm. Yma, mae stormydd tymhorol sy'n gysylltiedig â'r tymor monsŵn yn dod â mwy a mwy o egni tonnau i mewn i'r parth arfordirol.

Yn ogystal â hyn, mae morlinau mewn ardaloedd sy'n cynhyrchu stormydd trofannol a chorwyntoedd (seiclonau/teiffwnau) yn derbyn lefelau uchel iawn o egni tonnau pan fydd y stormydd hyn yn cyrraedd y tir.

Mae morlinau sy'n wynebu darnau agored o ddŵr hefyd yn derbyn mewnbynnau sylweddol o egni tonnau. Yr uchder ton arwyddocaol ar arfordir gorllewinol Ynysoedd Prydain yw rhwng 4 a 5 metr. Pan fydd môr yn gaeedig i bob pwrpas, fel y Môr Canoldir, mae'r egni tonnau yn eithaf isel. Yr uchder ton arwyddocaol yn y lleoliadau hyn yw rhwng 1 a 2 fetr. Ond, mae'r egni tonnau isaf i'w gael yn y rhanbarthau pegynol lle mae iâ môr arfordirol yn gorchuddio ardaloedd eang – er enghraifft, morlinau'r Arctig.

Mae tonnau sy'n cael eu cynhyrchu ymhell o'r tir, er enghraifft allan yn y Cefnfor Tawel neu Gefnfor y De, yn troi'n **donnau ymchwydd**. Mae tonnau ymchwydd yn teithio pellteroedd hir mewn dilyniant eithaf rheolaidd. Dydy gwyntoedd lleol ddim yn effeithio arnyn nhw, ac mae'n bosibl eu gweld yn symud yn erbyn llif gwynt lleol.

Er mwyn deall mewnbynnau egni o systemau cefnfor-atmosffer, rhaid ystyried y **tonnau cryfaf**. Yn aml iawn, y prifwyntoedd sy'n achosi'r rhain, ond mewn rhai lleoliadau, mae'r 'gwyntoedd cryfaf' yn lleol yn cynhyrchu'r tonnau cryfaf yn lleol. Felly, mae'n bwysig ystyried dylanwadau mawr a bach wrth ymchwilio i dirffurfiau a thirweddau arfordirol.

Ymchwyddiadau storm

Mae tri ffactor yn cyfuno i greu **ymchwydd storm**:

- gwynt atraeth â buanedd uchel iawn
- gwasgedd atmosfferig isel iawn
- siâp y morlin.

Fel arfer, mae gwyntoedd â buanedd uchel yn gysylltiedig â storm drofannol yn symud. Os yw'r storm yn cyrraedd ardal arfordirol yr un pryd ag y mae llanw uchel yn digwydd, mae lefel y môr yn codi hyd yn oed yn uwch.

Pan fydd aer yn yr atmosffer isaf yn codi, mae màs yr aer sy'n gwasgu i lawr ar arwyneb y môr yn lleihau, ac mae hyn yn gadael i'r dŵr godi'n llawer uwch na'r lefelau arferol. Mae lefel y môr yn codi tua un centimetr bob tro mae gostyngiad o un milibar yn y gwasgedd aer.

Ar hyd arfordiroedd sydd ar ffurf twndish, lle mae'r graddiant alltraeth yn eithaf bas, mae'r ymchwyddiadau'n fwy amlwg. Dydy ymchwyddiadau storm ddim yn effeithio ar forlinau sy'n eithaf syth i'r un graddau.

Mae ymchwyddiadau'n digwydd yn rheolaidd ar hyd morlinau sy'n tueddu i ddioddef stormydd trofannol, er enghraifft o amgylch Bae Bengal neu'r Môr Caribî. Ond, mae ymchwyddiadau'n gallu digwydd mewn lleoliadau eraill. Ar 5 Rhagfyr 2013, effeithiodd ymchwydd storm ar y morlinau o amgylch Môr y Gogledd ac i mewn i'r Sianel. Cafwyd dau lanw uchel yn dilyn ei gilydd oedd yn uwch nag unrhyw lanw arall ers tua 60 o flynyddoedd, a bu'n rhaid i filoedd o bobl symud o'u cartrefi mewn lleoliadau ar dir isel yn Lloegr, yr Iseldiroedd, Gwlad Belg a Ffrainc. Effeithiodd hyn ar y parth arfordirol mewn sawl ffordd – er enghraifft, erydiad difrifol i glogwyni, traethau a thwyni tywod, difrod i eiddo, a phroblemau o ran cysylltiadau trafnidiaeth (tudalen 129).

Tonnau môr seismig – tswnami

Pan fydd symiau mawr o ddŵr yn cael eu dadleoli, gall hyn achosi **tswnami**. Weithiau, bydd tswnami yn digwydd oherwydd bod daeargryn wedi effeithio ar wely'r môr, neu oherwydd bod màs-symudiad wedi digwydd ar raddfa fawr o dan y dŵr – er enghraifft, llethr serth o dan y dŵr yn dymchwel. Dydy pob daeargryn tanddwr ddim yn achosi tswnami – rhaid i'r daeargryn fod yn fath sy'n symud gwely'r môr yn fertigol.

Mewn dŵr dwfn, dydy tswnami ddim yn amlwg o gwbl gan fod uchder y don yn llai na metr, fel arfer, ac mae'r don yn hir iawn – hyd at 200 cilometr. Maen nhw'n teithio ar gyflymder uchel iawn – hyd at 800 km h^{-1}. Allan yn y môr, gall tswnami basio o dan long heb effeithio rhyw lawer arni, os o gwbl. Ond wrth i tswnami gyrraedd y lan, mae pŵer y don yn crynhoi gan achosi i'r dŵr ruthro ymlaen. Gair Japanaeg yw *tsunami* sy'n golygu 'ton yr harbwr'. Gall uchder tswnami godi i nifer o fetrau, a phan fydd y don yn torri, mae maint enfawr o egni'n cael ei ryddhau ar y morlin. Yn achos y tswnami a gynhyrchwyd gan ddaeargryn oddi ar arfordir talaith Aceh, Sumatra ym mis Rhagfyr 2004, awgrymodd amcangyfrifon fod y don wedi cynhyrchu tua 1000 o dunelli metrig o ddŵr ar gyfer pob metr o'r traethlin. Y farn oedd bod gwely'r môr wedi symud 4 i 5 metr yn fertigol, gan ddadleoli tua 30 km^3 o ddŵr. Ymledodd y dŵr allan wedyn ar hyd yr hollt (1200 km o hyd) yn y creigiau ar wely'r môr.

Tonnau mewn dŵr dwfn a dŵr bas

Tonnau mewn dŵr dwfn

Wrth i aer symud ar draws arwyneb dŵr, mae'r ffrithiant rhwng yr aer a'r dŵr yn gadael i egni gael ei drosglwyddo o'r atmosffer i'r môr. Mae hyn yn creu pylsiau egni sy'n treiddio drwy haen uchaf y dŵr. O ganlyniad, mae egni potensial gan bob ton oherwydd ei huchder o'r brig i'r cafn, a hefyd egni cinetig gan fod dŵr yn symud o fewn y don.

Wrth edrych ar donnau allan yn y môr, y tu hwnt i'r dŵr sydd ger y lan, mae'n ymddangos bod tonnau'n gwthio

▲ **Ffigur 1.7** 'Y Don Fawr ger Kanagawa' – print bloc pren gan Hokusai, artist o Japan

dŵr ymlaen wrth iddyn nhw basio. Fodd bynnag, mewn gwirionedd, mae gronynnau dŵr unigol yn symud mewn cylch ar gyflymder cyfartal ym mhob rhan o'r orbit (Ffigur 1.8). Yn syml iawn, mae gwrthrych yn y dŵr yn symud i fyny ac i lawr wrth i don basio.

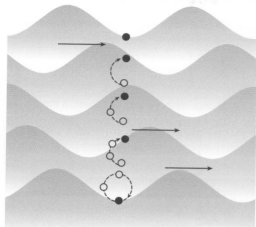

Moleciwl dŵr yng ngwaelod y cafn. Blaendon newydd yn agosáu.

Y moleciwl dŵr yn codi i fyny'r flaendon, ond yn cael ei lusgo ymlaen ychydig wrth i'r don symud ymlaen.

Y moleciwl yn 'llithro' i lawr cefn y don, yn ôl i mewn i'r cafn nesaf.

Y moleciwl yn ôl yn ei safle gwreiddiol yn yr orbit, wrth iddo gyrraedd gwaelod y cafn.

◀ **Ffigur 1.8** Mudiant cylchol mewn tonnau dŵr dwfn

Mae diamedr y cylch mae gronyn dŵr yn teithio o'i amgylch yn lleihau wrth i'r dŵr fynd yn fwy dwfn. Yn y pen draw, bydd y dŵr mor ddwfn, ni fydd y pylsiau egni na'r amodau ar arwyneb y môr yn effeithio ar y dŵr. Yr enw ar y dyfnder hwn yw **gwaelod y don**. Yn gyffredinol, y farn yw bod gwaelod y don rywle rhwng chwarter a hanner hyd y don. Mae gwaelod y don yn bwysig oherwydd, uwchben y dyfnder hwn, gall y tonnau erydu, trawsgludo a dyddodi gwaddod, gan wneud llawer iawn o waith geomorffolegol.

Tonnau mewn dŵr bas

Wrth i'r tonnau agosáu at y lan, maen nhw'n newid gan fod y dŵr yn mynd yn llai dwfn. Mae orbitau cylchol y tonnau dŵr dwfn yn troi'n fwy eliptigol oherwydd y ffrithiant rhwng gwely'r môr a'r gronynnau dŵr. Mewn cylched eliptigol, mae'r gronynnau dŵr yn symud ymlaen yn gyflymach nag yn ôl. Mae hyd y don a chyflymder y don yn lleihau. Gan fod egni wedi'i gadw – hynny, yw does dim modd creu neu ddinistrio egni – yr unig beth sy'n gallu digwydd yw bod egni'n trawsnewid o un ffurf i ffurf arall. Mae egni'r don yn cael ei drosglwyddo gan achosi cynnydd yn uchder y don ac, o ganlyniad i hynny, cynnydd yn serthrwydd y don. Bydd y dŵr yn pentyrru, ac yn y pen draw, bydd yn cyrraedd uchder sy'n gwneud rhan flaen y don yn rhy serth, gan olygu bod orbitau'r gronynnau dŵr yn torri. Wrth i'r don 'dorri', mae'r dŵr yn rhuthro ymlaen fel **torddwr** ac yn dilyn hynny daw'r **tynddwr**.

Mathau o donnau sy'n torri (morynnau)

Dydy tonnau sy'n torri ddim i gyd yr un fath. Mae'r math o don sy'n torri yn dibynnu ar sawl ffactor, gan gynnwys:

- serthrwydd y don
- dyfnder y dŵr
- graddiant y lan.

TERMAU ALLWEDDOL

Gwaelod y don Y dyfnder lle nad yw'r tonnau sy'n pasio uwchben yn effeithio ar y dŵr.

Torddwr Symudiad dŵr yn ei flaen pan fydd ton yn dechrau torri.

Tynddwr Pan fydd dŵr yn llifo yn ôl tua'r môr, i ffwrdd oddi wrth y lan, o dan ddylanwad disgyrchiant.

Er bod tonnau'n perthyn i amrywiol gategorïau, mae'n fwy realistig ystyried bod mathau gwahanol o forynnau *(breakers)* yn bodoli ar gontinwwm (Tabl 1.1; Ffigurau 1.9, 1.10, 1.11).

Math o foryn	Disgrifiad
Gorlifo	Serth; gwely'r môr ar lethr graddol; yn torri yn bell oddi wrth y lan; ewyn yn ffurfio ar frig y don ac yn troi'n llinell o ewyn môr wrth i'r don agosáu at y lan.
Plymio	Serth; siâp gwely'r môr yn newid yn sydyn neu'n raddol; blaendon serth; yn tueddu i gyrlio drosodd a phlymio i lawr ar y lan, gan gynhyrchu llawer o ewyn.
Ymchwyddo	Graddol; graddiant y lan ar ongl serth; yn tueddu i beidio â thorri'n gyfan gwbl; brig y don yn torri'n agos at y lan; y dŵr yn llithro i fyny ac i lawr y lan.

▲ **Tabl 1.1** Mathau o forynnau

▲ **Ffigur 1.9** Morynnau gorlifo, Mawgan Porth, Cernyw

▲ **Ffigur 1.10** Morynnau plymio, Beer, Dyfnaint

▲ **Ffigur 1.11** Morynnau ymchwyddo, Ynys Valentia, Iwerddon

Mae'r termau 'adeiladol' a 'distrywiol' yn cael eu defnyddio'n aml wrth ddisgrifio mathau o donnau.

Morynnau adeiladol	Morynnau distrywiol
Uchder ton isel	Uchder ton uchel
Tonfedd hir	Tonfedd byr
Amledd isel: 6–8 bob munud	Amledd uchel: 12–14 bob munud
Egni'r torddwr > egni'r tynddwr	Egni'r torddwr < egni'r tynddwr

▲ **Tabl 1.2** Nodweddion tonnau adeiladol a thonnau distrywiol

Y rheswm dros ddefnyddio'r termau hyn yw bod tonnau adeiladol yn gwthio gwaddod tuag at y tir, gan ychwanegu at gyfaint y gwaddod ar y traeth. Mae tonnau distrywiol, ar y llaw arall, yn gwneud y gwrthwyneb i hynny. Mae hwn yn ddisgrifiad gor-syml o weithred y tonnau mewn gwirionedd, ac nid yw'n adlewyrchiad teg o'r hyn sy'n digwydd yn y byd go iawn.

Y berthynas rhwng proses a ffurf

Mae'r berthynas rhwng prosesau geomorffolegol (e.e. tonnau) a ffurf, morffoleg neu siâp y tirffurf (e.e. traeth) yn gymhleth. Mae defnyddio termau fel 'adeiladol' a 'distrywiol' yn awgrymu bod y tonnau (y broses) yn pennu siâp y traeth (y ffurf). Fodd bynnag, un o'r pethau sy'n dylanwadu ar y math o don sy'n ffurfio yw siâp y graddiant alltraeth, sy'n cynnwys y traeth. Ffactor arall sy'n dylanwadu ar y math o don sy'n ffurfio yw maint y gwaddod sy'n creu'r traeth – er enghraifft, y cyferbyniad rhwng cerigos a thywod gronynnau mân. Bydd yr un traeth hefyd yn derbyn mathau gwahanol o donnau ar adegau gwahanol. Yn ogystal, mae ongl y don wrth iddi gyrraedd y lan yn gallu amrywio'n fawr dros amser.

Mae adnabod y math o foryn yn bwysig er mwyn gwybod faint o egni mae pob un yn ei gludo i'r parth arfordirol a sut mae hyn yn effeithio ar dirffurfiau'r morlin. Mae tonnau egni uchel yn gallu gwneud mwy o 'waith' na thonnau egni isel, er enghraifft trawsgludo gwaddod neu erydu. Mewn llawer o ffyrdd, mae'r termau 'egni uchel' ac 'egni isel' yn ffordd well o ddisgrifio sut mae tonnau a thirffurfiau yn ymateb i'w gilydd.

DADANSODDI A DEHONGLI

Astudiwch Ffigur 1.12, sy'n dangos y berthynas rhwng buanedd y gwynt ac uchder tonnau.

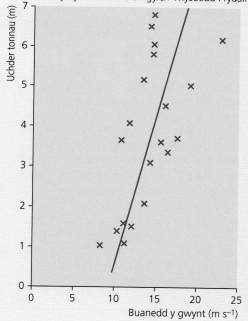

◄ **Ffigur 1.12** Y berthynas rhwng buanedd y gwynt ac uchder tonnau

Daw'r data o'r bwiau (buoys), y goleulongau a'r llwyfannau olew/nwy sydd wedi'u lleoli o amgylch Ynysoedd Prydain.
► Gwerthoedd hyder

Ffin hyder	Gwerth critigol
lefel 0.05	0.388
lefel 0.01	0.549

(a) (i) Disgrifiwch y berthynas sydd i'w gweld yn Ffigur 1.12.

(ii) Ar ôl gwneud dadansoddiad ystadegol, y cyfernod cydberthyniad yw $r = +0.556$. Dehonglwch y canlyniad hwn.

CYNGOR

Wrth ddehongli graff gwasgariad, mae angen ystyried dwy agwedd benodol, sef cyfeiriad y berthynas a chryfder y berthynas. Ystyr 'cyfeiriad' yw natur y berthynas rhwng y ddau newidyn – hynny yw, cadarnhaol neu negyddol. Mae Ffigur 1.12 yn dangos perthynas gadarnhaol glir – mae uchder tonnau yn cynyddu wrth i fuanedd y gwynt gynyddu hefyd. Mae cryfder y berthynas i'w weld yng ngwasgariad y pwyntiau unigol. Pan fydd y pwyntiau wedi'u grwpio'n eithaf agos ar hyd y llinell ffit orau, mae'r berthynas yn gryf. Mae'r gwrthwyneb yn wir pan fydd y pwyntiau ar wasgar, yn enwedig os oes rhai **anomaleddau** amlwg. Mae'r gwasgariad yn Ffigur 1.12 yn arwydd o berthynas sy'n gryf heb unrhyw anomaleddau go iawn.

Byddai cynnwys canlyniad dadansoddiad ystadegol yn ein galluogi i wneud dehongliad mwy manwl gan ei fod yn dangos pa mor ddibynadwy yw'r canlyniad – hynny yw, a yw'r berthynas yn wahanol iawn, yn ystadegol, i'r berthynas fyddai wedi gallu digwydd ar hap. Mae'r canlyniad go iawn yn llawer uwch na'r gwerth critigol ar gyfer lefel hyder 0.05 ac ychydig yn uwch na'r gwerth ar gyfer lefel hyder 0.01. Ystyr hyn yw bod y siawns y gallai'r canlyniad fod wedi digwydd ar hap yn llai nag 1 mewn 100. Felly, mae'n bosibl awgrymu, yn ddigon sicr, fod cydberthyniad cadarnhaol cryf rhwng buanedd y gwynt ac uchder tonnau.

(b) Esboniwch sut mae ffactorau gwahanol yn effeithio ar egni tonnau sy'n cyrraedd y parth arfordirol.

CYNGOR

Mae'n bwysig cofio'r canlynol – hyd yn oed os yw prawf ystadegol yn dangos cydberthyniad cryf rhwng dau newidyn, dydy hynny ddim o reidrwydd yn golygu bod perthynas achos-ac-effaith rhwng y newidynnau. Y cwbl mae'n ei ddangos yw bod cydberthyniad yn bodoli, ac mae'n caniatáu i'r dadansoddiad fynd ymhellach, gan wybod bod y berthynas yn un gwerth ei hymchwilio.

Mae'r cwestiwn hwn yn gofyn i chi esbonio'r ffactorau a allai ddylanwadu ar egni tonnau. Mae'n amlwg bod buanedd y gwynt yn bwysig. Mae tonnau'n cynrychioli un o effeithiau'r broses o drosglwyddo egni o'r atmosffer (gwyntoedd) i'r môr. Wrth i'r aer symud dros y dŵr, mae'n achosi ffrithiant, ac o ganlyniad mae'r gronynnau dŵr yn dechrau symud mewn cylch. Mae cyfeiriad y gwynt, ei hyd a'r pellter mae wedi'i deithio yn ffactorau allweddol sy'n dylanwadu ar egni tonnau. Fodd bynnag, mae'r graff gwasgariad a'r cyfernod cydberthyniad yn dangos nad egni atmosfferig yw'r unig ffactor sy'n dylanwadu ar egni tonnau sy'n cyrraedd y parth arfordirol. Mae dyfnder y dŵr a'r graddiant alltraeth yn ddau ffactor pwysig. Cyn gynted ag y bydd ton yn mynd i mewn i ardal lle mae dyfnder y dŵr yn llai na gwaelod y don, mae ffrithiant rhwng y gronynnau dŵr a gwely'r môr yn effeithio ar orbitau cylchol y gronynnau yn y don. Mae hyn yn lleihau egni'r don. Bydd agwedd darn o forlin – hynny yw, y cyfeiriad mae'n wynebu tuag ato – yn dylanwadu ar lefel yr egni tonnau sy'n cyrraedd y morlin hwnnw. Ar arfordir gorllewinol Ynysoedd Prydain, mae morlinau sy'n wynebu tua'r gorllewin yn derbyn holl rym yr egni tonnau sy'n cyrraedd o Gefnfor Iwerydd. Bydd unrhyw fae sy'n wynebu tua'r de-ddwyrain neu'r dwyrain yn derbyn llawer llai o egni tonnau. Mewn bae o'r fath, gwyntoedd sy'n chwythu o'r dwyrain sy'n darparu'r rhan fwyaf o'r egni tonnau. Mae'r cyrch yn llai i'r cyfeiriad hwn, ac mae buanedd y gwynt, ar gyfartaledd, yn llawer llai na'r gwyntoedd gorllewinol.

🔑 **TERM ALLWEDDOL**

Anomaledd Pwynt sy'n gorwedd yn eithaf pell o'r llinell ffit orau. Mae 'eithriadau' neu 'allanolion' yn enwau eraill ar anomaleddau.

Egni tonnau ar raddfa ganolig a lleol – plygiant a diffreithiant tonnau

Mae plygiant a diffreithiant tonnau yn ffactorau pwysig gan eu bod nhw'n effeithio ar ddosbarthiad egni tonnau ar hyd darn penodol o'r arfordir. Mae hyn yn dibynnu ar ffactorau lleol fel siâp y morlin.

Plygiant tonnau

Pan fydd tonnau'n agosáu at y lan ar ongl arosgo, mae'r darn o'r don sydd mewn dŵr mwy bas sy'n agosach at y lan yn arafu oherwydd y ffrithiant â gwely'r môr. Mae gweddill y don, mewn dŵr dyfnach na gwaelod y don, yn symud ymlaen ar fuanedd cyson. O ganlyniad i hynny, mae'r don yn **plygu** fel bod cyfeiriad y don yn fwy paralel i siâp y morlin. Mae nifer o ffactorau yn effeithio ar faint mae'r tonnau'n plygu – er enghraifft, y pellter rhwng y man lle mae'r ffrithiant rhwng y don a gwely'r môr yn dechrau, a'r man lle mae'r don yn torri.

Mae effaith y mewnbynnau egni ar y morlin i'w gweld drwy ddilyn trywydd llinellau, sydd ar ongl sgwâr i frig y tonnau, sy'n ymestyn o'r alltraeth i'r lan. Yr enw ar y llinellau hyn yw **pelydrau tonnau**.

▲ **Ffigur 1.13** Plygiant tonnau ar hyd morlin Oregon, gogledd-orllewin UDA

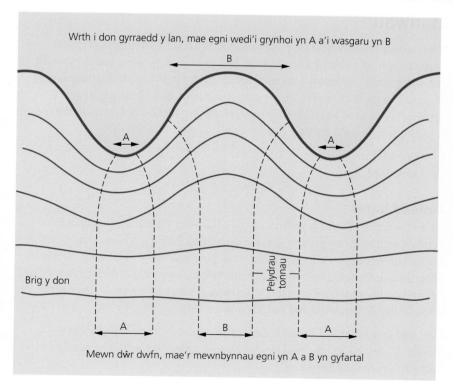

Wrth i don gyrraedd y lan, mae egni wedi'i grynhoi yn A a'i wasgaru yn B

Brig y don

Pelydrau tonnau

Mewn dŵr dwfn, mae'r mewnbynnau egni yn A a B yn gyfartal

> 🔑 **TERMAU ALLWEDDOL**
>
> **Plygiant tonnau** Mae brig y tonnau'n ailgyfeirio wrth iddyn nhw ddod i mewn i ddŵr bas fel bod y don sy'n agosáu at y lan yn baralel i'r traethlin.
>
> **Pelydrau tonnau** Llinellau sydd ar ongl sgwâr i frig y tonnau; maen nhw'n arwydd o batrymau egni. Enw arall arnyn nhw yw llinellau orthogonol.

◄ **Ffigur 1.14** Plygiant tonnau a phatrymau egni

Ar hyd unrhyw ddarn eithaf syth o forlin, ychydig iawn o blygiant tonnau sydd, felly mae dosbarthiad yr egni yn tueddu i fod yn gyfartal ar hyd y lan. Mae tonnau sy'n agosáu at ddarnau o forlin sy'n cynnwys baeau a phentiroedd yn fwy tebygol o blygu ac felly mae dosbarthiad yr egni yn amrywio. Mae egni'n crynhoi ar y pentiroedd lle mae'r pelydrau tonnau'n cydgyfeirio. Pan fydd pelydrau tonnau'n dargyfeirio mewn baeau, mae'r egni'n fwy gwasgaredig (Ffigur 1.14). Mae'r amrywiadau hyn o ran dosbarthiad egni yn dylanwadu ar ddatblygiad tirffurfiau.

Mae siâp gwely'r môr yn y parth arfordirol hefyd yn effeithio ar egni tonnau. Os yw'r dŵr yn ddyfnach am ei fod uwchben canion neu ddyffryn, mae tonnau'n gallu teithio heb golli egni drwy ffrithiant â gwely'r môr. Mae ardaloedd bas alltraeth (e.e. banciau tywod) yn achosi i waelod y don gyffwrdd â gwely'r môr alltraeth, gan olygu bod tonnau'n gallu dechrau torri gryn bellter o'r lan.

Diffreithiant tonnau

Pan fydd ton yn cwrdd â rhwystr, fel tonfur alltraeth artiffisial neu ynys, mae **diffreithiant tonnau** yn digwydd. Er bod **ochr gysgodol** y rhwystr wedi ei diogelu rhag gweithred y tonnau, unwaith mae brig y don wedi mynd heibio i'r rhwystr, mae egni'n cael ei drosglwyddo i'r ardal gysgodol ac mae gweithred y tonnau yn digwydd. Mae effaith egni'r tonnau yn dylanwadu ar gynlluniau rheoli arfordirol sy'n defnyddio tonfuriau neu riffiau alltraeth artiffisial.

Llanwau

Mae llanwau'n digwydd gan fod yr Haul a'r Lleuad yn achosi atyniad disgyrchiant ar y dŵr. Y Lleuad sy'n cael yr effaith fwyaf – tua dwywaith effaith yr Haul. Allan yn y cefnfor dwfn, prin y bydd symudiadau'r llanw i'w gweld o gwbl ar y dŵr. Yn y parth arfordirol, fodd bynnag, mae llanwau'n chwarae rhan bwysig wrth siapio tirffurfiau a dylanwadu ar ecosystemau. Mae'n bwysig deall y ddwy agwedd ganlynol:

1 Amledd llanw
2 Amrediad llanw.

Amledd llanw

Yn achos y rhan fwyaf o forlinau, mae'r llanwau yn **hanner dyddiol** – hynny yw, dau lanw uchel a dau lanw isel bob 24 awr. Mewn rhai lleoliadau, er enghraifft California, mae patrwm mwy amrywiol lle mae'r ddau lanw uchel neu isel yn gallu amrywio'n fawr yn dilyn ei gilydd. Mae Antarctica yn anarferol gan fod y llanwau yn **ddyddiol** yno – hynny yw, un llanw uchel ac un llanw isel bob 24 awr.

Gan fod y Ddaear, y Lleuad a'r Haul yn symud mewn cylchredau rheolaidd, mae'r grymoedd disgyrchiant yn newid ac, felly, mae'r llanwau yn newid hefyd.

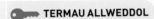

TERMAU ALLWEDDOL

Diffreithiant tonnau Mae hyn yn digwydd pan fydd ton yn mynd heibio i rwystr ac mae hynny'n newid cyfeiriad y don, gan olygu bod egni tonnau yn dod i mewn i'r ardal y tu ôl i'r rhwystr.

Ochr gysgodol Ochr gwrthrych sydd wedi'i chysgodi rhag grym o ryw fath, fel grym gwynt neu donnau.

Amrediad llanw Y gwahaniaeth yn lefel y dŵr rhwng y marc penllanw a'r marc distyll.

Hanner dyddiol Yn cyfeirio at rywbeth sy'n digwydd ddwywaith y dydd.

Dyddiol Rhywbeth sy'n digwydd unwaith y dydd neu unwaith bob 24 awr.

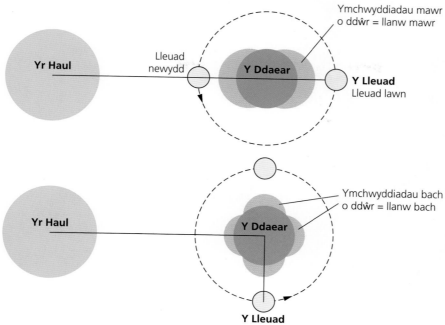

▲ **Ffigur 1.15** Sut mae llanwau yn ffurfio

Ddwywaith y mis, mae'r Haul a'r Lleuad yn alinio, ac o ganlyniad, mae eu grymoedd disgyrchiant yn cyfuno ac yn gweithredu i'r un cyfeiriad. Mae hyn yn cynhyrchu **llanw mawr**. Ar yr adegau hyn, mae'r llanwau uchel yn uwch nag arfer ac mae'r llanwau isel yn is. 7 diwrnod ar ôl y llanw mawr, mae'r Haul a'r Lleuad ar ongl sgwâr i'w gilydd mewn perthynas â'r Ddaear. Felly, dydy eu grymoedd disgyrchiant ddim yn gweithredu gyda'i gilydd ac mae hyn yn creu **llanw bach**.

Amrediad llanw

Mae'r amrediad llanw mwyaf i'w weld adeg y llanw mawr; y llanw bach sy'n cynhyrchu'r amrediad lleiaf.

Mae'r amrediad llanw yn amrywio'n fawr o amgylch y byd (Ffigur 1.16). Mewn moroedd caeedig fel y Môr Canoldir, does prin dim gwahaniaeth yn lefel y môr rhwng y llanw uchel a'r llanw isel. Ar y llaw arall, mae siâp ffisegol y parth arfordirol – gan gynnwys y topograffi tanddwr – yn gallu mwyhau (cynyddu) osgiliad y llanw a chynhyrchu amrediadau llanw dros 10 metr. Mae'r amrediad llanw mwyaf yn y byd, sef tua 16 metr, yn digwydd ym Mae Fundy yng ngogledd-ddwyrain Canada. O amgylch y DU, mae Asiantaeth yr Amgylchedd yn gyfrifol am 44 o orsafoedd cofnodi llanwau. Mae'r amrediad llanw mwyaf yn y DU, sef rhwng 14 ac 15 metr, yn digwydd ym moryd Afon Hafren.

🔑 **TERMAU ALLWEDDOL**

Llanw mawr (spring tide)
Llanw sy'n uwch na'r llanw arferol. Mae llanwau mawr yn digwydd pan fydd grymoedd disgyrchiant yr Haul a'r Lleuad yn gweithredu i'r un cyfeiriad.

Llanw bach (neap tide)
Ddwywaith y mis, mae llanw bach yn digwydd pan fydd y llanw uchel yn is a'r llanw isel yn uwch nag arfer.

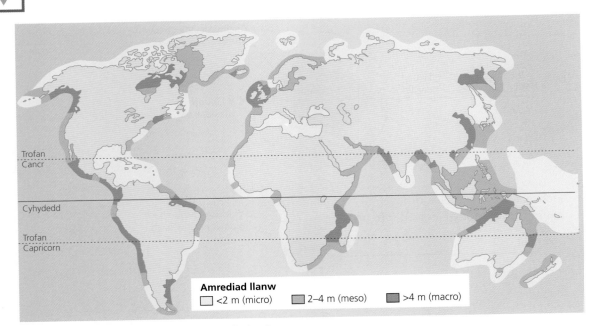

▲ **Ffigur 1.16** Patrwm byd-eang o amrediadau llanw

Amrediad llanw
☐ <2 m (micro)   ◼ 2–4 m (meso)   ◼ >4 m (macro)

Mae'r amrediad llanw ar forlin penodol yn arwyddocaol gan ei fod yn effeithio ar faint y parth rhynglanwol a'r cyfnod amser rhwng y llanwau. Mae'r ddau ffactor yma yn dylanwadu ar brosesau hindreuliad a gweithgarwch biolegol. Os yw'r amrediad llanw ar forlin penodol yn fawr, mae mwy o'r parth arfordirol yn agored i effeithiau gwlychu a sychu'r creigiau bob yn ail, ac mae'r tonnau'n gweithredu dros ofod fertigol mwy ac yn dod â mwy o egni i mewn i'r parth arfordirol. Mae arfordiroedd sydd ag amrediad mawr yn tueddu i fod â mwy o fioamrywiaeth yn y parth rhynglanwol gan fod mwy o **gilfachau ecolegol** yno. Er enghraifft, ar hyd morlinau sydd ag amrediad llanw mawr, yn aml bydd fflatiau llanw a morfeydd heli i'w gweld.

🔑 **TERM ALLWEDDOL**

Cilfach ecolegol (*ecological niche*) Yr union ffordd mae rhywogaeth yn perthyn i'w hamgylchedd ffisegol a natur ei pherthynas â rhywogaethau eraill.

Damcaniaeth llanw dynamig

Ton o egni sy'n cael ei llywio i raddau helaeth gan y rhyngweithio rhwng y Ddaear a'r Lleuad yw llanw, ac oherwydd hyn, byddai'n naturiol disgwyl bod brig y don yn gorwedd yn union o dan y Lleuad wrth iddi droi o amgylch y Ddaear. Ond dydy hynny ddim yn wir, oherwydd y ffactorau canlynol:

- amrywiadau yn nyfnder y cefnfor
- topograffi gwely'r môr
- siapiau'r eangdiroedd
- y ffaith bod y cefnfor wedi'i rannu i ffurfio basnau dwfn (e.e. Cefnfor Iwerydd, y Cefnfor Tawel) sydd wedi eu gwahanu gan gyfandiroedd a sgafelli mwy bas.

Yr effaith gyffredinol yw bod y llanw yn cael ei rannu yn systemau ar raddfa lai yn hytrach nag un don fyd-eang. Pan fydd tyniad disgyrchiant y Lleuad yn pasio dros un o'r basnau, mae'r llanw yn pasio drosto hefyd. Mae'n eithaf tebyg i ddal dysgl fas o ddŵr a'i symud yn ysgafn o ochr i ochr. Yr effaith yw bod y dŵr yn chwyrlïo o amgylch **pwynt amffidromig**. Mae'r amrywiadau mwyaf yn yr amrediad llanw yn digwydd yn y man pellaf oddi wrth y pwynt yma.

🔑 **TERM ALLWEDDOL**

Pwynt amffidromig Y pwynt lle mae'r amrediad llanw fwy neu lai yn sero.

Gan fod y Ddaear yn cylchdroi, mae llanwau'n cylchredeg o amgylch pwynt amffidromig: yn glocwedd yn Hemisffer y De; yn wrthglocwedd yn Hemisffer y Gogledd. Mae llinellau cyflanw *(co-tidal lines)* yn uno â lleoliadau lle mae llanw uchel yn digwydd ar yr un pryd. Maen nhw'n tarddu ac yn ymledu o bwynt amffidromig, ac mae cyfnod amser o 1 awr rhwng pob llinell fel arfer gan gychwyn ar bwynt penodol ar hyd arfordir. Felly, mae'r llanw uchel a'r llanw isel yn digwydd ar amseroedd gwahanol ar hyd morlin wrth i'r dŵr chwyrlïo o amgylch y pwynt amffidromig.

Ar y raddfa fyd-eang, mae chwe phwynt amffidromig mawr – er enghraifft, yng nghanol Cefnfor Gogledd Iwerydd a hanner ffordd rhwng De Affrica ac Antarctica. Mae pwyntiau amffidromig i'w cael mewn basnau llai hefyd – er enghraifft, ym Môr y Gogledd (Ffigur 1.17).

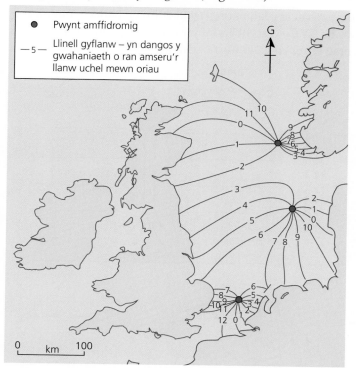

▲ **Ffigur 1.17** Pwyntiau amffidromig a phatrymau'r llanw ym Môr y Gogledd

Ceryntau

Mae nifer o lifoedd dŵr i'w gweld yn glir yn y parth arfordirol:

- ceryntau llanw
- ceryntau normal y glannau
- ceryntau'r glannau
- ceryntau terfol
- ceryntau afonydd.

Mae symudiad y llifoedd dŵr hyn yn cynrychioli llifoedd egni, felly maen nhw'n bwysig o ran datblygiad tirweddau a thirffurfiau arfordirol.

Mewnlif y llanw (*flood tide*) Y llanw sy'n codi.

Llif y trai (*ebb tide*) Y llanw sy'n gostwng.

Ceryntau terfol (*rip currents*) Llifoedd dŵr pwerus a chul sy'n symud yn gyflym tuag at y môr.

Mewn morydau, mae **mewnlif y llanw** yn gallu codi (llusgo) gwaddod a'i gludo tuag at y tir. Pan fydd y llanw uchel wedi bod, mae'r cerrynt yn newid cyfeiriad ac mae **llif y trai** yn dechrau. Mae'r ceryntau llanw yn symud yn eithaf araf ar ddechrau a diwedd pob cylchred, ac yn cyrraedd eu cyflymder uchaf yng nghanol mewnlif y llanw a llif y trai.

Pan fydd tonnau'n agosáu at y lan, a brig y tonnau'n baralel i siâp y morlin, mae ceryntau normal y glannau yn bodoli. Mae'r dŵr yn cael ei gludo i fyny'r traeth, ond rhaid i lif o ddŵr ddychwelyd i'r cyfeiriad arall. Ar hyd y morlin, mewn lleoliadau sydd yr un mor bell oddi wrth ei gilydd ar y cyfan, mae **ceryntau terfol** yn cludo dŵr yn ôl allan i'r môr ar ôl symud ar hyd y lan am bellter byr. Gall y ceryntau hyn gyrraedd cyflymder o 1 metr yr eiliad, sy'n gyflymach na nofiwr Olympaidd.

Pan fydd tonnau'n agosáu at y lan ar ongl sydd ddim yn baralel i'r morlin (bron byth yn fwy na 10°), y cerrynt cryfaf yw cerrynt y glannau. Yma hefyd, mae ceryntau terfol yn gallu ffurfio, gan gludo dŵr yn ôl allan i'r môr.

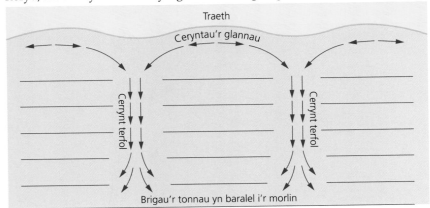

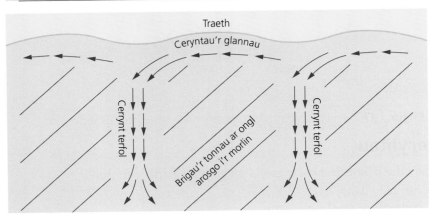

▲ **Ffigur 1.18** Sut mae cerrynt terfol yn ffurfio

Mewn morydau, mae llifoedd afonydd yn gallu bod yn egnïol, yn enwedig ar ôl glawiad trwm yn y mewndir. Wrth i'r ceryntau hyn symud i mewn i'r parth arfordirol, maen nhw'n rhyngweithio â symudiadau dŵr y môr, a gall hyn achosi amodau aflonydd iawn.

③ Adborth, ecwilibriwm ac arfordiroedd

▶ *Beth sy'n digwydd i'r system arfordirol pan fydd newid yn digwydd?*

O ystyried y ffaith bod mewnbynnau egni i'r arfordir mor ddynamig, mae'n anochel y bydd y prosesau sy'n digwydd ar hyd yr arfordir, a'r tirffurfiau sy'n creu'r arfordir, yn newid. Mae newidiadau fel hyn yn gallu digwydd dros gyfnodau gwahanol o amser – o effaith un don sy'n torri ar draeth, i effaith yr addasiadau tectonig sy'n digwydd dros gyfnod o amser daearegol. Mae tirffurfiau'n datblygu morffoleg (siâp) sy'n gwasgaru'r egni sydd ar gael. Mae egni uchel yn arwain at erydiad a thrawsgludiad; mae egni isel yn arwain at ddyddodiad. Wrth i'r mewnbynnau egni newid, mae siâp y tirffurfiau'n newid. Mae rhai newidiadau'n digwydd dros gyfnod o ychydig oriau yn unig; mae newidiadau eraill yn digwydd dros gyfnod o filoedd o flynyddoedd.

Adborth yn y system arfordirol

Beth bynnag yw'r cyfnod amser, mae perthynas amlwg iawn rhwng yr egni sy'n dod i mewn i leoliad, y prosesau sy'n gallu gweithredu yno a'r tirffurfiau sy'n cael eu creu. Mae adborth yn rhan o bob perthynas rhwng prosesau a ffurfiadau. Newid yn y system sy'n achosi adborth. Mae dau fath o adborth i'w gael – **cadarnhaol** a **negyddol**.

> 🔑 **TERMAU ALLWEDDOL**
>
> **Adborth cadarnhaol** Yn creu mwy o newid.
>
> **Adborth negyddol** Yn adfer system i fod yn gytbwys.

Enghreifftiau o adborth cadarnhaol ac adborth negyddol

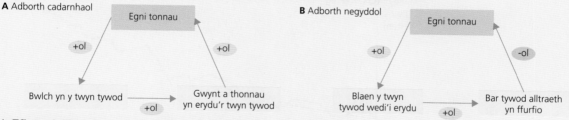

▲ **Ffigur 1.19** Y perthnasoedd adborth rhwng egni tonnau a thwyni tywod

Mae adborth cadarnhaol yn gallu digwydd pan fydd egni tonnau'n cynyddu, er enghraifft os yw lefel y môr yn codi. Bydd y llystyfiant sy'n clymu'r tywod at ei gilydd yn cael ei golli, sy'n arwain at gynnydd yng nghyfradd erydiad y twyni. O ganlyniad i hynny, mae gweithred y gwynt yn gallu erydu'r twyni ymhellach, gan wneud y system yn fwy agored i weithred y tonnau. Felly mae'r system twyni tywod yn erydu fwy a mwy.

Mae adborth negyddol hefyd yn gallu digwydd pan fydd egni tonnau'n cynyddu. Gan fod y tonnau'n gallu erydu'r twyni yn gyflymach, mae tywod yn cael ei ryddhau sydd wedyn yn cael ei drawsgludo alltraeth gan y tonnau. Mae'r tywod yn cael ei ddyddodi fel bar alltraeth. Wrth i'r tonnau sy'n dod i'r lan deithio dros y bar, mae'r dŵr yn mynd yn llai dwfn gan olygu bod mwy o donnau'n torri cyn cyrraedd y system twyni tywod. Mae llai o egni tonnau yn gadael i'r twyni adfywio gan fod y llystyfiant yn gallu tyfu eto a dal y tywod.

Ecwilibriwm yn y system arfordirol

Mae cysyniad **ecwilibriwm** yn ymhelaethu ar y syniad bod yr arfordir yn system agored. Mae'n canolbwyntio ar y cydbwysedd rhwng mewnbynnau ac allbynnau, ac mae'n ceisio disgrifio sut gallai system ymateb i newidiadau yn y cydbwysedd hwnnw.

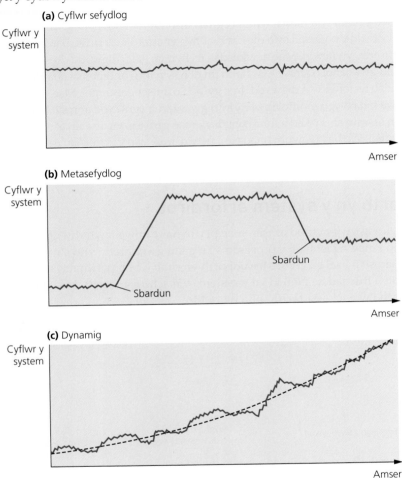

▲ **Ffigur 1.20** Mathau o ecwilibriwm

Efallai fod swm yr egni sy'n mynd i mewn i'r system arfordirol yn gyfartal â swm yr egni wedi'i wasgaru, heb unrhyw newid o ran morffoleg neu siâp y tirffurfiau (Ffigur 1.20a). Mae'r **ecwilibriwm cyflwr sefydlog** hwn yn parhau nes bydd newid yn yr amgylchedd egni. Os yw clogwyn yn derbyn yr un swm, fwy neu lai, o egni atmosfferig a morol, mae proffil y clogwyn yn tueddu i aros yr un fath o flwyddyn i flwyddyn. Mae traeth sy'n derbyn egni tonnau tebyg o un flwyddyn i'r nesaf yn mynd drwy addasiadau tymhorol, ond mae ei raddiant blynyddol yn aros yr un fath ar gyfartaledd.

Weithiau mae rhywbeth dramatig yn digwydd yn y parth arfordirol sy'n dod â newid sylweddol i'r arfordir. Mae tywod a graean bras yn gallu addasu'n gyflym i newidiadau o ran mewnbynnau egni. Mae storm egni uchel sy'n cynhyrchu tonnau uwch a mwy aml yn gallu tynnu'r mwyafrif o'r traeth oddi yno o fewn ychydig oriau. Y canlyniad yw siâp newydd – traeth gwastad a llydan. Yn dilyn hynny, mae'r parth arfordirol yn addasu i'r sefyllfa newydd, sef **ecwilibriwm metasefydlog** (Ffigur 1.20b). Mae egni'r tonnau yn cael ei amsugno heb unrhyw drosglwyddiad net pellach o waddod.

Gall gweithgareddau dynol hefyd achosi newid yn y parth arfordirol. Mae adeiladu argorau dros gyfnod o chwe mis yn sbarduno newid yng nghyfradd a chyfaint y gwaddod sy'n symud ar hyd arfordir. Bydd hyn, yn ei dro, yn dylanwadu ar draethau a chlogwyni ger yr argorau ac ymhellach ar hyd yr arfordir.

Dydy newidiadau egni sy'n digwydd dros gyfnod o ychydig oriau ddim yn mynd i wneud gwahaniaeth o gwbl i forlinau o graig solid. Dydy afonydd ddim yn gallu addasu eu sianeli wrth lifo dros graig solid, ac yn yr un modd, dydy tonnau ddim yn gallu gwneud unrhyw argraff ar forlinau o graig solid dros gyfnodau byr o amser. Hyd yn oed os bydd erydiad sylweddol yn digwydd yn ystod un storm, bydd miloedd o flynyddoedd yn mynd heibio cyn cyflawni unrhyw beth sy'n agos at fod yn ffurf ecwilibriwm.

Mewn egwyddor, byddai'n bosibl cyrraedd ecwilibriwm hyd yn oed ar arfordiroedd craig galed pe bai'r amgylchedd yn aros yn sefydlog am gyfnod digon hir o amser, efallai dros nifer o filoedd o flynyddoedd. Yn y pen draw, byddai enciliad y clogwyni yn ffurfio llyfndir glannau sy'n ddigon llydan i wasgaru'r egni tonnau i gyd cyn iddo gyrraedd llinell y clogwyni. Yna, byddai'r clogwyni'n diraddio drwy hindreuliad a phrosesau goleddu i gyrraedd ffurf newydd o ecwilibriwm. Ond, o ystyried y newidiadau hinsoddol enfawr sydd wedi digwydd dros y ddwy filiwn o flynyddoedd diwethaf, wrth i lenni iâ ehangu ac encilio, ac wrth i lefel y môr newid o ganlyniad i hynny, mae'n annhebygol y byddai ecwilibriwm yn digwydd dros gyfnod mor hir o amser.

Fodd bynnag, mae newid yn gallu digwydd yn fwy graddol yng nghyd-destun newidiadau tymor hir. Gallai'r arfordir fod mewn cyflwr o **ecwilibriwm dynamig** neu sylfaenol (Ffigur 1.20c). Un enghraifft o hyn yw lefel y môr yn codi wrth i'r egni tonnau gyrraedd yn uwch i fyny'r lan. Bydd proffiliau clogwyni a thraethau yn addasu o ganlyniad i hynny. Pan fydd datgoedwigo'n digwydd yn nalgylch afon sy'n llifo i'r arfordir, mae mewnbwn gwaddod ar hyd yr arfordir yn gallu cynyddu. Gallai hyn olygu bod moryd yn dechrau llenwi'n gyflymach â silt, a bod morfa heli yn tyfu'n gyflymach.

Felly, er bod rhan o'r arfordir mewn ecwilibriwm, dydy'r rhan arall ddim ac nid yw hynny'n debygol o newid. Mae rhyddid gan y system i addasu i newidiadau egni o fewn cyfnodau byr drwy symud gwaddodion (yn debyg i afon yn llifo ar draws ei gorlifdir mewn sianel sydd wedi'i chreu o lifwaddodion), ond ychydig iawn o ryddid sydd ganddi, os o gwbl, i greu ecwilibriwm ar arfordiroedd creigiog. O ganlyniad, mewn amodau stormus, mae gormodedd o egni yn y system arfordirol. Bydd llawer o'r gormodedd hwn yn cael ei ddefnyddio wrth i donnau'r storm daro'r clogwyni. Mae'r nodweddion erydu sy'n ffurfio oherwydd enciliad clogwyni, fel ogofâu, bwâu a staciau, yn dystiolaeth o hyn.

TERMAU ALLWEDDOL

Ecwilibriwm metasefydlog
Mae'n bodoli pan fydd system yn newid yn ddramatig o un cyflwr i gyflwr arall ar ôl i sbardun ddylanwadu arni; mae'r system yn addasu i'r cyflwr newydd hwnnw.

Argorau Rhwystrau sy'n estyn ar draws traeth ac i lawr i mewn i'r môr.

Ecwilibriwm dynamig
Mae hyn yn ymwneud â newid mewn system ond mewn ffordd fwy graddol na'r newid dramatig sy'n digwydd yn achos ecwilibriwm metasefydlog.

Rhaid i ni gofio hefyd fod dosbarthiad gofodol egni tonnau yn anghyfartal ar forlinau bylchog. Mae plygiant tonnau yn golygu bod egni tonnau yn crynhoi ar bentiroedd ond mae'n cael ei wasgaru mewn baeau. Gall amgylcheddau egni newid o fewn ychydig fetrau yn unig, gan wneud y system arfordirol hyd yn oed yn fwy cymhleth. Felly, mae amrywiadau o ran mewnbynnau egni yn ymwneud â lle (gofod) yn ogystal ag amser.

4 Gwerthuso'r mater

▶ *Asesu pwysigrwydd cymharol y ffynonellau egni gwahanol yn y system arfordirol.*

Adnabod cyd-destunau posibl, ffynonellau data a meini prawf ar gyfer asesu

Mae dadl y bennod hon yn canolbwyntio ar ran allweddol o bob system ffisegol: egni. Mae'r system arfordirol yn dangos, mewn amrywiol ffyrdd, pa mor bwysig yw mewnbynnau egni i'r ffordd mae'r system yn gweithredu. Mae nifer o ffynonellau egni yn bodoli, ac mae angen eu disgrifio a'u hesbonio'n glir, a phenderfynu sut i asesu eu pwysigrwydd cymharol.

- Cyd-destunau posibl – mewn asesiad daearyddol, mae'n bwysig ystyried graddfa. Wrth archwilio mewnbynnau egni i'r system arfordirol, mae'n bwysig ystyried ystod o raddfeydd gofodol – o'r macro neu'r byd-eang, i'r amrywiol raddfeydd meso (rhanbarthol) e.e. Môr y Gogledd, ac i'r micro neu'r lleol fel bae bychan, traeth neu riff. Mae'n bosibl meddwl am raddfa yng nghyd-destun amser hefyd, gan ymestyn o'r macro neu'r daearegol, i'r amrywiol gyfnodau amser byrrach e.e. yr oes iâ ddiwethaf, yr holl ffordd at raddfa amser dilyniant llanw neu storm unigol.

Drwy edrych ar ystod o gyd-destunau gofodol ac amseryddol, bydd mwy o gyfle i gymharu a chyferbynnu, ac o ganlyniad, bydd modd asesu '...pwysigrwydd cymharol y ffynonellau egni gwahanol'.

- Ffynonellau data – bydd y rhain yn dibynnu ar y ffynonellau egni unigol dan sylw. Gyda thestun fel egni mae'n annhebygol, os nad yn amhosibl, y byddwch yn ystyried meintiau gwirioneddol o egni. Fodd bynnag, mae rhai pethau'n arwydd o egni, e.e. uchder tonnau a buanedd y gwynt.

- Meini prawf ar gyfer asesu – yn debyg i'r ffynonellau data, mae asesu pwysigrwydd cymharol mewn ffordd fesuradwy bron yn amhosibl. Ond, dydy hynny ddim yn golygu y dylech chi osgoi'r mater – rhaid, yn hytrach, amcangyfrif graddfa'r erydiad neu'r dyddodiad ar sail y wybodaeth sydd gennym. Mae tystiolaeth fesuradwy ar gael o ganlyniadau posibl rhai mathau o fewnbwn egni, er enghraifft cyfraddau enciliad clogwyni.

Asesu pwysigrwydd cymharol egni solar

Wrth ymdrin ag unrhyw system naturiol, mae'n ddefnyddiol dechrau gyda'r ffynhonnell egni allweddol, sef yr Haul. Ar y raddfa fyd-eang, dydy darheulad ddim wedi'i ddosbarthu'n gyfartal. Mae'r lledredau isel yn derbyn mwy o wres dwys am bob uned o arwynebedd arwyneb o gymharu â'r lledredau canol ac yn enwedig y lledredau uchel. Mae darheulad yn y rhanbarthau pegynol wedi'i ledaenu dros ardaloedd llawer iawn mwy na'r rhanbarthau ger y Cyhydedd. Ac am gyfnodau hir o amser, does prin dim egni o'r Haul yn mynd i mewn i'r rhanbarthau hyn.

Mae egni solar yn bwysig gan ei fod yn gyrru nifer o systemau naturiol eraill. Gan fod arwyneb y Ddaear yn derbyn mwy o wres mewn rhai ardaloedd nag ardaloedd eraill, mae'n creu patrwm byd-eang o wyntoedd, gydag aer yn symud o ardaloedd gwasgedd atmosfferig uchel i ardaloedd gwasgedd isel. Mae'r cylchrediad byd-eang hwn o aer yn creu prifwyntoedd gorllewinol sy'n effeithio ar orllewin Ewrop, gorllewin Gogledd America a gorllewin Chile. Mae lleoliadau ger y cyhydedd, fel morlin isgyfandir India, yn derbyn llawer llai o wynt.

Ar raddfa fach, mae'r cyfraddau gwresogi gwahanol rhwng y tir a'r môr yn ystod y dydd yn creu gwyntoedd atraeth ac alltraeth lleol sy'n dilyn cylchred 24 awr. Er nad yw'n ddylanwad mawr, mae newidiadau fel hyn yn effeithio rywfaint ar y system arfordirol.

Mae'r Haul hefyd yn pweru'r gylchred hydrolegol. Heb egni'r Haul, ni fyddai anweddu'n gallu digwydd. O ganlyniad i hyn, heb unrhyw leithder yn yr atmosffer, ni fyddai dyodiad yn disgyn. Mae hyn yn bwysig yng nghyd-destun prosesau hindreuliad a rôl dŵr o safbwynt màs-symudiad.

Mae bron pob ecosystem yn dibynnu ar egni solar fel man cychwyn. Drwy ffotosynthesis, mae cynhyrchwyr cynradd yn trosi'r egni hwn yn ffurfiadau sydd wedyn yn dod yn ffynhonnell fwyd i ysyddion. Drwy hyn, mae egni solar yn cael ei drosglwyddo drwy weoedd a chadwyni bwyd. Mae organebau byw yn bwysig, nid yn unig o ran bioamrywiaeth, ond o ran yr effaith maen nhw'n ei chael ar dirweddau a thirffurfiau. Ni fyddai riffiau cwrel, mangrofau, morfeydd heli a thwyni tywod yn bodoli heb organebau.

Asesu pwysigrwydd cymharol tonnau

Mae tonnau'n cynrychioli trosglwyddiad egni o'r atmosffer i'r môr. Yn hyn o beth, gallen ni ddadlau eu bod nhw'n llai pwysig nag egni solar, sy'n pweru'r system atmosfferig. Ond, mae tonnau'n rhan allweddol o'r system arfordirol oherwydd y 'gwaith' maen nhw'n ei wneud. Mae cydnabod dylanwad absenoldeb egni tonnau mewn lleoliad arfordirol penodol yr un mor bwysig â thrafod presenoldeb egni tonnau mewn mannau eraill.

Rhaid i ni sylweddoli pa mor bwysig yw rôl egni tonnau yn y broses o gynhyrchu tirffurfiau a thirweddau. Mae prosesau erydu, fel gweithred hydrolig, sgrafelliad ac athreuliad, yn dibynnu ar donnau egnïol sy'n cyrraedd y lan. Mae'r broses o drawsgludo gwaddod yn dibynnu, i raddau helaeth, ar egni tonnau. Mewn dŵr, does dim modd i brosesau rholiant, neidiant a daliant ddigwydd os nad yw'r dŵr hwnnw'n symud. Yn ogystal, heb drawsgludiad ac erydiad gwaddod, ni fyddai dyddodi'n digwydd.

Mewn gwirionedd, rydyn ni'n trafod y cyferbyniad rhwng morlinau egni uchel a morlinau egni isel yng nghyd-destun egni tonnau. Y mewnbwn egni hwn, neu'r diffyg mewnbwn egni, sy'n penderfynu sut mae tirffurfiau a thirweddau'r morlinau cyferbyniol hyn yn datblygu – er enghraifft, arfordir â chlogwyni creigiog o'i gymharu â moryd. Ar raddfa lai, egni tonnau sy'n gyfrifol am y cyferbyniad rhwng ochr tafod sy'n wynebu'r môr a'r ochr sy'n wynebu'r tir.

Asesu pwysigrwydd cymharol llanwau

Mae patrymau llanw, ac yn benodol yr amrediad llanw, yn bwysig gan eu bod nhw'n dylanwadu ar faint y parth rhynglanwol yn fertigol ac yn llorweddol. Y mwyaf o'r arfordir sy'n cael ei ddadorchuddio rhwng y llanw uchel a'r llanw isel, y mwyaf o erydiad, trawsgludiad a dyddodiad sy'n gallu digwydd. Mae llifoedd dŵr llanw yn bwysig iawn mewn morydau – er enghraifft, maen nhw'n newid y cymysgedd o ddŵr heli a dŵr croyw, sydd wedyn yn dylanwadu ar ecosystemau.

Yn debyg i egni tonnau, mae egni llanw yn gysylltiedig â'r Haul, ond nid o safbwynt darheulad. Yn hytrach, dylanwad disgyrchiant yr Haul sy'n helpu i yrru symudiadau'r dŵr ar raddfa fawr. Fodd bynnag, mae rôl y Lleuad yn bwysicach na rôl yr Haul o ran eu perthynas â'r llanw. Er bod yr Haul sawl gwaith yn fwy na'r Lleuad (diamedr 400 gwaith yn fwy; cyfaint 27 miliwn gwaith yn fwy), mae ei dyniad disgyrchiant yn llai dylanwadol gan ei fod mor bell i ffwrdd (400 gwaith ymhellach i ffwrdd).

Asesu pwysigrwydd cymharol egni geothermol

Mae egni geothermol yn creu'r creigiau sy'n sylfaen i'r morlin. Mae'r broses o greu a dinistrio creigiau yn digwydd mewn cylchredau. Model yw'r gylchred creigiau sy'n disgrifio'r broses o ffurfio, torri i lawr ac ailffurfio craig o ganlyniad i brosesau gwaddodol, igneaidd a metamorffig. Yn ogystal, mae rôl tectoneg wedi bod, ac yn parhau i fod, yn hanfodol. Mae agor a chau cefnforoedd ac eangdiroedd wedi effeithio ar batrwm ceryntau cefnforoedd. Mae unrhyw ddarn o dir rydyn ni'n ei weld heddiw wedi'i greu o greigiau a gafodd eu ffurfio dan amodau gwahanol iawn i'r amodau presennol. Mae clogwyni sialc de a dwyrain Lloegr yn dyddio yn ôl i gyfnod pan oedd y tir hwn wedi'i leoli llawer pellach i'r de, yn y trofannau. Cafodd llawer o'r tywodfeini eu ffurfio mewn amgylcheddau cras. Mae creigiau igneaidd a metamorffig yn dyddio yn ôl i gyfnod pan oedd yr ardal dan sylw wedi'i leoli ar ffin platiau byw.

Egni tectonig sydd hefyd wedi achosi i greigiau blygu neu ffawtio. Heb i'r symiau enfawr hyn o egni geothermol gael eu rhyddhau, ni fyddai llawer o'r tirffurfiau arfordirol wedi datblygu fel y gwnaethon nhw, er enghraifft amrywiol fathau o glogwyni.

Dros gyfnodau byrrach o amser, e.e. yr ychydig filoedd o flynyddoedd diwethaf, mae grymoedd tectonig wedi parhau i ddylanwadu ar y parth arfordirol.

- Mae tiroedd newydd yn cael eu creu ar yr arfordir mewn lleoliadau fel Hawaii a Gwlad yr Iâ wrth i lafa echdorri a llifo i mewn i'r môr. Mae daeargrynfeydd tanddwr yn dadleoli symiau enfawr o ddŵr, gan greu tswnami sy'n rhuthro ar draws y cefnforoedd. Pan fydd symiau enfawr o egni'n taro morlin fel hyn, mae'r effeithiau yn gallu newid y morlin hwnnw yn gyfan gwbl.
- Ers tua 10 000 o flynyddoedd, mae rhai morlinau o amgylch y DU wedi bod yn codi'n uwch yn raddol (ar gyfradd o sawl mm y flwyddyn), tra bod morlinau eraill wedi suddo'n raddol. **Adlamu isostatig** sy'n gyfrifol am y newid hwn (gweler Pennod 5, tudalennau 122–4), sef proses arall sy'n dibynnu ar egni tectonig.

Dod i gasgliad sy'n seiliedig ar dystiolaeth

Mae'r system arfordirol yn ddynamig iawn, yn bennaf o ganlyniad i'r trosglwyddiadau enfawr o egni sy'n digwydd ynddi. Mae'r tirffurfiau a'r tirweddau sy'n datblygu ar hyd morlinau yn wahanol oherwydd yr amrywiadau egni sy'n digwydd dros gyfnodau amser hir, canolig a byr.

Nid oes morlin yn bodoli heb egni geothermol. Rhaid i greigiau gael eu ffurfio a'u codi uwchben arwyneb y môr. Nid yw clogwyni'n gallu bodoli heb y gylchred creigiau, nac unrhyw draethau chwaith. Tectoneg sy'n gyfrifol am y ffaith bod y patrwm presennol rhwng y tir a'r môr yn bodoli o gwbl.

Fodd bynnag, heb ddarheulad, ni fyddai'r system atmosfferig na'r gylchred hydrolegol yn gallu gweithredu. Mae gwyntoedd, tonnau, glawiad, a dŵr yn llifo oddi ar y tir i gyd yn dibynnu ar egni solar. Yn ogystal, mae'r biosffer yn dibynnu ar ddarheulad i ddarparu'r egni sydd wedyn yn gallu llifo drwy ecosystemau cyfan.

Mae'n bosibl dadlau mai egni solar sy'n chwarae'r rôl bwysicaf, yn enwedig drwy gyfrwng y gwyntoedd a'r tonnau. Fodd bynnag, pe bai unrhyw gydran yn cael ei thynnu neu ei newid, bydd adborth yn dechrau gweithredu a bydd newidiadau'n digwydd. Yr amrywio hwn o ran egni cymharol yn y system arfordirol sy'n ei gwneud hi mor ddynamig. Nid yw unrhyw ddwy don yn union yr un fath, ac mae adeiledd a litholeg creigiau sy'n edrych yn union fel ei gilydd yn gallu amrywio mewn ffyrdd cynnil sy'n gallu achosi i dirffurfiau ychydig yn wahanol ddatblygu.

Yn olaf, dros y 200 mlynedd diwethaf, mae gweithgareddau dynol wedi bod yn ymyrryd yn y system arfordirol, naill ai'n bwrpasol neu'n ddamweiniol, gan ychwanegu ffynhonnell arall o 'egni' at y system arfordirol. Ar hyd morlinau sy'n profi cynnydd o ran dwysedd y boblogaeth, gweithgareddau dynol yw'r ffactor mwyaf dylanwadol, o bosibl. Efallai mai dim ond dechrau mae'r dylanwad mwyaf dramatig, sef y cynnydd yn lefel y môr sy'n gysylltiedig â chynhesu byd-eang anthropogenig.

 TERM ALLWEDDOL

Adlamu isostatig Y tir yn symud i fyny wrth i bwysau ddod oddi arno e.e. wrth i iâ doddi neu wrth i greigiau gael eu hindreulio a'u herydu.

Crynodeb o'r bennod

✔ Mae arfordiroedd yn gweithredu fel systemau agored. Mae llifoedd egni a defnyddiau'n mynd i mewn i'r system ac yn gadael y system; wrth i'r llifoedd hyn ryngweithio, mae tirffurfiau a thirweddau unigryw yn ffurfio ar yr arfordir.

✔ Mae prosesau'n gallu gweithredu dros gyfnodau hir o amser (miliynau o flynyddoedd) i gyfnodau byr o amser (ychydig eiliadau). Mae meddwl yng nghyd-destun systemau yn ein helpu ni i ddeall sut mae newidiadau dros amrywiol gyfnodau amser yn siapio tirffurfiau a thirweddau.

✔ Mae tonnau sy'n cael eu cynhyrchu gan wyntoedd yn darparu mewnbwn egni mawr i'r system arfordirol. Wrth i donnau agosáu at y lan, maen nhw'n torri ac mae egni'r tonnau yn mynd i mewn i'r parth arfordirol. Mae egni tonnau yn amrywio yn ofodol a dros amser.

✔ Mae llanwau a cheryntau yn symud dŵr a gwaddod, ac maen nhw'n amrywio o amgylch y byd; mae amrediad llanw yn rhan allweddol o system arfordirol lleoliad, sy'n dylanwadu ar ddosbarthiad prosesau ar draws y parth arfordirol.

✔ Mae swm yr egni sy'n dod i mewn i unrhyw ran o'r parth arfordirol yn dylanwadu ar y prosesau sy'n gweithredu a'r tirffurfiau a thirweddau sy'n ffurfio yno. Gall dau fath o adborth ddigwydd, sef cadarnhaol a negyddol, ac mae'r ddau yn ymateb i rywbeth sy'n newid yn y system. Mae ecwilibriwm yn y system arfordirol yn dibynnu ar gydbwysedd yr egni o fewn y system; gall hyn arwain at sefydlogrwydd neu aflonyddwch.

Cwestiynau adolygu

1 Nodwch ddau o bob un o'r canlynol yn y system arfordirol: mewnbynnau; storfeydd; prosesau; allbynnau.

2 Amlinellwch sut mae hyd cyrch yn effeithio ar egni tonnau ar hyd morlin.

3 Disgrifiwch beth sy'n digwydd i batrwm symudiad gronyn dŵr pan fydd ton yn agosáu at y lan ac yna'n ei chyrraedd.

4 Esboniwch bwysigrwydd y torddwr a'r tynddwr wrth ystyried effeithiau tonnau ar forlin.

5 Esboniwch sut mae plygiant tonnau yn dylanwadu ar ddosbarthiad egni tonnau ar hyd morlin.

6 Amlinellwch bwysigrwydd amrediad llanw i brosesau arfordirol.

7 Disgrifiwch ac esboniwch y gwahaniaeth rhwng adborth cadarnhaol ac adborth negyddol.

8 Esboniwch sut gallai ecwilibriwm dynamig weithredu yn y system arfordirol.

Gweithgareddau trafod

1 Trafodwch sut mae mewnbynnau egni o ddigwyddiadau yn y gorffennol yn gallu parhau i ddylanwadu ar system arfordirol heddiw. Gallech chi ganolbwyntio ar ddarn o forlin sy'n gyfarwydd i chi. Gwnewch waith ymchwil i'w ddaeareg ac yna lluniwch linell amser yn nodi'r cyfnodau pan gafodd creigiau'r arfordir eu ffurfio. Nodwch y cyfnodau/ digwyddiadau allweddol yn y gorffennol pan gafwyd mewnbynnau egni sylweddol.

2 Ystyriwch beth yw manteision ac anfanteision meddwl yng nghyd-destun systemau i ddeall tirffurfiau a thirweddau arfordirol. Dylech chi ganolbwyntio ar werth ystyried llifoedd egni a defnyddiau drwy system. Yna ystyriwch sut mae pobl yn rhyngweithio â'r amgylchedd arfordirol, a sut gallwn ni gynnwys y rhyngweithio hwn wrth drafod systemau.

3 Mewn grwpiau bach, trafodwch sut mae egni tonnau yn amrywio o forlin i forlin o amgylch Ynysoedd Prydain, gan ddibynnu ar agwedd y morlin a'r cyrch. Defnyddiwch fapiau atlas a delweddau o Google Earth fel man cychwyn i'ch trafodaeth.

4 Trafodwch pa elfennau yn y system arfordirol sy'n debygol o ymateb naill ai'n gyflym neu'n araf i newidiadau o ran mewnbynnau egni.

5 Trafodwch sut mae egni tonnau'n dylanwadu ar bortreadau anffurfiol o leoliadau. Er enghraifft, gwnewch waith ymchwil i baentiadau gan artistiaid sy'n cynrychioli gwahanol 'hwyliau' y môr, e.e. storm. Yn ogystal, dewch o hyd i ddarnau o gerddoriaeth neu ddyfyniadau o destun ffuglennol sy'n portreadu lefelau cyferbyniol o egni tonnau.

FFOCWS Y GWAITH MAES

Dydy ymchwilio i'r ffordd mae elfennau yn y system arfordirol yn ymateb i newidiadau o ran mewnbynnau egni a/neu ddefnyddiau ddim yn broses syml. Mae rhai awgrymiadau am gyfleoedd ymchwil posibl, er enghraifft yng nghyd-destun traethau, i'w gweld yn y penodau nesaf. Mae'n bosibl edrych ar newidiadau o ran siâp darn o forlin i weld tystiolaeth o'r ffordd gallai prosesau adborth fod yn gweithredu. Drwy gymharu mapiau dros gyfnod o 100 neu fwy o flynyddoedd, mae unrhyw newidiadau arwyddocaol yn yr arfordir i'w gweld yn glir.

Mae mapiau'r Arolwg Ordnans yn dyddio yn ôl i ddechrau'r bedwaredd ganrif ar bymtheg, a byddai'n bosibl defnyddio mapiau gafodd eu llunio mewn cyfnodau cynnar i ategu'r mapiau hyn. Wrth gymharu mapiau gafodd eu creu dros gyfnod mor hir o amser, mae'n bwysig sylwi ar unrhyw wahaniaethau yn y graddfeydd er mwyn cymharu mapiau ar yr un raddfa – er enghraifft, wrth edrych ar y pellteroedd. Gyda rhai lleoliadau, efallai byddai'n bosibl ymchwilio i newid arfordirol drwy ddadansoddi hen luniau cerdyn post. Gallech chi gymharu'r ffynonellau eilaidd hyn â'r cyd-destun presennol (hynny yw, eich ffynhonnell data gynradd).

Darllen pellach

Arolwg Daearegol Prydain – mae nifer o dudalennau ar y wefan yn cynnig llawer o wybodaeth fanwl am ddaeareg: ewch i www.bgs.ac.uk. Mae rhai tudalennau penodol yn yr adran wyddoniaeth forol sy'n cynnig gwybodaeth am ddaeareg gwely'r môr.

Arsyllfa Arfordir y Sianel: https://www.channelcoast.org

Coastal Wiki: http://www.coastalwiki.org/wiki

Luijendijk, S.A., Hagenaars, G., Ranasinghe, R., Baart, F., Donchyts, G., Aarninkhof, S. (2018) 'The State of the World's Beaches', Scientific Reports, 8, 11 [mynediad agored]

Masselink, G.L., Hughes, M.G., Knight, J. (2011) *An Introduction to Coastal Processes and Geomorphology* (3ydd argraffiad). Abingdon: Routledge

Open University (1999) *Waves, Tides and Shallow Water Processes* (2il argraffiad). Milton Keynes: Open University

Pilkey, O.H., Neal, W.J., Cooper, J.A.G., Kelley, J.T. (2011) *The World's Beaches: A Global Guide to the Science of the Shoreline*. Berkeley and Los Angeles: University of California Press

Dynameg y system arfordirol – y prosesau sydd ar waith yn y parth arfordirol

Mae symiau mawr o egni a defnyddiau yn llifo drwy amgylcheddau arfordirol, sy'n golygu bod newidiadau o ran morffoleg y tirffurfiau yn beth cyffredin. Pan fydd erydiad morol, prosesau isawyrol a màs-symudiadau yn rhyngweithio â'i gilydd, mae hyn yn creu rhai o'r llethrau mwyaf dramatig yn y byd. Mae gwaddodion yn cael eu trawsgludo a'u dyddodi'n rheolaidd ac yn aml gan symudiad dŵr ac aer, gan gyfrannu at natur ddynamig y parth arfordirol. Bydd y bennod hon:

- yn archwilio prosesau erydu morol
- yn ymchwilio i hindreulio isawyrol a màs-symudiadau
- yn dadansoddi ffynonellau gwahanol a mathau gwahanol o waddodion arfordirol
- yn edrych ar brosesau trawsgludo a dyddodi arfordirol
- yn gwerthuso ai egni tonnau yw'r dylanwad mwyaf arwyddocaol ar brosesau trawsgludo gwaddod yn y parth arfordirol, ac i ba raddau.

CYSYNIADAU ALLWEDDOL

Systemau Grwpiau o gydrannau sy'n perthyn i'w gilydd. Mewn daearyddiaeth ffisegol, mae systemau'n tueddu i fod yn 'agored' – hynny yw, mae ganddyn nhw fewnbynnau ac allbynnau ar ffurf egni a defnyddiau. Mae cell waddod yn system agored sy'n cynnwys mewnbynnau (e.e. egni tonnau a gwynt), storfeydd (e.e. gwaddod ar draeth) ac allbynnau (e.e. gwaddod sy'n cael ei drawsgludo allan o'r gell).

Ecwilibriwm Cyflwr o gydbwysedd mewn system. Os bydd cell waddod yn colli gwaddod, er enghraifft yn sgil gweithgareddau dynol sy'n echdynnu tywod a graean bras, mae hyn yn tarfu ar storfeydd a llifoedd y gwaddod yn y gell. Gall hyn effeithio ar gyfradd erydiad y clogwyni – er enghraifft, pan fydd traeth yn colli defnydd, mae hyn yn caniatáu i fwy o egni tonnau gyrraedd y clogwyn.

Adborth Ymateb mewnol awtomatig i newid mewn system – er enghraifft, pan fydd tonnau'n tandorri clogwyn morol gan achosi i ongl llethr y clogwyn fynd yn fwy serth. Gan fod tandorri yn gwneud y clogwyn yn llai sefydlog, gallai'r cynnydd yn y diriant sy'n gweithredu ar y system llethrau ei gwneud hi'n rhy serth ac achosi i'r llethr fethu. Yma, mae adborth cadarnhaol wedi achosi newid o ran morffoleg y llethr.

Trothwy 'Pwynt sy'n sbarduno newid' mewn system. Os bydd clogwyn yn derbyn mewnbwn sylweddol o ddŵr, er enghraifft yn dilyn cyfnod o lawiad dwys, gall pwysau ychwanegol y dŵr hwn wthio'r llethr heibio i'w bwynt ecwilibriwm (trothwy sefydlogrwydd). Wedyn mae'r diriant croesrym yn fwy na'r cryfder croesrym, ac mae màs-symudiad yn digwydd.

① Prosesau erydu morol

▶ *Pa brosesau erydu sy'n gweithredu yn y parth arfordirol?*

Mae mewnbynnau egni i'r parth arfordirol yn ffactor pwysig iawn sy'n dylanwadu ar ba brosesau sy'n arwyddocaol mewn lleoliad. Mae gallu'r tonnau i **erydu**, ac i ba raddau, yn dibynnu ar dri newidyn:

- egni tonnau
- daeareg y morlin
- morffoleg (siâp) y morlin.

Bydd mesur 'uchder ton arwyddocaol' mewn lleoliad arfordirol yn dangos faint o rym gallai dŵr sy'n symud ei roi ar yr arfordir (tudalen 6). Fodd bynnag, mae'n bwysig gwerthfawrogi nad yw erydiad yn digwydd y rhan fwyaf o'r amser. Y farn erbyn hyn yw bod llawer o dirweddau'n eithaf 'tawel' – dim ond digwyddiadau egni uchel iawn sy'n gwneud y 'gwaith' sydd ei angen i newid tirffurfiau fel clogwyni, ac mae'r digwyddiadau hynny yn brin. Hyd yn oed mewn lleoliadau arfordirol lle mae'r creigiau'n eithaf gwan (e.e. clai), dydy erydiad ddim yn digwydd yn barhaus (tudalen 180).

Ystyr newidyn daeareg y morlin yw **litholeg** ac **adeiledd** creigiau.

Morffoleg arfordirol yw'r arweddion sydd gan y morlin, e.e. a oes baeau a phentiroedd amlwg. Mae hefyd yn cynnwys arweddion o dan y dŵr ger y lan, e.e. cefnenau a dyffrynnoedd.

Prosesau erydu

Gweithred hydrolig

Mae proses **gweithred hydrolig** yn ymwneud â symudiad dŵr, heb gyfraniad gronynnau creigiau. Y ffactor allweddol yma yw grym dŵr yn symud. Enw arall ar y broses hon yw ergydiad tonnau – hynny yw, pan fydd gwasgedd dŵr yn pwyso ar graig ac yn dod oddi arni bob yn ail, gan wanhau'r graig. Mewn amodau eithafol, gall y gwasgedd fod mor uchel ag 11 000 kg/m². Gall màs mawr o ddŵr symud darnau o'r graig sy'n rhydd, a'r enw ar hyn yw cloddio tonnol.

▲ **Ffigur 2.1** Tonnau egni uchel yn torri ar glogwyn

Yn ogystal â grym y dŵr, elfen bwysig arall yw grymoedd niwmatig. Gall aer gael ei ddal a'i gywasgu rhwng wyneb clogwyn a'r dŵr sy'n agosáu. Mae'r grym hwn yn arbennig o effeithiol pan fydd clogwyn wedi'i wneud o greigiau sydd â llawer o fregion. Wrth i'r don encilio, mae'r gwasgedd yn dod oddi ar y graig yn sydyn, ac mae hyn yn gwanhau wyneb y clogwyn.

Os yw'r tonnau yn eithriadol o fawr, mae ceudodi yn digwydd. Bydd swigod, sydd o dan wasgedd mawr yn y don, yn crebachu. Mae hyn yn cynhyrchu siocdonnau sy'n erydu arwynebau'r graig ac yn cael effaith debyg i daro â morthwyl.

Sgrafelliad

Mae tonnau sy'n torri yn codi ac yn cludo gwaddod fel tywod, graean a cherigos. Wrth i'r dŵr sy'n symud lusgo'r gwaddod dros y graig, ac wrth i'r gwaddod gael ei daflu at wyneb y graig, mae'r graig yn cael ei sgwrio. Yr enw ar hyn yw sgrafelliad (neu cyrathiad). Mae sgrafelliad yn gallu bod yn fwy effeithiol neu'n llai effeithiol yn dibynnu ar egni tonnau a faint o waddod sydd ar gael. Dydy gwaddod mwy (clogfeini a cherigos) ddim yn symud heblaw bod gan y dŵr ddigon o egni, er enghraifft mewn storm ddwys. Mae gwaddod llai (tywod a graean) yn cael eu symud yn amlach ac yn rheolaidd gan donnau egni is.

Athreuliad

Mae gronynnau gwaddod unigol yn taro i mewn i'w gilydd pan fydd dŵr yn achosi iddyn nhw symud o gwmpas. Pan fydd hyn yn digwydd, mae darnau'n cael eu torri i ffwrdd sy'n lleihau maint y gronynnau. Y gronynnau llai sy'n tueddu i gael eu cludo mewn dŵr fel gwaddod mewn daliant. Ar draeth, gall gronynnau gael eu rholio i fyny ac i lawr wrth i'r torddwr a'r tynddwr ddigwydd. Yr enw ar y broses hon yw athreuliad, ac mae'n cynhyrchu gwaddod sy'n llyfn ac yn grwn. Mae gwaddod hefyd yn cael ei dorri a'i wneud yn grwn drwy broses sgrafelliad.

Cafodd nifer o glogfeini mawr iawn, oedd wedi'u gwasgaru ar hyd nifer o forlinau, eu hastudio er mwyn canfod o ble roedden nhw'n deillio. Byddai'n ymddangos bod y clogfeini hyn – gydag un enghraifft yn y Bahamas yn pwyso 1000 o dunelli metrig ac yn mesur $13 \times 11.5 \times 6.5$ metr – wedi cael eu symud naill ai gan tswnami neu gan storm hynod o ddwys yn y gorffennol daearegol diweddar, tua 125 000 o flynyddoedd Cyn y Presennol (CP). Mae gwaith ymchwil diweddar yn cadarnhau bod clogfeini mawr, a oedd yn pwyso nifer o gannoedd o dunelli metrig, wedi cael eu symud degau o fetrau yn ystod stormydd y gaeaf yn 2013–14 ar Ynysoedd Aran, gogledd-orllewin Iwerddon.

Bioerydiad

Bioerydiad yw'r hyn sy'n digwydd o ganlyniad i weithgaredd organebau biolegol sy'n byw yn y parth arfordirol.

- Mae rhywogaethau gastropod (e.e. cregyn moch) ac ecinoidau (e.e. draenogod môr) yn crafu arwyneb craig wrth iddyn nhw bori ar algâu sy'n tyfu ar y graig. Yn raddol, mae hyn yn tynnu haenau tenau o'r graig. Yn ôl yr amcangyfrifon, mae'r creigiau calchfaen ar Ynysoedd Baleares, Sbaen wedi lleihau o rhwng 0.4 a 2.0 mm y flwyddyn oherwydd pori.

- Mae rhai organebau, fel sbyngau, molysgiaid a mwydod y môr, yn tyllu i mewn i greigiau. Gall y creigiau hyn fod yn llawn tyllau bach; roedd dwyseddau o dros 20 000/m² gan rai mathau o glai a llaid gafodd eu harchwilio yn nwyrain Lloegr. Mae tyllu hefyd yn effeithio'n arbennig ar greigiau calchfaen, ond yn yr achos hwn mae'r organebau'n tueddu i secretu cemegion sy'n gwneud y gwaith 'drilio'.

- Wrth i wreiddiau planhigion wthio eu ffordd i mewn i holltau a chraciau, mae'r weithred fecanyddol hon yn gallu hollti'r graig a'i hagor. Mae hyn yn caniatáu i brosesau dinistriol eraill ddigwydd, yn enwedig gan fod dŵr yn mynd i mewn i'r graig ac mae mwy o'i harwynebedd arwyneb yn agored i ymosodiad.

- Gall gwymon eu hangori eu hunain ar greigiau. Pan fydd egni tonnau uchel yn taro craig, mae'r gwymon yn symud, gan olygu bod unrhyw ddarn o'r graig sydd ynghlwm wrth y planhigyn yn dod oddi arni.

- Mae rhai mathau o adar a mamolion – er enghraifft adar y pâl *(puffins)* a chwningod – yn tyllu i mewn i wynebau clogwyni. Mae hyn yn cynyddu'r risg y bydd y clogwyn yn dymchwel yn fecanyddol, ac yn gadael i brosesau cemegol weithredu ar ddefnyddiau ar hyd y tyllau.

 # Hindreuliad isawyrol a màs-symudiad

▶ *Pa brosesau hindreulio isawyrol a màs-symudiadau sy'n gweithredu yn y parth arfordirol?*

Mae hinsawdd a thywydd y parth arfordirol yn fewnbynnau pwysig i'r system arfordirol. Mewn rhanbarthau lle mae'r egni tonnau a'r amrediad llanw yn isel (tudalennau 6 ac 16), fel rhanbarth y Môr Canoldir a de-ddwyrain Affrica, mae **hindreuliad isawyrol** yn gallu chwarae rôl flaenllaw o ran datblygiad tirffurfiau. Mae'n bosibl y bydd yr un ystod o brosesau hindreuliad sy'n digwydd yn y mewndir i'w gweld ar yr arfordir hefyd. Fodd bynnag, mae presenoldeb dŵr môr ac effaith y llanw wrth iddo wlychu a sychu'r creigiau yn gallu creu dinistr ychwanegol. Ar ben hynny hefyd mae effaith hinsoddau'r gorffennol – er enghraifft, dylanwad llenni iâ yn ehangu ac yn encilio.

Hindreuliad isawyrol

Gall ystod o brosesau hindreulio ddigwydd ar ddarn o forlin. Fodd bynnag, mae'r math o graig sy'n ffurfio'r arfordir, yn ogystal â'r hinsawdd, yn dylanwadu ar y prosesau sy'n digwydd yno.

Er cyfleustra, mae hindreuliad yn aml yn cael ei rannu yn ddau brif gategori, er bod y ddau yn debyg iawn ac yn aml yn digwydd ar yr un pryd:

- ffisegol/mecanyddol – mae grym ffisegol yn torri craig i lawr
- cemegol – mae adwaith cemegol yn digwydd, gan newid mwynau i ffurfiau gwahanol.

▼ **Tabl 2.1** Sut mae prosesau hindreulio ffisegol/mecanyddol yn effeithio ar arfordiroedd

Proses hindreulio	Effaith
Twf grisialau	Grisialau (e.e. halen) yn ehangu pan fydd dŵr heli'n ymgasglu mewn craciau yn wyneb y clogwyn → yr hydoddiant yn anweddu → grisialau'n ffurfio. Twf grisialau → pwysau'n cael ei roi ar y graig. Mae'r broses hon yn effeithiol iawn ar greigiau mandyllog e.e. tywodfeini, ac mewn lleoliadau lle mae'r tymheredd yn achosi anweddiad. Dyma'r broses hindreulio bwysicaf yn y parth arfordirol, siŵr o fod.
Rhewi-dadmer	Dŵr yn rhewi a dadmer bob yn ail; mae'r broses hon yn effeithiol iawn ar arfordiroedd lledred uchel sy'n derbyn llawer o ddyodiad.
Gwlychu a sychu	Mwynau yn ehangu a chyfangu, yn aml gan fod llanwau'n codi a gostwng; mae'r broses hon yn effeithiol iawn ar glai mewn lleoliadau macro-lanwol.

▼ **Tabl 2.2** Sut mae prosesau hindreulio cemegol yn effeithio ar arfordiroedd

Proses hindreulio	Effaith
Hydoddiant (cyrydiad)	Mwynau yn hydoddi, a'u cyflwr yn newid o solid i hylif. Mae hydoddedd yn dibynnu ar dymheredd ac asidedd y dŵr. Mae hydoddiant (y broses o garbonadu) yn effeithio ar galchfaen fel sialc yn enwedig, er bod yr effaith yn llai mewn dŵr môr.
Hydradiad	Pan fydd mwynau'n amsugno dŵr, mae hyn yn gwanhau eu hadeiledd grisialog, gan achosi i'r graig chwyddo a bod yn fwy agored i brosesau hindreulio eraill sy'n targedu gwendidau e.e. mewn siâl a chlai.
Hydrolysis	Adwaith rhwng mwynau a dŵr sy'n ymwneud â chrynodiad yr ïonau hydrogen yn y dŵr; mae'n effeithio ar y mwynau ffelsbar mewn gwenithfaen yn enwedig, gan gynhyrchu clai sy'n fwy agored i erydiad a hindreuliad pellach.
Ocsidiad/ rhydwythiad	Ychwanegu/tynnu ocsigen. Mae ocsidiad yn digwydd pan fydd ocsigen yn hydoddi mewn dŵr, ac mae'n effeithio ar greigiau sy'n cynnwys llawer o haearn yn enwedig. Mae rhydwythiad yn gyffredin o dan amodau dwrlawn.
Celadiad	Mae gwreiddiau planhigion a defnydd organig sy'n pydru yn cynhyrchu asidau organig sy'n clymu wrth ïonau metel, gan achosi i'r graig ddadelfennu.

Mae gweithgarwch biolegol yn aml yn cynyddu cyfraddau hindreuliad. Mae'r broses o gynhyrchu asidau organig yn achosi celadiad yn uniongyrchol, tra bod erydiad, fel tyllu, yn gadael i fwy o ddŵr fynd i mewn i'r graig.

Gwlychu a sychu

Un o effeithiau'r gylchred llanw yw bod creigiau sy'n cael eu dadorchuddio rhwng y llanw uchel a'r llanw isel yn gwlychu ac yn sychu bob yn ail. Mae'r gylchred hon yn cael effaith arwyddocaol ar ddatblygiad tirffurfiau yn y system arfordirol. Y rhan o'r arfordir sydd wedi'i heffeithio yw'r rhan sy'n gorwedd rhwng man uchaf y llanw uchel a'r man pellaf yn y mewndir lle mae ewyn y môr yn glanio yn y gwynt. O ganlyniad, mae'r amrediad llanw a ffactorau meteorolegol, fel tymheredd yr aer, yn bwysig. Er enghraifft, maen nhw'n penderfynu pa mor gyflym mae anweddiad yn digwydd.

Màs-symudiad

Mae rhai o'r llethrau mwyaf dramatig yn y byd i'w cael yn y system arfordirol ar ffurf clogwyni uchel. Mae llethrau graddol hefyd i'w cael ar yr arfordir. Beth bynnag yw ei faint, bydd pob llethr yn y parth arfordirol yn profi **màs-symudiad**, sef symudiad defnyddiau i lawr y llethr oherwydd effaith disgyrchiant. Dydy hyn ddim yn cynnwys defnydd sy'n symud dan ddylanwad uniongyrchol cyfrwng fel afon, rhewlif neu don y môr.

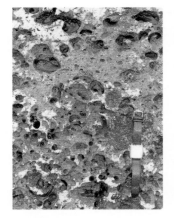

▲ **Ffigur 2.2** Calchfaen sydd wedi ei hindreulio gan gyfuniad o brosesau ffisegol, cemegol a biolegol, Dorset

Yn ystod digwyddiad màs-symudiad, mae pentwr o greigiau neu bridd yn symud fel un uned, er y gall y gronynnau neu'r darnau symud y tu mewn i'r pentwr. Yr hyn sy'n penderfynu a yw defnydd ar lethr yn symud neu'n aros yn yr unfan yw'r cydbwysedd rhwng **cryfder croesrym** a **diriant croesrym**. Yr enw ar gymhareb y grymoedd hyn yw'r ffactor diogelwch:

$$\text{Ffactor diogelwch (FfD)} = \frac{\text{cyfanswm y grymoedd sy'n gwrthsefyll symudiad}}{\text{cyfanswm y grymoedd sy'n gyrru symudiad}}$$

Os yw'r FfD > 1 yna ni fydd y symudiad yn digwydd; os yw'r FfD ≤ 1 yna bydd y symudiad yn dechrau.

Dyma'r prif rymoedd sy'n dylanwadu ar symudiad:
- disgyrchiant
- ongl y llethr
- faint o ddŵr sydd yn y defnydd ar y llethr.

Ar unrhyw lethr, mae pwysau'r defnydd yn tueddu i'w dynnu i lawr y llethr. Mae pa mor gyflym mae'r defnydd yn symud i lawr y llethr mewn cyfrannedd â phwysau'r pentwr ac ongl y llethr. Y trymaf yw'r defnydd a'r mwyaf serth yw'r llethr, y mwyaf tebygol yw hi y bydd màs-symudiad yn digwydd. Mae dŵr yn ychwanegu pwysau at y defnydd ar y llethr (mae litr o ddŵr yn pwyso un cilogram). Hefyd, mae dŵr yn gweithredu fel iraid (*lubricant*) sy'n golygu bod y defnydd ar y llethr yn llai tebygol o wrthsefyll ffrithiant. Yn achos defnydd fel clai, mae dŵr yn gallu llenwi'r bylchau rhwng y gronynnau mân ac mae hyn yn gwthio'r gronynnau ar wahân. Yr enw ar hyn yw gwasgedd mandyllau. Pan fydd cynnydd o ran gwasgedd mandyllau, mae màs-symudiad yn fwy tebygol.

Mae màs-symudiadau yn amrywio o ran cyflymder – mae rhai yn gyflym iawn, a rhai eraill mor araf nes ei bod hi'n anodd gweld unrhyw symudiad o gwbl (Ffigur 2.3).

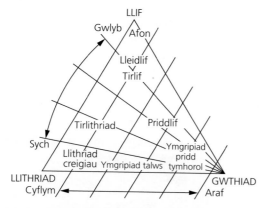

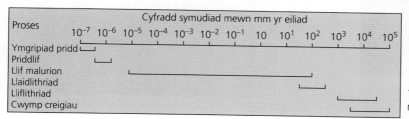

◀ **Ffigur 2.3** Categorïau màs-symudiad

🔑 TERMAU ALLWEDDOL

Màs-symudiad Defnydd yn cael ei drawsgludo i lawr llethr o dan ddylanwad disgyrchiant.

Cryfder croesrym (*shear strength*) I ba raddau mae defnydd yn gallu gwrthsefyll symudiad.

Diriant croesrym (*shear stress*) Y grymoedd sy'n ceisio symud y defnydd i lawr y llethr.

▲ **Ffigur 2.4** Cwymp creigiau, dwyrain Dyfnaint

Mae nifer o newidynnau'n rhyngweithio i ddylanwadu ar y math o fàs-symudiad sy'n digwydd mewn lleoliad penodol:

● maint y defnydd/gwaddod ar y llethr
● faint o ddŵr sydd yn y defnydd ar y llethr
● uchder y llethr
● ongl y llethr
● unrhyw lystyfiant sy'n gorchuddio'r arwyneb.

Dyma rai mathau gwahanol o fàs-symudiad:

● Cwymp creigiau – bydd wyneb craig serth sydd heb lystyfiant yn gwanhau yn dilyn hindreuliad; mae blociau'n dod yn rhydd yn y pen draw ac yn disgyn i lawr.
● Llithriad creigiau – blociau neu lenni o graig yn llithro i lawr wyneb y clogwyn ar hyd planau haenu sy'n goleddu tua'r môr.
● Dymchwel creigiau – blociau neu golofnau o graig, wedi'u gwanhau yn dilyn hindreuliad, yn disgyn tuag at y môr.
● Cylchlithriad – darnau mawr o glogwyn yn disgyn ar hyd arwyneb llethr ceugrwm. Hyd nes i fwy o hindreuliad ac erydiad weithredu arno, mae'r defnydd sydd wedi disgyn yn aros yn un màs cyfan â phen uchaf gwastad sy'n gwyro yn ôl. Mae cylchlithriadau'n digwydd pan fydd darn o glogwyn yn dymchwel fel llwyth o ddefnyddiau cymysg. Maen nhw'n ddigwyddiadau cyffredin lle mae **craig athraidd** yn gorwedd dros **graig anathraidd**, neu lle mae'r llethr wedi'i greu o ddefnyddiau anghyfunol fel dyddodion rhewlifol.
● Llifoedd – yn wahanol i lithriadau a chylchlithriadau, dydy llifoedd ddim wedi eu torri'n adrannau fel arfer; maen nhw'n digwydd yn aml mewn clai dirlawn a gwaddodion anghyfunol.
● Ymgripiad – symudiad **creicaen** yn araf iawn i lawr llethr.
● Priddlif – symudiad creicaen dwrlawn yn araf i lawr llethr. Mae'n gyffredin yn yr haf mewn ardaloedd lledred uchel lle mae haen uchaf y defnydd wedi ei rewi dros y gaeaf. Mae hefyd yn gyffredin pan fydd oes iâ yn dod i ben, ac mae'n bodoli fel dyddodyn creiriol *(relict deposit)* ar hyd rhai o forlinau'r lledredau canol.

▲ **Ffigur 2.5** Clogwyn sydd wedi profi llithriad creigiau, De Cymru

▲ **Ffigur 2.6** Cylchlithriadau mewn gwaddodion tywodlyd athraidd sy'n gorchuddio clai, gorllewin Dorset

DADANSODDI A DEHONGLI

Astudiwch Ffigur 2.7 sy'n dangos cyfraddau enciliad clogwyni cyfartalog bob blwyddyn, yn ôl y math o graig.

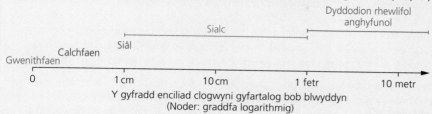

▲ **Ffigur 2.7** Cyfraddau enciliad clogwyni cyfartalog bob blwyddyn, yn ôl y math o graig

(a) Gan ddefnyddio Ffigur 2.7, cymharwch y cyfraddau enciliad clogwyni cyfartalog ar gyfer clogwyni gwenithfaen a dyddodion rhewlifol anghyfunol.

CYNGOR

Mae'r diagram yn edrych yn un syml i'w ddehongli ar yr olwg gyntaf, ac mewn rhai ffyrdd, mae hynny'n wir. Dim ond llond llaw o wahanol fathau o greigiau sydd i'w hystyried, a dim ond un newidyn sydd i bob math, sef y gyfradd enciliad clogwyni cyfartalog. Fodd bynnag, wrth wneud unrhyw ddadansoddiad, mae treulio ychydig o amser yn sicrhau eich bod yn deall y data yn talu ffordd. Yn y ffigur hwn, y pwynt allweddol i'w nodi yw bod y cyfraddau enciliad clogwyni wedi eu plotio gan ddefnyddio graddfa logarithmig. Dydy'r raddfa ddim yn cynyddu'n rhifyddol, hynny yw 1, 2, 3 ac yn y blaen. Mae'r cyfraddau enciliad yn cynyddu 10 gwaith bob tro.

Os bydd y cwestiwn yn gofyn i chi 'gymharu', yna mae'n bwysig cymharu yn eich ateb. Peidiwch â disgrifio pob un o'r cyfraddau enciliad clogwyni ar wahân. Gyda'r data hyn, mae'r gymhariaeth rhwng enciliad clogwyni gwenithfaen a dyddodion rhewlifol anghyfunol yn hollol amlwg. Mae clogwyni gwenithfaen yn encilio ar gyfradd llawer arafach, dim ond ychydig filimetrau bob blwyddyn. Mae'r clogwyni o ddyddodion rhewlifol anghyfunol, ar y llaw arall, yn tueddu i encilio'n llawer cyflymach, rhwng 1 a 10 metr y flwyddyn.

(b) Esboniwch pam mae amrediad cyfraddau enciliad clogwyni sialc yn eithaf mawr.

CYNGOR

Mae Ffigur 2.7 yn dangos bod clogwyni sialc yn encilio ar gyfradd o rhwng 1 a 100 centimetr bob blwyddyn. Mae hyn yn gofyn i chi ystyried pam mae rhai clogwyni sialc yn eithaf sefydlog tra bod clogwyni eraill yn encilio'n fwy cyflym. Mae litholeg ac adeiledd creigiau'n amrywio – hynny yw, rhwng un math o graig a math arall, a hefyd rhwng creigiau unigol o'r un math. Nid yw unrhyw ddwy graig yr un fath. Mae'r amodau a arweiniodd at ffurfio craig unigol yn mynd i fod yn eithaf tebyg yn achos pob craig o'r math penodol hwn, yn unrhyw le ac unrhyw bryd, ond nid yw'r amodau yn union yr un fath. Bydd gwahaniaethau bach yn bodoli o ran cyfansoddiad mwynol (litholeg) a dwysedd y bregion/planau haenu (adeiledd). Mae cyferbyniadau fel hyn yn gallu dylanwadu ar ba mor effeithiol yw'r hindreuliad isawyrol – er enghraifft yn achos hindreulio carbonadu/hydoddiant sialc. Ffactor arall sy'n gallu esbonio pam mae rhai clogwyni sialc yn encilio'n gyflymach nag eraill yw gwahaniaethau o ran erydiad morol. Os yw traeth llydan yn diogelu gwaelod clogwyn sialc, mae'n debyg y bydd y rhan fwyaf o egni'r tonnau wedi cael ei ddefnyddio cyn i'r don o ddŵr gyrraedd y clogwyn. Bydd clogwyni sialc eraill yn llawer mwy agored i weithred y tonnau, a bydd y clogwyni hyn yn tandorri ac yn dymchwel. Bydd clogwyni sialc ar bentiroedd agored yn encilio'n gyflymach na chlogwyni mewn lleoliad mwy cysgodol.

(c) Esboniwch beth yw gwerth cymharu cyfraddau cyfartalog, fel sydd i'w weld yn Ffigur 2.7.

CYNGOR

Mae'r gwerth cyfartalog, neu'r cymedr, yn rhoi trosolwg syml o'r set ddata gyfan. Mae'n ddefnyddiol wrth edrych ar gyfraddau enciliad clogwyni oherwydd mae'n gadael i ni gymharu'r 5 math o graig yn uniongyrchol. Fodd bynnag, dydyn ni ddim yn gwybod beth yw maint y setiau data a ddefnyddiwyd i gyfrifo'r gwerthoedd cyfartalog. Efallai mai dim ond rhai ffigurau oedd ar gael ar gyfer enciliad clogwyni un math o graig. Os felly, byddai un neu ddau o ffigurau uchel iawn neu isel iawn yn golygu nad yw'r gwerth cyfartalog yn adlewyrchiad teg o'r grŵp cyfan.

Mae cyfraddau enciliad clogwyni cyfartalog yn ddefnyddiol gan eu bod yn awgrymu pa mor debygol yw daeareg benodol o wrthsefyll enciliad dros gyfnod o amser. Fodd bynnag, mae'n bwysig ystyried y ffaith nad yw clogwyni'n weithredol iawn y rhan fwyaf o'r amser, yn debyg i dirffurfiau arfordirol eraill. Mae unrhyw newid i dirffurf, er enghraifft clogwyn yn dymchwel, yn tueddu i fod yn achlysurol, o ganlyniad i ddigwyddiad egni uchel. Yn dilyn digwyddiad fel hyn, mae'r tirffurf yn tueddu i fynd yn ôl i gyflwr eithaf 'tawel' o ecwilibriwm.

 # Mathau o waddodion arfordirol a'u ffynonellau

▶ *O ble mae gwaddod arfordirol yn dod, a pha fathau o waddodion sydd?*

Mae gwaddod sydd wedi ei gynhyrchu gan erydiad, hindreuliad a màs-symudiad yn rhan bwysig o'r system arfordirol. Mae gwaddod yn anghyfunol – hynny yw, mae ganddo adeiledd llac – ac oherwydd hyn mae tonnau, ceryntau a'r gwynt yn gallu ei drawsgludo. Mae màs-symudiadau hefyd yn symud gwaddodion i lawr llethrau.

Ffynonellau gwaddodion arfordirol

Efallai byddai'n ymddangos mai tirffurfiau arfordirol fel clogwyni sy'n cynhyrchu'r swm mwyaf o waddodion arfordirol. Fodd bynnag, mae tua 90% o waddod arfordirol yn cael ei gynhyrchu yn sgil **treuliant** mewn ardaloedd mewndirol. Mae afonydd yn trawsgludo'r defnydd, sydd wedi'i dorri'n ddarnau, i mewn i'r parth arfordirol (Ffigur 2.8).

Mewn mannau lle mae egni'r tonnau'n isel, yn enwedig yn y trofannau, mae swm y gwaddodion mewn afonydd yn uchel iawn. Mae afonydd fel y Niger, y Ganga (Ganges) a'r Amazonas yn cludo llawer iawn o lwythi mewn daliant i mewn i'r parth arfordirol.

Ond, yn achos rhai darnau o forlin, mae daeareg leol yn chwarae rhan bwysig o ran darparu gwaddod. Ar hyd rhai darnau o'r arfordir, mae gweithgarwch folcanig wedi golygu bod lafa yn ymddatod i ffurfio traethau du fel Panalu'u, Hawaii a thraeth Reynisfjara, de-ddwyrain Gwlad yr Iâ (Ffigur 2.9). Yn ôl gwaith ymchwil diweddar, ar hyd rhannau o arfordir de California lle mae rhai clogwyni wedi'u creu o greigiau gwaddodol eithaf gwan, mae 50% o dywod rhai traethau wedi'u creu ar ôl i'r clogwyni hynny ddymchwel. Gall traethau a systemau twyni tywod erydu a gall eu gwaddodion symud o'r tir i'r môr. Mae rhai gwaddodion, er enghraifft cregyn, yn cael eu cynhyrchu'n gyfan gwbl o fewn y parth arfordirol.

 **TERM ALLWEDDOL**

Treuliant Arwyneb y Ddaear yn treulio drwy brosesau hindreuliad, erydiad, màs-symudiad a thrawsgludiad defnyddiau.

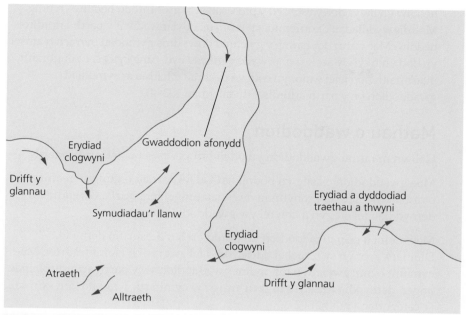

▲ Ffigur 2.8 Ffynonellau gwaddodion arfordirol

◄ Ffigur 2.9 Gwaddod basaltig du, traeth Reynisfjara, de-ddwyrain Gwlad yr Iâ. Mae'r gwaddod hwn yn dod o'r basalt a echdorrodd o'r gefnen canol cefnfor yng Nghefnfor Gogledd Iwerydd (mae Gwlad yr Iâ yn eistedd ar ben y gefnen hon). Mae basalt yn cynnwys mwynau sydd â lliwiau tywyll, fel olifin a chornblith

Gall gwaddod hefyd gael ei drawsgludo o'r alltraeth tuag at y tir. Gallai'r gwaddodion hyn fod wedi bod yn ddefnydd ar y traeth neu mewn afon ar un adeg, cyn cael eu cludo i'r alltraeth. Mae tonnau eithriadol o egnïol yn gallu dod â gwaddod i'r lan, ond mae symudiad gwaddod i'r atraeth fel arfer yn digwydd oherwydd bod lefel y môr yn parhau i godi yn ystod y cyfnod Cwaternaidd gan fod llenni iâ a rhewlifoedd yn toddi. Mae dynamiaeth tymor hir yn y gylchred ddŵr yn golygu bod dŵr wedi symud o storfa wedi'i rhewi ar y tir i mewn i'r môr. Rhaid cofio nad yw'n bosibl deall y tirffurfiau sy'n bodoli heddiw yn llwyr drwy ystyried y prosesau sy'n gweithredu heddiw yn unig. Mae digwyddiadau'r gorffennol yn parhau i ddylanwadu ar y parth arfordirol heddiw. Mae natur ddynamig y gylchred ddŵr dros gyfnodau byrrach o amser yn dod yn fwyfwy amlwg oherwydd cynhesu byd-eang cyfoes. Er enghraifft, mae'r ffaith bod lefel y môr yn codi yn dechrau effeithio ar symudiad gwaddodion yn y parth arfordirol (tudalennau 132–4).

Mathau o waddodion

Gallwn ni rannu gwaddodion yn ddau brif grŵp, sef **clastig** a **biogenig**.

Mae gwaddodion clastig yn bodoli naill ai fel darnau o graig sy'n amrywio o ran maint, neu fel gronynnau mwynau unigol fel cwarts. Gweddillion defnyddiau fel cregyn a chwrel yw gwaddodion biogenig.

Mae maint a siâp gwaddodion yn ffordd arall o ddisgrifio defnydd. Diamedr gronyn sy'n cael ei ddefnyddio fel awgrym o'i faint fel arfer. Mae cymaint o amrywiaeth o ran maint gwaddodion yn y parth arfordirol, mae angen defnyddio **graddfa logarithmig** i'w cymharu. Y raddfa hon sy'n sail i'r categorïau yn Nhabl 2.3.

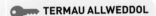
TERMAU ALLWEDDOL

Clastig Craig wedi'i thorri i lawr.

Biogenig Yn deillio o organebau byw.

Graddfa logarithmig Graddfa aflinol sy'n cael ei defnyddio pan fydd amrediad mawr o werthoedd. Mae graddfa Richter, sy'n mesur cryfder daeargrynfeydd, yn enghraifft adnabyddus o hyn.

Enw'r gronyn	Maint gwirioneddol (mm)	Maint cymharol
Clogfeini	2048	mawr iawn
	1024	mawr
	512	canolig
	256	bach
Coblau	128	mawr
	64	bach
Cerigos/graean bras	32	bras
	16	canolig
	8	canolig
	4	mân
Tywod	2	bras iawn
	1	bras
	0.5	canolig
	0.25	canolig
	0.125	mân
	0.063	mân iawn
Silt	0.031	bras iawn
	0.016	bras
	0.008	canolig
	0.004	mân
Clai	0.002	mân iawn

▲ **Tabl 2.3** Enwau a meintiau gronynnau

Wrth astudio gwaddod sydd yr un maint â cherigos neu'n fwy, mae angen defnyddio tair echelin ar ronyn unigol i ddisgrifio'r siâp (Ffigur 2.10).

Gallwn ni ddefnyddio'r tri mesuriad yma i adnabod siâp gronyn. Mae pedwar categori o ran siâp gronynnau, sef:

- rhoden – hir a thenau
- sffêr – tebyg i bêl
- llafn – hir a gwastad
- disg – crwn a gwastad.

▲ **Ffigur 2.11** Cymysgedd o siapiau cerigos, traeth Beer, dwyrain Dyfnaint

▲ **Ffigur 2.10** Echelinau gronyn

 # Prosesau trawsgludo a dyddodi yn y parth arfordirol

▶ *Sut mae gwaddod yn cael ei symud a'i ddyddodi yn y parth arfordirol?*

Mae symudiad gwaddodion yn digwydd pan fydd digon o egni i alluogi **llusgiant** gronynnau. Gall aer neu ddŵr sy'n symud roi digon o rym ar ronyn i'w godi neu ei lusgo o'r man lle mae'n gorwedd. Mae'r cyflymder sydd ei angen i lusgo gronyn yn dibynnu ar faint y gronyn hwnnw.

Unwaith mae'r gronyn wedi dechrau symud, does dim angen cymaint o egni i'w gadw i symud. Ond, os bydd y symudiad yn arafu, ac yn fwy araf na'r cyflymder sydd ei angen i symud y gronyn, yna bydd y gronyn yn cael ei ddyddodi.

 TERM ALLWEDDOL

Llusgiant Y broses lle mae llif o aer neu ddŵr yn codi gronynnau llonydd a'u symud.

Symudiad gwaddod

Yn y parth arfordirol, mae dŵr sy'n symud yn aml yn trawsgludo gwaddod. Mae gwyntoedd ac iâ hefyd yn trawsgludo gwaddod, er enghraifft ar hyd rhai arfordiroedd lledred uchel.

Yn gyffredinol, y mwyaf yw'r gronyn, y mwyaf o egni sydd ei angen i'w lusgo. Ond, mae'r gronynnau lleiaf, sef silt a chlai, yn eithriadau i hyn. Mae'r gronynnau hyn wedi eu bondio wrth ei gilydd yn electronig, sy'n eu gwneud nhw'n fwy cydlynol. Felly, mae angen mwy o egni i'w codi oddi ar wely'r môr nag sydd ei angen i godi gronynnau tywod. Mae gronynnau silt a chlai hefyd yn creu arwyneb mwy llyfn i'r dŵr wthio yn ei erbyn o gymharu â gronynnau tywod. Unwaith mae'r gronynnau llai hyn yn symud, ychydig o egni sydd ei angen i'w cadw nhw i symud. Mae gwaddodion mwy, fel cerigos a choblau, yn cael eu dyddodi'n gyflym unwaith bydd cyflymder y dŵr yn arafu.

Mae tonnau sy'n torri yn gallu aflonyddu'r dŵr, sy'n golygu bod trawsgludo gwaddod yn y parth arfordirol yn broses gymhleth. Mae dŵr yn symud mewn mwy nag un cyfeiriad. Ar draeth, mae'r torddwr a'r tynddwr yn cludo gwaddod i fyny ac i lawr. Gall y dŵr symud ar hyd y lan a llifo yn ôl allan i'r môr drwy geryntau terfol, gan gludo gwaddod wrth symud.

Mathau o symudiad

I bob pwrpas, mae symudiad gwaddod yn perthyn i un o bedwar categori: **rholiant**, **neidiant**, **daliant** a **hydoddiant**.

Rholiant yw pan fydd gwaddodion mwy yn tueddu i rolio a llithro ar hyd gwely'r môr, ond dim ond yn ysbeidiol o dan amodau egni uchel. Mae'n bosibl clywed cerigos yn cael eu symud ar hyd traeth graean bras pan fydd tonnau egni uchel yn torri. Pan fydd tonnau egni isel yn torri ar yr un traeth, does dim llawer o gerigos yn cael eu symud.

Yn achos proses neidiant, mae gronynnau tywod yn sgipio ar hyd gwely'r môr, neu ar draeth sych.

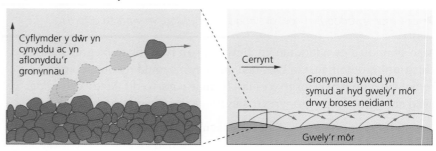

▲ **Ffigur 2.12** Neidiant a thrawsgludiad gronynnau tywod

Mae gronynnau tywod unigol yn symud ar hyd yr arwyneb ar hyd trywydd siâp arc. Pan fydd gronyn unigol yn glanio, mae'n aflonyddu gronynnau eraill, gan achosi i'r rhain gael eu trawsgludo. Dim ond pellter eithaf byr bydd gronyn yn ei deithio mewn un 'naid', ond mae'r broses yn gronnus a gall symiau mawr o dywod gael eu symud. Mae neidiant yn broses aeolaidd bwysig iawn sy'n angenrheidiol er mwyn deall esblygiad twyni tywod (tudalen 96).

🗝 TERMAU ALLWEDDOL

Rholiant Symudiad gwaddodion mwy o ran maint (er enghraifft graean bras a cherigos).

Neidiant Pan fydd gronynnau tywod yn cael eu codi, eu symud ymlaen ac yna eu gollwng eto, naill ai gan y gwynt neu gan ddŵr.

Daliant Proses sy'n digwydd pan fydd gwaddodion, sydd yn ddim mwy na gronynnau tywod fel arfer, yn parhau i symud dan ddylanwad dŵr neu wynt.

Hydoddiant Proses sy'n digwydd pan fydd mwynau'n hydoddi ac yna'n cael eu trawsgludo gan ddŵr.

Aeolaidd Term sy'n cyfeirio at weithred y gwynt, er enghraifft gwaddod yn cael ei gario neu ei ddyddodi gan y gwynt.

Mae symudiad dŵr aflonydd yn cadw gwaddod, sef tywod a gronynnau llai fel arfer, i symud. Bydd silt a chlai mwy mân yn parhau i symud drwy'r amser heblaw am o dan amodau egni isel iawn. Pan fydd gwyntoedd yn symud ar fuanedd uchel dros draeth sych, gall y gronynnau tywod gael eu dal yn y gwynt ond mae'n anodd gwahaniaethu rhwng y broses hon a thrawsgludiad drwy neidiant.

Pan fydd mwynau'n hydoddi mewn dŵr môr, bydd y môr ei hun yn trawsgludo hydoddion sy'n cael eu creu. Mae calchfeini, yn enwedig, yn fwy agored i'r prosesau cemegol sy'n cynhyrchu hydoddiant.

Symudiad gwaddod atraeth

O dan waelod y don (tudalen 9), dydy gwaddod ar wely'r môr ddim yn cael ei symud gan donnau sy'n pasio. Fodd bynnag, mae rhai ceryntau dŵr sy'n gallu trawsgludo defnyddiau sydd wedi cronni alltraeth tuag at y lan yn rhan o gell waddod.

Efallai fod y symudiad gwaddod atraeth mwyaf arwyddocaol yn dyddio'n ôl i'r oes iâ ddiwethaf. Pan oedd yr estyniad iâ mawr olaf ar ei anterth, tua 18 000 o flynyddoedd Cyn y Presennol, roedd lefel y môr rhwng 100 a 120 o fetrau'n is nag ydyw heddiw. Roedd ardaloedd eang iawn o dir sych wedi'u dadorchuddio bryd hynny, ac roedd haen o ddefnyddiau wedi'u hindreulio a'u torri'n ddarnau dros y tir hwn. Wrth i lefel y môr godi'n raddol, cafodd y defnydd hwn ei godi a'i gario atraeth. Cafodd siâp a maint y gwaddodion eu newid drwy athreuliad, ac wedi i lefel y môr sefydlogi, cafodd y gwaddodion eu dyddodi. Mae tirffurfiau'n bodoli yn y lledredau canol a ffurfiwyd o groniadau mawr o waddod 'creiriol' tebyg, a dim ond y prosesau hyn sy'n gallu esbonio presenoldeb y tirffurfiau hynny. Un tirffurf o'r math hwn yw Traeth Chesil yn ne Lloegr. Dyma enghraifft arall o bwysigrwydd dylanwad prosesau'r gorffennol ar ein tirffurfiau a'n tirweddau ni heddiw.

Symudiad gwaddod alltraeth

Mae gwaddod yn tueddu i symud i'r alltraeth mewn tair ffordd:

- Yn ystod amodau stormus, gall tonnau egni uchel drawsgludo llawer o ddefnydd allan i'r môr. Os bydd storm ddifrifol yn digwydd yr un pryd â llanw uchel, bydd hyn yn gostwng lefel y traeth, ond gall hefyd dynnu defnyddiau anghyfunol eraill, fel twyni tywod, o'u lleoliad yn agos at y tir.

- Gallai gwaddod sy'n cael ei symud ar hyd morlin gyrraedd moryd afon. Gallai cerrynt afon gludo'r gwaddod morol, yn ogystal â'i **lwyth** ei hun, i'r alltraeth a'i ddyddodi mewn dŵr dyfnach. Bydd egni llif yr afon yn penderfynu pa mor effeithiol yw'r broses hon. Yn ôl yr amcangyfrifon, mae'r Amazonas yn cludo 3 i 3.5 miliwn o dunelli metrig o waddod mân bob dydd i mewn i Gefnfor Iwerydd. Mae'r rhan fwyaf o'r gwaddod hwn yn cael ei drawsgludo am nifer o gilometrau y tu hwnt i'r parth arfordirol, ond mae tua 20% ohono'n cael ei symud tua'r gorllewin gan Gerrynt Guyana ar hyd arfordir gogleddol De America. Mae hyn wedi creu traethlin llaid hiraf y byd sy'n mesur 1600 km.

- Dydy gwely'r môr ddim yn wastad ym mhob man. Un arwedd eithaf cyffredin yng ngwely'r môr yw canion tanfor sy'n ymestyn i'r alltraeth. Mae dŵr yn llifo i lawr ac ar hyd y canion, gan gludo gwaddod i leoliadau alltraeth dyfnach sy'n golygu ei fod yn gadael y system arfordirol yn gyfan gwbl. Mae nifer o ganionau fel hyn ym mharth arfordirol de California sy'n ymestyn allan i'r Cefnfor Tawel, ac mae symiau mawr o waddod yn symud ar hyd y tirffurfiau hyn.

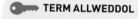 **TERM ALLWEDDOL**

Llwyth Y defnydd sy'n cael ei drawsgludo gan gyfrwng fel afon, iâ, y gwynt neu'r môr.

Symudiad gwaddod ar hyd y glannau

Pan fydd ton yn agosáu at y lan ar ongl arosgo, mae'r torddwr yn symud i fyny'r traeth ar yr un ongl. Mae'r dŵr sy'n symud yn llusgo gwaddod ac yn ei drawsgludo i fyny'r traeth yn y torddwr. Yn y pen draw, does dim egni ar ôl yn y don oherwydd ffrithiant a graddiant proffil y traeth. Mae'n debyg y bydd rhywfaint o waddod yn cael ei ddyddodi yn y man lle daw'r torddwr i ben. Efallai bydd gronynnau llai yn parhau i symud gyda'r dŵr sy'n dychwelyd i'r môr fel tynddwr. Mae'r llif hwn yn dychwelyd i'r môr yn uniongyrchol o dan ddylanwad disgyrchiant, sy'n gweithredu yn berpendicwlar i lethr y traeth. Yna mae'r don nesaf yn torri ac mae'r broses yn dechrau eto. Unwaith eto mae gwaddod yn cael ei lusgo a'i drawsgludo ar hyd y lan i'r un cyfeiriad â'r don sy'n agosáu.

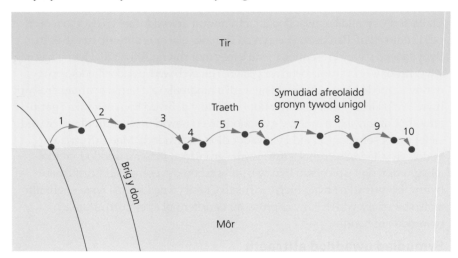

▲ **Ffigur 2.13** Drifft y glannau

Mae **drifft y glannau** yn broses afreolaidd – nid yw'n broses unffurf fel y mae rhai diagramau'n ei awgrymu. Mae pob ton yn wahanol ac felly mae gwaddod yn cael ei gludo ar hyd llwybrau ychydig yn wahanol. Efallai fod y rhan fwyaf o'r tonnau'n agosáu at y traeth ar yr un ongl, ond weithiau bydd y gwynt – a'r tonnau hefyd – yn cyrraedd y traeth o gyfeiriad gwahanol. Felly, dydy drifft y glannau ddim yn broses syml. Yn y tymor byr, mae'n amrywio o ddydd i ddydd. Yn y tymor hir, dros fisoedd a blynyddoedd, mae'r drifft yn tueddu i symud i gyfeiriad penodol, sy'n cyfateb i gyfeiriad y prifwyntoedd. Mae'r cyfeiriad penodol hwn yn bwysig iawn wrth edrych ar erydiad a dyddodiad yr arfordir yn y tymor hir, ac felly mae'n ffactor arwyddocaol o ran rheoli arfordirol (tudalen 185).

Sut mae celloedd gwaddod arfordirol yn gweithredu

Mae symudiad gwaddod yn y parth arfordirol yn rhan bwysig iawn o'r system arfordirol. Wrth i weithgareddau dynol gynyddu ar hyd arfordiroedd, mae dysgu am symudiad gwaddod yn dod yn fwy a mwy pwysig.

TERM ALLWEDDOL

Drifft y glannau
Trawsgludiad gwaddod ar hyd yr arfordir.

Cyllidebau gwaddod arfordirol

Er bod anawsterau o hyd wrth fesur y gwahanol ffyrdd mae defnyddiau'n symud, dros y tri degawd diwethaf mae arbenigwyr wedi dod i wybod a deall llawer mwy am sut, ble a phryd mae gwaddod yn symud yn y parth arfordirol. Mae **cyllidebau gwaddod** yn ddull o asesu beth sy'n digwydd i waddodion mewn lleoliad penodol.

> ### 🔑 TERMAU ALLWEDDOL
>
> **Cyllideb waddod**
> Cydbwysedd rhwng cyfaint y gwaddod sy'n mynd i mewn ac sy'n dod allan o adran benodol o'r arfordir.
>
> **Suddfan** Unrhyw beth sy'n amsugno mwy o sylwedd nag y mae'n ei ryddhau.

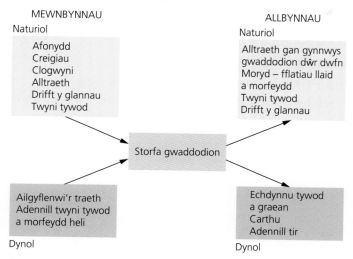

MEWNBYNNAU

Naturiol
- Afonydd
- Creigiau
- Clogwyni
- Alltraeth
- Drifft y glannau
- Twyni tywod

ALLBYNNAU

Naturiol
- Alltraeth gan gynnwys gwaddodion dŵr dwfn
- Moryd – fflatiau llaid a morfeydd
- Twyni tywod
- Drifft y glannau

Storfa gwaddodion

- Ailgyflenwi'r traeth
- Adennill twyni tywod a morfeydd heli

Dynol

- Echdynnu tywod a graean
- Carthu
- Adennill tir

Dynol

▲ **Ffigur 2.14** Y gyllideb waddod arfordirol

1   Cyllideb waddod gytbwys

$$\text{cyfaint y gwaddod i mewn} = \text{cyfaint y gwaddod wedi'i storio} + \text{cyfaint y gwaddod allan}$$

2   Cyllideb waddod anghytbwys

$$\text{cyfaint y gwaddod i mewn} < \text{cyfaint y gwaddod wedi'i storio} + \text{cyfaint y gwaddod allan}$$

Mae gweithgareddau dynol yn gallu cael dylanwad mawr ar gyllidebau gwaddod, mewn ffyrdd cadarnhaol a negyddol. Er bod rhai gweithgareddau dynol yn fwriadol yn effeithio ar gyllidebau gwaddod (e.e. ailgyflenwi'r traeth), mae gweithgareddau dynol eraill yn arwain at ganlyniadau anfwriadol. Er enghraifft, yn y gorffennol mae adeiladu argorau wedi lleihau llif gwaddod, gan achosi colled net o waddod ymhellach ar hyd yr arfordir. Drwy adeiladu argae mewndirol, mae'n bosibl y bydd swm y llwyth mewn afon yn lleihau, ac felly bydd llai o waddod yn mynd i mewn i'r parth arfordirol.

Mae trosglwyddiad gwaddod yn rhan allweddol o weithrediad cyllideb waddod. Mae cyfeiriad a maint y defnydd sy'n cael ei symud yn awgrymu'r math o newidiadau allai ddigwydd i dirffurfiau. Mae gwaddod yn cael ei symud o un storfa neu **suddfan** i un arall. Yng nghyd-destun y system arfordirol, mae'n well meddwl am suddfannau fel mannau lle mae dyddodiad yn gyffredin, er enghraifft traeth, morfa heli neu far alltraeth. Mae suddfannau hefyd yn ffynonellau sy'n cynhyrchu gwaddod.

Celloedd gwaddod

Tua diwedd yr ugeinfed ganrif, roedd hi'n dod yn amlwg bod angen gwell dealltwriaeth a gwybodaeth am symudiadau gwaddodion er mwyn rheoli arfordiroedd yn effeithiol. Roedd gwaith ymchwil yn dangos bod **celloedd gwaddod** yn bodoli yn y parth arfordirol. Yr awgrym oedd bod celloedd gwaddod unigol (neu gelloedd morlannol) yn gweithredu, i bob pwrpas, fel systemau caeedig. Ond, dydy'r dadansoddiadau o gelloedd gwaddod ddim fel arfer yn cynnwys symudiad defnydd mân mewn daliant gan nad yw'r defnydd hwn bron byth yn setlo o fewn y gell.

Yn aml iawn, mae tirffurf mawr – er enghraifft pentir creigiog amlwg (Portland Bill, Dorset) neu foryd fawr (moryd Afon Hafren) – i'w weld yn yr un man â'r ffin lle mae un gell yn gorffen a'r gell drws nesaf yn dechrau. Mae astudiaeth o forlin Cymru a Lloegr wedi dangos bod ganddo 11 o gelloedd mawr neu ranbarthol.

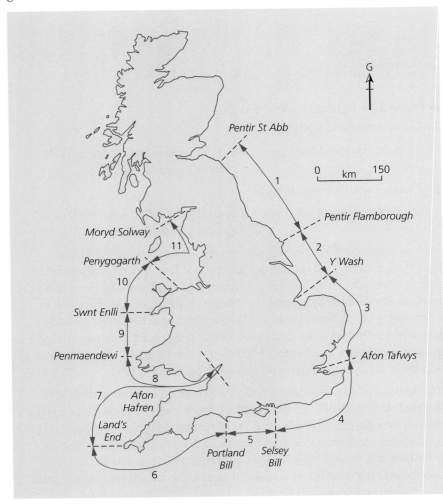

▶ **Ffigur 2.15** Celloedd gwaddod rhanbarthol Cymru a Lloegr

O fewn y darlun eang hwn o gelloedd rhanbarthol, mae nifer o is-gelloedd yn bodoli. Er enghraifft, ar hyd rhan o'r Arfordir Jwrasig yn Nyfnaint a Dorset, mae is-gelloedd yn gweithredu rhwng moryd Afon Exe a Portland Bill yn y dwyrain, a rhwng y foryd a Pwynt Start yn y gorllewin.

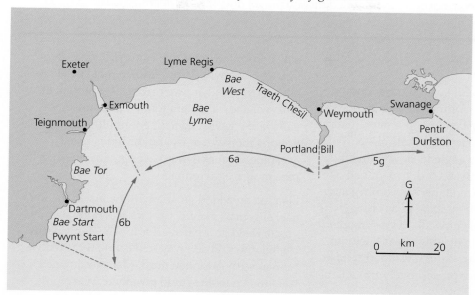

▲ **Ffigur 2.16** Is-gelloedd gwaddod ar hyd rhan o'r Arfordir Jwrasig

O fewn yr is-gelloedd hyn, mae celloedd hyd yn oed yn llai i'w gweld, e.e. cildraeth bach. Fodd bynnag, mae'r is-gelloedd lleiaf yn fwy agored ac mae gwaddod yn symud i mewn ac allan ohonyn nhw yn eithaf rhwydd.

Sut mae amser yn dylanwadu ar gelloedd gwaddod

Mae'r syniad bod gwaddod yn cylchdroi o fewn darn penodol o forlin yn un atyniadol wrth i ni geisio deall y system arfordirol. Ond, mae cyflenwad a thrawsgludiad gwaddod yn broses ddynamig sy'n digwydd dros sawl cyfnod amser gwahanol. Felly, efallai nad yw ystyried cyd-destun amodau 'arferol' yn ddigon i ddeall cell gyfoes yn llawn:

- Mae llifoedd gwaddod o un gell i'r llall yn mynd heibio i rai pentiroedd creigiog iawn pan fydd stormydd difrifol yn digwydd.
- Gall defnyddiau gael eu llusgo alltraeth drwy gyfuniad o wyntoedd cryf a llanwau eithafol.
- Mewn lleoliadau sy'n profi amrywiadau tymhorol eithafol o ran ffactorau fel mewnbynnau egni (gwynt a thonnau) a/neu fewnbynnau gwaddod, mae defnyddiau'n gallu symud y tu hwnt i ffiniau'r gell.
- Roedd rhai storfeydd gwaddodion yn rhan o brosesau oedd yn gweithredu yn y gorffennol daearegol, gan gynnwys yn ystod y cyfnod Cwaternaidd (gweler Pennod 5).

⑤ Gwerthuso'r mater

▶ I ba raddau gellir dweud mai egni tonnau yw'r dylanwad mwyaf arwyddocaol ar drawsgludiad gwaddod yn y parth arfordirol?

Cyd-destun

Mae tirffurfiau sydd wedi eu creu o waddodion i'w cael ar hyd llawer o forlinau. Mewn rhai lleoliadau, mae'r tirffurfiau hyn mor fawr, maen nhw'n dominyddu'r dirwedd arfordirol – er enghraifft bardraethau gogledd-ddwyrain UDA neu Draeth Chesil, Dorset. Ond, hyd yn oed os nad yw gwaddod yn ymddangos yn amlwg iawn, er enghraifft ar arfordir creigiog gyda chlogwyni uchel, mae'r ffordd mae'r gwaddod yn symud o fewn y lleoliad yn gallu dylanwadu ar ffactorau fel ffurfiant cildraethau a faint o waddod sydd ar gael, os o gwbl, ar gyfer prosesau fel sgrafelliad.

Wrth i'r pwysau gynyddu ar barthau arfordirol o amgylch y byd oherwydd gweithgareddau dynol a'r ffaith bod lefel y môr yn codi, mae gwybod yn union sut mae gwaddod yn cael ei symud yn hanfodol. Er mwyn gwneud penderfyniadau am reoli arfordirol, rhaid cael dealltwriaeth awdurdodol o brosesau arfordirol.

Gwerthuso'r farn mai egni tonnau yw'r dylanwad mwyaf arwyddocaol

Does dim dwywaith bod rôl egni tonnau yn hanfodol bwysig fel mewnbwn i'r system arfordirol. Mae tonnau'r môr yn cynrychioli trosglwyddiad egni o'r atmosffer i'r môr, ac mae nifer o brosesau yn y parth arfordirol yn dibynnu ar hyn, gan gynnwys proses trawsgludo gwaddod. Ar y dechrau, mae'n bwysig gwerthfawrogi bod egni tonnau'n amrywio yn ofodol ac yn amseryddol. Mae arfordiroedd mewn rhannau gwahanol o'r byd yn derbyn symiau gwahanol o egni tonnau – o leoliadau egni uchel, fel llawer o ogledd-orllewin Ewrop, i amgylcheddau egni isel, fel Gorllewin Affrica. Mewn rhai lleoliadau lle mae cyferbyniad amlwg rhwng y tymhorau, mae amrywiadau o ran egni tonnau dros amser yn gallu bod yn sylweddol. Er enghraifft, yn ystod tymor y monsŵn ar isgyfandir India, mae'r gwyntoedd yn gyflymach a'r tonnau'n uwch, felly mae mwy o egni tonnau.

Gan fod gwaddod yn anghyfunol, mae'n tueddu i gael ei godi a'i symud. Os yw'r gwaddod hwnnw yn gorwedd yn y parth arfordirol o fewn y parth rhynglanwol, bydd yn agored iawn i weithred y tonnau wrth i'r tonnau dorri. Mae'r torddwr a'r tynddwr yn gallu symud gwaddod. Mae'r cydbwysedd o ran egni rhwng y torddwr a'r tynddwr yn amrywio yn dibynnu ar y ffordd mae'r don yn torri. Ond, pa fath bynnag o don sy'n gweithredu ar unrhyw adeg benodol – tonnau sy'n gorlifo, yn ymchwyddo neu'n plymio – gall y gwaddod gael ei symud gan egni'r don.

Pan fydd gwaddod yn symud, bydd y gwaddod hwnnw hefyd yn erydu. Gall prosesau fel sgrafelliad, rholiant a neidiant arwain at athreuliad gronynnau, sy'n eu gwneud nhw'n llai ac yn fwy crwn. Gan fod y gwaddod yn lleihau o ran maint oherwydd egni'r tonnau, mae'n bosibl i'r tonnau drawsgludo mwy o waddodion. Does dim angen cymaint o egni i lusgo a thrawsgludo gwaddod llai, er enghraifft cerigos sydd wedi torri i lawr yn ronynnau tywod. Mae hyn yn enghraifft o adborth cadarnhaol – mae'r ffaith bod maint gwaddod yn lleihau oherwydd egni'r tonnau yn golygu bod mwy o waddodion yn gallu cael eu cludo. Mae maint y gwadoddion hynny yn lleihau eto ac yn fwy tueddol o gael eu cludo gan ddŵr sy'n symud.

Hyd yn oed os yw'r tonnau sy'n agosáu at y lan yn baralel i'r morlin, mae symudiad eithaf syml y gwaddod i fyny ac i lawr y traeth yn arwyddocaol. Gall hyn greu'r tirffurf rydyn ni'n ei alw'n draeth torddwr-aliniedig, ond gall hefyd athreulio gronynnau unigol y gwaddod.

Pan fydd tonnau'n agosáu at y lan ar ongl, mae gwaddod yn dod yn rhan o broses drifft y glannau. Mae'r broses hon, sy'n dibynnu ar egni'r tonnau, yn chwarae rhan allweddol wrth ffurfio tirffurfiau fel tafodau, traethau ffurf bachyn pysgota, penrhynau cysbaidd, barrau a barynysoedd. Mae projectau rheoli arfordirol yn effeithio ar nifer o brosesau naturiol, yn enwedig drifft y glannau. Nid oedd pobl yn deall drifft y glannau yn dda iawn o'r blaen, felly mae gweithredoedd fel adeiladu argorau wedi gwneud mwy o niwed na daioni yn y gorffennol. Erbyn hyn, mae mwy o bwyslais ar ddatblygu dealltwriaeth a gwybodaeth am ddrifft y glannau mewn projectau rheoli arfordirol.

Mae un math arbennig o don, y tswnami, yn cludo cymaint o egni, gall effeithio'n ddifrifol ar ddarn ehangach o forlin. Weithiau, pan fydd sgwrio a thrawsgludo gwaddod yn digwydd ar raddfa fawr, bydd tirffurfiau arfordirol, fel traethau, yn cael eu tynnu'n gyfan gwbl a bydd gwaddod yn cael ei gludo am bellteroedd hir i'r mewndir ac ar hyd yr arfordir.

Gwerthuso'r farn *nad* egni tonnau yw'r dylanwad mwyaf arwyddocaol bob amser

Er bod egni tonnau yn amlwg yn chwarae rôl bwysig wrth benderfynu sut mae prosesau trosglwyddo gwaddod yn gweithio, mae ffactorau eraill i'w hystyried hefyd. Mae maint y gwaddod yn allweddol o ran pennu pryd a ble mae gwadodd yn cael ei drawsgludo, ac am ba mor hir. Mae perthynas bwysig rhwng yr elfennau hyn, sef y mwyaf yw maint y gwaddod, y mwyaf o egni sydd ei angen i'w symud. Mae angen mwy o egni i symud cerigos a choblau o gymharu â gronynnau tywod. Ond dydy'r berthynas hon ddim yn llinol a syml – hynny yw, mai'r gwaddod lleiaf sydd angen yr egni lleiaf, a'r gwaddod mwyaf sydd angen yr egni mwyaf. Rhaid cofio bod angen *mwy* o egni i gychwyn symud y gwaddodion lleiaf, sef clai a silt, nag sydd ei angen i gychwyn symud y gronynnau tywod mwy.

Ar hyd rhai darnau o forlin, mae ceryntau afonydd yn chwarae rôl allweddol wrth drawsgludo gwaddod. Un rhan bwysig o hyn yw'r ffaith bod gwaddod sy'n dod o afonydd yn mynd i mewn i'r parth arfordirol. Mae afonydd mewn rhanbarthau trofannol ac isdrofannol, fel yr Amazonas a'r Mekong, yn trawsgludo symiau enfawr o waddod mewn daliant, sef y ffynhonnell fwyaf o waddod yn y systemau arfordirol cyfagos. Ar raddfeydd llai – er enghraifft, afonydd fel y Mersi a'r Exe, a hyd yn oed yn lleol lle mae nant yn mynd i mewn i'r môr – gall ceryntau afonydd fod yn ffynhonnell bwysig o egni sy'n trawsgludo gwaddod.

Os yw'r amrediad llanw yn fawr, mae blaendraeth eang yn cael ei ddadorchuddio sy'n gallu achosi i waddod sychu. Os yw'r rhan fwyaf o'r gwaddod hwn yn dywod, bydd trawsgludiad aeolaidd (gwynt) yn dod yn bwysig iawn. Mae prosesau fel neidiant a daliant yn gallu symud symiau sylweddol o dywod ac maen nhw'n allweddol yn y broses o ffurfio systemau twyni tywod.

Yn gynharach yn y cyfnod Cwaternaidd, roedd lefel y môr yn llawer is nag ydyw heddiw gan fod dŵr o'r gylchred hydrolegol wedi ei 'gloi' fel eira ac iâ ar y tir. Wrth i'r oes iâ ddod i ben yn raddol, roedd symiau anferth o ddŵr yn dechrau llifo o'r tir yn ôl i'r moroedd. Roedd gwaddod yn gorwedd ar dir a oedd wedi'i ddadorchuddio gan y gostyngiad cynharach yn lefel y môr. Wrth i lefel y môr godi unwaith eto, cafodd y gwaddod hwn ei godi a'i drawsgludo tuag at y tir. Mae'r ffynhonnell gwaddodion 'hanesyddol' hon yn bwysig iawn i leoliadau yn y lledredau canol, fel Ynysoedd Prydain. Roedd egni tonnau yn rhan o'r broses hon. Fodd bynnag, mae llawer o'r gwaddod hwn yn waddod 'creiriol' ac nid yw'n cael ei drawsgludo'n aml iawn gan donnau erbyn heddiw.

Dod i gasgliad sy'n seiliedig ar dystiolaeth

Mae'r dystiolaeth yn awgrymu mai egni tonnau, yn ôl pob tebyg, yw'r dylanwad mwyaf arwyddocaol ar drawsgludiad gwaddod yn y parth arfordirol. Wedi'r cwbl, mae egni tonnau yn dod â chymaint o egni i mewn i'r system arfordirol, mae'n sail i lawer o brosesau datblygu tirffurfiau. Mae'n bwysig canolbwyntio ar rôl tonnau sy'n torri, gan nad yw gwaddod ar wely'r môr yn cael ei aflonyddu mewn dŵr sy'n ddyfnach na gwaelod y don. Drwy ystyried tonnau tswnami hefyd, gallwn gydnabod dylanwad digwyddiadau eithafol ar waith cludo fel trawsgludiad gwaddod.

I esbonio sut mae tirffurf neu dirwedd wedi datblygu, mae'n rhaid deall sut mae egni'n llifo i mewn i, drwy ac allan o'r hyn sy'n cael ei astudio – boed hynny yn fardraeth mawr neu'n gefnen traeth unigol. Un farn yw bod tirffurfiau/tirweddau wedi datblygu yn sgil **graddoliaeth**. Yng nghyd-destun y parth arfordirol, mae derbyn egni'n barhaus – un don ar ôl y llall, un dydd ar ôl y llall, un mis ar ôl y llall ac un flwyddyn ar ôl llall – wedi golygu bod arweddion fel traethau wedi datblygu'n araf, ar gyfradd sydd bron yn amhosibl ei gweld.

Gan fod cronfeydd data a thechnegau ymchwilio wedi datblygu cymaint, mae geomorffolegwyr wedi gallu adnabod digwyddiadau eithafol a arweiniodd at newidiadau mawr yn yr amgylchedd mewn cyfnod byr iawn o amser. Mae cysyniad **trychinebedd** bellach yn chwarae rhan allweddol

ym maes geomorffoleg. Er bod digwyddiadau fel y daeargryn egni uchel iawn ger arfordir gogledd-ddwyrain Japan yn 2011, a'r tswnami dilynol, yn rhai prin (unwaith bob ychydig gannoedd o flynyddoedd), maen nhw'n gyfrifol am lawer iawn o newid geomorffolegol. Mae digwyddiadau cyffredin (fel y cynnydd tymhorol mewn egni tonnau), a digwyddiadau rheolaidd (fel ton unigol), yn dod ag egni i mewn i'r parth arfordirol, ond mae swm yr egni yn eithaf bach. O ganlyniad, dim ond hyn a hyn o newid geomorffolegol gall y digwyddiadau hyn eu hachosi.

Ar y llaw arall, nid tonnau yw'r unig newidyn mae'n rhaid ei ystyried. Mae maint gwaddod yn elfen bwysig yn y berthynas rhwng trawsgludo ac egni, ac mae'n bwysig ystyried y clai a'r silt lleiaf. Yn ogystal, gall egni gwynt fod yn arwyddocaol iawn mewn rhai lleoliadau. Mae rôl y newid yn lefel y môr dros gyfnod daearegol yn ffactor arall i'w ystyried.

Er bod y berthynas rhwng egni tonnau a thrawsgludiad gwaddod yn ymddangos yn syml ar yr olwg gyntaf, mae nifer o ffactorau i'w gwerthuso. Yng nghyd-destun rheoli arfordirol, mae'n rhaid rhoi blaenoriaeth i ddeall prosesau fel trawsgludiad gwaddod cyn cynnig strategaethau rheoli.

🔑 TERMAU ALLWEDDOL

Graddoliaeth Y ddamcaniaeth bod newid, er enghraifft datblygiad tirffurfiau a thirweddau arfordirol, yn digwydd o ganlyniad i gyfuniad o lawer o brosesau araf ond parhaus.

Trychinebedd Y ddamcaniaeth bod newid, er enghraifft datblygiad tirffurfiau a thirweddau arfordirol, yn digwydd yn bennaf o ganlyniad i ddigwyddiadau nerthol sydyn.

Crynodeb o'r bennod

✔ Mae tair prif broses erydu morol – gweithred hydrolig, sgrafelliad ac athreuliad. Yn ogystal, mae bioerydiad yn gallu bod yn elfen erydu arwyddocaol mewn rhai lleoliadau.

✔ Yn aml iawn, mae prosesau isawyrol yn cael effaith sylweddol ar ddatblygiad tirffurfiau a thirweddau yn y parth arfordirol. Gallwn ni ddosbarthu prosesau hindreulio yn rhai ffisegol neu'n rhai cemegol, ac mae ystod o wahanol fathau o fàs-symudiadau yn digwydd ar yr arfordir. Mae mathau gwahanol o graig yn fwy neu'n llai agored i wahanol fathau o hindreuliad a màs-symudiad.

✔ Mae gwaddod, sy'n fewnbwn sylweddol i'r parth arfordirol, yn dod o amrywiaeth o ffynonellau. Mae'r gwahaniaeth ym maint y gwaddod yn bwysig oherwydd mae'n dylanwadu ar brosesau fel trawsgludiad (mae pedwar math o drawsgludiad) yn ogystal â datblygiad tirffurfiau.

✔ Mae trawsgludiad gwaddod, yn aeloaidd ac mewn dŵr, yn dylanwadu ar ddatblygiad tirffurfiau arfordirol a gall arwain at lifoedd sylweddol o waddod. Mae trawsgludiad gwaddod atraeth ac alltraeth yn gallu cael dylanwad sylweddol ar dirffurfiau arfordirol. Yn ogystal, mae symudiad gwaddod ar hyd y glannau yn broses allweddol o ran datblygiad tirffurfiau a thirweddau o bob maint.

✔ Mae dealltwriaeth o gyllidebau gwaddod arfordirol a gweithrediad celloedd gwaddod wedi dod yn fwy pwysig er mwyn i ni ddeall prosesau a thirffurfiau yn y parth arfordirol. Mae cylchrediad gwaddodion yn broses gymhleth sy'n cynnwys amrywiaeth o ffactorau, ac nid yw pob ffactor yn weithredol heddiw. Mae prosesau a digwyddiadau'r gorffennol yn gallu bod yn ffactorau pwysig o ran y ffordd mae gwaddod yn cael ei gyflenwi a'i dynnu.

Cwestiynau adolygu

1 Disgrifiwch ac esboniwch y gwahaniaeth rhwng litholeg ac adeiledd creigiau.

2 Disgrifiwch o dan ba amgylchiadau mae sgrafelliad yn debygol o fod yn arbennig o effeithiol yn y parth arfordirol.

3 Disgrifiwch dair ffordd y gall bioerydiad ddigwydd yn y parth arfordirol.

4 Beth yw ystyr y term 'hindreuliad isawyrol'?

5 Disgrifiwch ac esboniwch y prosesau hindreuliad sydd fwyaf tebygol o effeithio ar wenithfaen a chalchfaen.

6 Esboniwch pam mae dŵr yn ffactor mor bwysig mewn màs-symudiad.

7 Disgrifiwch ac esboniwch y ffyrdd mae gronynnau tywod yn cael eu trawsgludo yn y parth arfordirol.

8 Beth yw ystyr y term 'cell waddod'?

9 Amlinellwch bwysigrwydd digwyddiadau'r gorffennol o ran y ffordd mae gwaddod yn cael ei gyflenwi yn y parth arfordirol.

Gweithgareddau trafod

1   Gan gyfeirio at y mathau o greigiau yn Ffigur 2.7, trafodwch y prosesau erydu morol sy'n debygol o fod yn gyfrifol am yr amrywiadau o ran y cyfraddau enciliad clogwyni.

2   Trafodwch pam mae ffynonellau a thrawsgludiad gwaddodion yn elfen gymhleth o'r system arfordirol.

3   Ystyriwch beth yw goblygiadau'r cynhesu byd-eang sy'n digwydd ar hyn o bryd o safbwynt newidiadau posibl i batrymau glawiad. Defnyddiwch eich gwybodaeth a'ch dealltwriaeth o'r gylchred ddŵr fel sail i'ch trafodaeth. Trafodwch beth allai ddigwydd i lifoedd gwaddod sy'n mynd i mewn ac allan o ddarn o'r arfordir pe bai'r ardal fewndirol yn derbyn naill ai (a) cynnydd mewn glawiad neu (b) gostyngiad mewn glawiad. Ystyriwch sut gallai'r newidiadau hyn mewn glawiad effeithio ar lifoedd afonydd ac ar gyfraddau hindreuliad ac erydiad y dirwedd.

4   Trafodwch beth yw gwerth defnyddio celloedd gwaddod fel sail ar gyfer deall llifoedd defnyddiau o amgylch morlin. Byddai hyn yn werthfawr yng nghyd-destun y byd go iawn. Ymchwiliwch i drefniant y celloedd ar hyd darn o forlin rydych chi'n ei astudio. Mae gan wefan HR Wallingford adran benodol am yr arfordir (http://eprints. hrwallingford.co.uk/view/subjects/C.html) – bydd y dudalen hon yn eich helpu chi i ganfod mapiau o gelloedd. Edrychwch ar fapiau Arolwg Ordnans, graddfa 1:50 000 ac 1:25 000, i'ch helpu i ychwanegu manylion at eich trafodaethau.

5   Edrychwch yn ôl dros yr adran am fâs-symudiadau. Ymchwiliwch i leoliadau lle mae llethrau ansefydlog yn effeithio ar gymunedau arfordirol gan fod y broblem yn newid nodweddion ffisegol proffil y lle. Ystyriwch sut mae colli cartrefi, cyfleusterau fel llwybrau cerdded arfordirol, a ffyrdd a/neu reilffyrdd ar hyd yr arfordir yn effeithio ar ystyr lle yn wrthrychol ac yn oddrychol (dyma destun mae'n rhaid i chi ei astudio yn adran Daearyddiaeth Ddynol y cwrs Safon Uwch). Mae gwefan Arolwg Daearegol Prydain (www.bgs. ac.uk) yn fan cychwyn defnyddiol o ran cael gwybodaeth am dirlithriadau mewn lleoliadau arfordirol. Yna, gallech chi edrych ar wefannau cyfryngau lleol a rhanbarthol sy'n sôn am y lleoliadau hyn er mwyn cael rhagor o fanylion am effeithiau ac ymatebion i fâs-symudiadau arfordirol.

Darllen pellach

Bray, M.J., Carter, D.J., Hooke, J.M. (1995) 'Littoral cell definition and sediment budgets for central southern England', *Journal of Coastal Research,* 11(2), tt.381–400

Davidson, T.M., Altieri, A.H., Ruiz, G.M., Torchin, M.E. (2018) 'Bioerosion in a changing world: a conceptual framework', *Ecology Letters,* 21(3), tt.422–38

Goudie, A.S., Brunsden, D. (1997) *Classic Landform Guide: East Dorset Coast.* Sheffield: Geographical Association

Goudie, A.S., Brunsden, D. (1997) *Classic Landform Guide: West Dorset Coast.* Sheffield: Geographical Association

Motyka, J.M., Brampton, A.H. (1993) *Coastal Management: Mapping of Littoral Cells.* HR Wallingford Report SR 328, Hydraulics Research Ltd, Wallingford, UK

Rosati, J.D. (2005) 'Concepts in sediment budgets', *Journal of Coastal Research,* 21(2), tt.307–22

Morlinau cyferbyniol

Mae morlinau wedi eu creu o amrywiaeth fawr o dirffurfiau a thirweddau. Gallwn ni edrych ar broffil morlinau neu uwcholwg ohonyn nhw ar draws y raddfa ofodol – o'r micro i'r macro. Maen nhw hefyd yn datblygu ar draws sawl cyfnod amseryddol – o funudau i filenia. Ac mewn llawer o leoliadau arfordirol, mae dylanwad prosesau a thirffurfiau'r gorffennol yn dal i ddylanwadu ar yr amgylchedd heddiw. Bydd y bennod hon:

- yn archwilio uwcholwg morlinau
- yn ymchwilio i arfordiroedd egni uchel – clogwyni morol a llyfndiroedd glannau
- yn ymchwilio i arfordiroedd egni isel – traethau
- yn ymchwilio i arfordiroedd egni isel – morydau a deltâu
- yn gwerthuso i ba raddau mae clogwyni morol wedi ffurfio yn sgil erydiad.

CYSYNIADAU ALLWEDDOL

Ecwilibriwm Cyflwr o gydbwysedd mewn system. Er enghraifft, ar glogwyn morol, pan fydd cyfaint y dŵr sy'n mynd i mewn i system y llethr yn gyfartal â chyfaint y dŵr sy'n gadael y system, mae'r llethr yn tueddu i aros yn sefydlog.

Adborth Ymateb mewnol awtomatig i newid mewn system. Er enghraifft, pan fydd tonnau yn tandorri clogwyn morol, mae ongl llethr y clogwyn hwnnw yn mynd yn fwy serth. Bydd hyn yn golygu bod mwy o ddiriant yn gweithredu ar system y llethr, gan ei gwneud hi'n fwy tebygol y bydd màs-symudiadau'n digwydd. Mae hyn yn enghraifft o adborth cadarnhaol sy'n amharu ar system y llethr.

Systemau System yw grŵp o wrthrychau sy'n perthyn i'w gilydd. Mae systemau ffisegol yn tueddu i fod yn agored, sy'n golygu bod llifoedd egni a defnyddiau'n symud ar draws eu ffiniau. Bydd newid i un rhan o'r system yn dod â newidiadau i'r rhannau eraill wrth i fecanweithiau adborth weithredu. Mae traeth yn gweithredu fel system sy'n derbyn mewnbynnau ar ffurf egni tonnau a gwaddod, er enghraifft. Mae'r gwaddod yn symud yn unol â lefel egni'r tonnau ac mae'n gallu gadael system y traeth drwy broses drifft y glannau, er enghraifft.

Trothwy 'Pwynt sy'n sbarduno newid' mewn system. Er enghraifft, gallwn ni ystyried bod traeth yn system sydd â mewnbynnau, storfeydd a phrosesau, ac allbynnau. Os bydd llai o waddod yn dod i mewn i draeth nag sy'n ei adael, yna bydd yn cyrraedd pwynt di-droi'n-ôl pan fydd uwcholwg a/neu broffil y traeth yn newid.

Uwcholwg morlinau

▶ *Sut a pham mae uwcholwg morlinau'n amrywio?*

O edrych ar forlin oddi uchod, fel sydd i'w weld ar fap, bydd siâp y morlin hwnnw yn dod yn amlwg. Mae'n bosibl gweld yr **uwcholwg** hwn ar nifer o raddfeydd gwahanol. Ar raddfa fyd-eang, mae amlinelliadau'r cyfandiroedd

TERM ALLWEDDOL

Uwcholwg *(plan)* Golwg sy'n dangos rhywbeth mewn dau ddimensiwn. Yng nghyd-destun yr arfordir, mae fel arfer yn cael ei gymryd oddi uchod – yr olygfa o'r awyr.

yn dangos arweddion mawr fel Gwlff México. Ar **raddfa fach** fel hyn, dydy manylion uwcholwg y morlin ddim i'w gweld. Drwy chwyddo ac edrych ar forlin ar **raddfa fawr**, er enghraifft ar fap Arolwg Ordnans graddfa 1:25 000, bydd y traethau unigol yn dod i'r amlwg. Bydd edrych yn agosach fyth yn dangos arweddion fel daneddiadau (*indentations*) bach mewn clogwyn.

Arfordiroedd cydgordiol ac anghydgordiol

Mae dau uwcholwg gwahanol yn bodoli yn achos morlinau cyferbyniol:

- cydgordiol
- anghydgordiol.

Mae daeareg yn ddylanwad pwysig ar uwcholygon a sut maen nhw'n amrywio. Mae litholeg ac adeiledd yn effeithio ar y ffordd mae hindreuliad, erydiad a màs-symudiad yn gweithredu. Gyda'i gilydd, mae'r ffactorau hyn yn creu sefyllfa lle mae **treuliant gwahaniaethol** ar waith.

Yn achos uwcholwg **cydgordiol**, mae'r morlin yn eithaf syth heb unrhyw faeau na phentiroedd mawr. Y prif ddylanwad ar y siâp hwn yw daeareg, lle mae'r creigiau wedi eu trefnu'n baralel i'r morlin. Mae darnau helaeth o forlinau gorllewinol Gogledd a De America yn cael eu hystyried yn rhai cydgordiol. Gan addasu'r raddfa i edrych ar ardal lai o'r arfordir, mae darnau o'r morlin yn ne-orllewin a gogledd Penrhyn Gŵyr, De Cymru, yn gydgordiol i bob pwrpas (Ffigur 3.1).

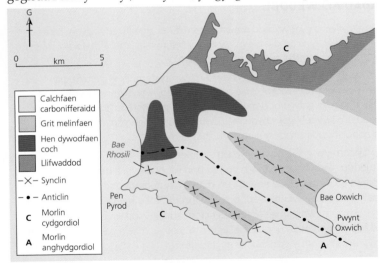

▶ **Ffigur 3.1** Y berthynas rhwng daeareg ac uwcholwg arfordirol: Penrhyn Gŵyr, De Cymru

Yn achos uwcholwg **anghydgordiol**, mae baeau a phentiroedd mawr i'w gweld ar hyd y morlin. Mae arfordir gogledd-ddwyrain UDA yn enghraifft o hyn – mae Penrhyn Cod a Long Island wedi eu lleoli'n berpendicwlar i batrwm cyffredinol yr arfordir. Mae baeau a phentiroedd mawr ar hyd morlin de-ddwyrain Penrhyn Gŵyr.

Ar hyd morlinau cydgordiol, mae'r ddaeareg yn tueddu i fod yn baralel i batrwm cyffredinol y morlin. Os yw'r graig sy'n ffurfio llinell y clogwyn yn un gwydn iawn, mae cildraethau (baeau bach) a baeau yn gallu ffurfio unwaith mae bwlch wedi ymddangos. Gall y môr neu afon greu'r bwlch hwn. Yna, mae prosesau morol ac isawyrol yn gallu ymosod ar y graig llai gwydn sydd ychydig ymhellach i mewn i'r tir (tudalen 127).

Bydd morlinau anghydgordiol yn datblygu lle mae'r ddaeareg yn tueddu i fod yn berpendicwlar i'r morlin. Mae'r morlinau hyn hefyd dan ddylanwad y ffaith bod **synclinau** yn gallu cael eu treulio i ffurfio dyffrynnoedd sy'n gallu troi'n faeau arfordirol. Mae **anticlinau** yn tueddu i ffurfio cefnenau sy'n troi'n bentiroedd ar yr arfordir.

Mae uwcholwg morlin yn ddynamig dros amser. Dros gyfnod daearegol, mae morlinau wedi newid yn sylweddol. Dim ond tua 120 000 o flynyddoedd yn ôl, roedd lefel y môr yn llawer is nag ydyw heddiw (efallai tua 120 metr yn is), ac roedd Ynysoedd Prydain yn edrych yn wahanol iawn. Doedd y Sianel ddim yno, ac roedd ardal Môr y Gogledd yn dir sych ac ardaloedd corsiog ar y cyfan. Heddiw, mae'r llanw a thrai yn newid uwcholwg y morlin. Mae arwynebedd un o Ynysoedd y Sianel, Jersey, yn cynyddu 40% adeg y llanw isel, ac mae ei uwcholwg yn edrych yn wahanol iawn.

> 🔑 **TERMAU ALLWEDDOL**
>
> **Synclin** Lle mae strata creigiau wedi'u plygu i lawr.
> **Anticlin** Lle mae strata creigiau wedi'u plygu i fyny.

ASTUDIAETH ACHOS GYFOES: YR ARFORDIR JWRASIG, DORSET

Ar hyd y morlin hwn, mae'r calchfeini Jwrasig mwy gwydn (calchfeini Portland a Purbeck) wedi eu plygu sy'n golygu eu bod yn goleddu'n serth iawn tuag at y tir. Mewn rhai mannau, mae'r graig yn parhau i wrthsefyll erydiad y tonnau a hindreuliad, ond mewn mannau eraill mae'r tonnau wedi torri drwyddi. Oherwydd hyn, mae tywodfaen gwyrdd a thywod a chlai Wealden, sy'n llai gwydn, wedi cael eu treulio i ffurfio baeau, fel Cildraeth Lulworth a Bae St Oswald. Wrth symud i'r mewndir, y graig nesaf yw calchfaen – sialc sy'n gallu ffurfio ger clogwyni fertigol.

Mae'n bwysig gwerthfawrogi nad prosesau morol yn unig sy'n gyfrifol am y patrwm hwn. Tua 65 Ma (miliwn o flynyddoedd) Cyn y Presennol, roedd grymoedd tectonig wedi crychu'r creigiau yn yr ardal lle mae Dorset heddiw pan fu gwrthdrawiad rhwng Plât Affrica a Phlât Ewrasia.

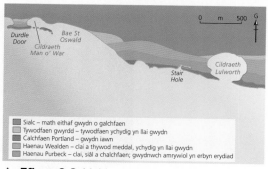

▲ **Ffigur 3.3** Y ddaeareg ar hyd rhan o'r Arfordir Jwrasig, Dorset

Mae effeithiau plygu'r graig yn gallu bod yn lleol iawn – mae ongl y goledd yn amrywio rhwng 45° a 90° ar hyd arfordir Dorset. Yn ogystal, mae'r oes iâ fwyaf diweddar wedi dylanwadu ar dirffurfiau a thirweddau. Yn ystod yr oes iâ, doedd y rhan hon o Ynysoedd Prydain ddim wedi'i gorchuddio ag iâ, ond roedd yn eithriadol o oer ac roedd y tir wedi rhewi yn ddwfn iawn. Roedd lefel y môr hefyd tua 120 metr yn is nag ydyw heddiw. Wrth i'r iâ encilio ac wrth i'r tir oedd wedi rhewi doddi, cafodd symiau enfawr o ddŵr eu rhyddhau. Roedd afonydd yn llifo'n gyflym tuag at y môr, gan dorri drwy'r holl greigiau, gan gynnwys y calchfeini Jwrasig gwyn. O ganlyniad, roedd y môr yn gallu torri drwy'r creigiau gwyn a ffurfio cildraethau a baeau. Wrth i lefel y môr godi'n raddol, dechreuodd gweithred y tonnau effeithio ar y creigiau, gan gynhyrchu'r dirwedd rydyn ni'n ei hadnabod heddiw.

Mae'r dilyniant hwn yn dangos pa mor bwysig yw deall sut mae prosesau a digwyddiadau'r gorffennol yn rhyngweithio â'r sefyllfa heddiw wrth ddehongli morlin.

▲ **Ffigur 3.2** Morlin cydgordiol, yr Arfordir Jwrasig, Dorset, yn edrych tua'r dwyrain ar draws Cildraeth Man o' War a Bae St Oswald

Math arall o forlin cydgordiol yw morlinau morlyn, sydd i'w cael yn rhanbarth deheuol y Môr Baltig. Ar hyd y morlinau hyn, mae sawl **lagŵn** bas sy'n nodweddiadol o'r ardal hon. Mae tafodau tywod hir a chul, gyda systemau twyni arnynt, yn gwahanu pob lagŵn oddi wrth y môr. Yn wahanol i leoliadau eraill, dyddodiad gwaddodion sydd wedi creu'r uwcholwg cydgordiol, er enghraifft yn achos Lithuania a Gwlad Pwyl.

② Arfordiroedd egni uchel – clogwyni morol a llyfndiroedd glannau

▶ *Pa ffactorau sy'n rhyngweithio i ffurfio clogwyni morol a llyfndiroedd glannau?*

Mae llethrau serth – clogwyni – ar hyd y morlin yn amrywio o ran uwcholwg a **phroffil**. Drwy feddwl am glogwyni fel system, gallwn ni ddeall pam mae **morffoleg** clogwyni yn amrywio o un lle i'r llall (Ffigur 3.4).

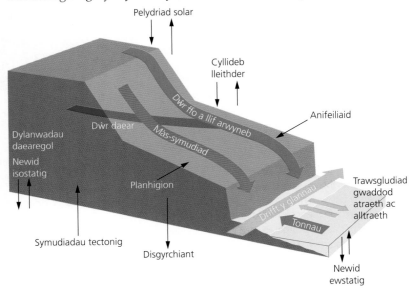

▲ **Ffigur 3.4** Y system clogwyni

Mae unrhyw newid i un neu fwy o'r elfennau yn y system clogwyni yn achosi newidiadau o ran morffoleg y clogwyn.

Proffil ac uwcholwg clogwyni – rôl daeareg

Fel arfer, y prif ddylanwad ar ddatblygiad clogwyni arfordirol yw eu litholeg a'u hadeiledd. Mae'r gwahaniaethau o ran gallu creigiau i wrthsefyll hindreuliad ac erydiad yn cyd-fynd i ryw raddau â'r tri phrif gategori o greigiau:

- Igneaidd – creigiau wedi'u ffurfio o ddefnydd oedd wedi toddi yn y gorffennol; byddai'r defnydd hwn naill ai wedi oeri o dan yr arwyneb ac yna wedi ymddangos ar yr arwyneb (gwenithfaen), neu wedi ffrwydro ac yna wedi oeri ar yr arwyneb (basalt).

- Gwaddodol – creigiau wedi'u ffurfio o ddarnau a gronynnau o greigiau hŷn oedd wedi hindreulio ac erydu. Yna, cafodd y gwaddod ei ddyddodi gan wynt neu ddŵr, yn aml fel haenau neu strata sy'n hawdd eu hadnabod (clai a thywodfeini). Mae elfennau organig yn bresennol mewn rhai creigiau gwaddodol, er enghraifft cregyn (sialc).
- Metamorffig – creigiau sydd wedi cael eu newid yn sylweddol drwy weithredoedd gwres a gwasgedd (cerrig llaid → llechi; gwenithfaen → gneis; calchfaen → marmor).

Dylanwad litholeg

Mae litholeg y rhan fwyaf o greigiau igneaidd a metamorffig yn ddigon gwydn i ffurfio clogwyni serth. Mae rhai creigiau gwaddodol hefyd yn ffurfio clogwyni serth, er enghraifft calchfaen carbonifferaidd, hen dywodfaen coch a sialc.

I'r gwrthwyneb i hyn, mae creigiau anghyfunol, fel clai a thywod wedi'u dyddodi'n ddiweddar, yn tueddu i ffurfio llethrau graddol. Fodd bynnag, gall amodau lleol greu clogwyni serth mewn creigiau eithaf gwan. Mae erydiad cyson gan y môr ar waelod clogwyn yn gallu achosi i lethr ddymchwel a màs-symudiad defnyddiau i'r traeth. Cyn hir, mae **til rhewlifol**, clai a thywod yn cael eu torri i lawr a'u trawsgludo gan donnau a cheryntau, gan adael llethr serth a fydd yn cael ei dandorri unwaith eto.

Dylanwad adeiledd

Mae nifer o elfennau yn perthyn i adeiledd daearegol:

- bregion a phlanau haenu
- ongl goledd y strata
- ffawtiau.

Mae pa mor agored yw wyneb clogwyn i effeithiau hindreuliad ac erydiad yn dibynnu i raddau helaeth ar bresenoldeb bregion a/neu blanau haenu yn y graig, a faint ohonyn nhw sydd. Os yw mwy o ddŵr yn mynd i mewn i'r graig, mae hynny'n cyflymu prosesau fel twf grisialau halen, hydrolysis a rhewi-dadmer (tudalen 32), a hefyd yn caniatáu i'r tonnau dreiddio ymhellach i wyneb y clogwyn. Mae creigiau sydd â phatrwm cryf o blanau haenu a bregion yn tueddu i ffurfio clogwyni serth.

Ar waelod y clogwyn, mae'r tonnau sy'n taro yn creu bargod (*overhang*). Yn y pen draw, bydd hwn yn dymchwel, gan ddadorchuddio craig ffres ar wyneb y

▲ **Ffigur 3.5** Clogwyn gwenithfaen serth, Jersey; gan ei fod yn edrych yn debyg i gastell, rydyn ni'n galw'r math yma o glogwyn yn un castellog

▲ **Ffigur 3.6** Clogwyni serth o dywodfaen a cherrig llaid Triasig, Sidmouth, Dyfnaint

> 🔑 **TERM ALLWEDDOL**
>
> **Til rhewlifol** Term cyffredinol sy'n cynnwys yr holl ddefnyddiau mae iâ yn eu dyddodi'n uniongyrchol, sef cymysgedd o glai, tywod a darnau o greigiau fel arfer.

▲ **Ffigur 3.7** Clogwyni fertigol o sialc â haenau llorweddol, Étretat, gogledd-orllewin Ffrainc

clogwyn sydd wedi encilio ychydig. Bydd y malurion ar waelod y clogwyn yn cael eu torri i lawr ymhellach nes eu bod yn ddigon bach i gael eu trawsgludo i ffwrdd gan y môr. Unwaith eto, mae tonnau'n ymosod ar waelod y clogwyn ac mae'r gylchred yn parhau.

Mae ongl goledd y creigiau, yn enwedig creigiau gwaddodol, yn ddylanwad pwysig (Ffigurau 3.6, 3.7 a 3.8).

● Mae clogwyn sydd â strata llorweddol yn encilio yn baralel i'w wyneb ei hun gan fod tandorri yn arwain at gwymp creigiau a dymchwel.
● Pan fydd y strata yn goleddu tuag at y môr, mae wyneb y clogwyn yn tueddu i fod ar ongl sy'n debyg i ongl y goledd wrth i flociau rhydd lithro i lawr tuag at waelod y clogwyn (Ffigur 2.5).
● Pan fydd y strata yn goleddu tuag at y tir, mae'r proffil yn tueddu i fod yn eithaf sefydlog. Yn aml iawn, mae llethrau fel hyn ychydig yn amgrwm gan fod prosesau morol yn llai effeithiol na'r ymosodiad isawyrol ar ran uchaf y clogwyn. Mae ongl gyffredinol patrwm y bregion hefyd yn dylanwadu ar siâp clogwyn.

(a) Strata llorweddol unffurf sy'n cynhyrchu clogwyni serth

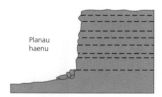

(b) Creigiau'n goleddu'n raddol tuag at y môr gyda bregion sydd bron yn fertigol

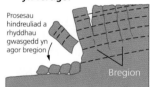

(c) Goledd serth tuag at y môr

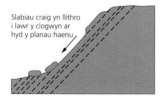

(ch) Creigiau'n goleddu tuag at y mewndir, gan gynhyrchu proffil clogwyn sefydlog a serth

(d) Creigiau'n goleddu tuag at y mewndir ond gyda bregion cryf ar ongl sgwâr i'r planau haenu

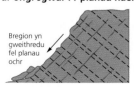

(dd) Clogwyni llethr-dros-wal

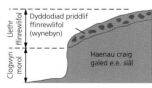

▶ **Ffigur 3.8** Proffiliau clogwyni: dylanwad ongl y goledd

Mewn mannau lle mae'r clogwyni'n cynnwys mwy nag un math o graig, mae'r proffiliau'n fwy cymhleth. Yn achos rhai ardaloedd, roedd llenni iâ wedi gadael llenni til ar eu hôl, neu roedd prosesau **ffinrewlifol** yn weithredol ar un adeg. Mewn ardaloedd fel hyn, mae proffil llethr-dros-wal i'w weld yn aml, gyda'r rhan isaf yn serth a'r rhan uchaf yn fwy graddol. Mae prosesau erydiad a thrawsgludiad morol yn creu'r proffil isaf, ac mae prosesau isawyrol (prosesau'r presennol a'r gorffennol) yn creu llethrau'r proffil uchaf sydd tua 25° i 30° (Ffigur 3.8dd).

Uwcholwg a phroffil arfordirol ar raddfa fach

Wrth wneud gwaith ymchwil manwl i ddarn o forlin, bydd arweddion graddfa fach yn dod i'r amlwg. Mewn rhai lleoliadau, mae'r arweddion hyn yn ffurfio gan fod mannau eithaf gwan mewn un math o graig. Er enghraifft, mae bregion, planau haenu a ffawtiau yn ymddangos lle mae'r graig yn agored i brosesau hindreulio ac erydu.

Mae cildraethau a phentiroedd bach yn debygol o ddeillio, yn rhannol, yn sgil treuliant gwahaniaethol. Hollt dwfn a chul yw **geo** sy'n mynd ar hyd llinell o wendid tua'r mewndir (Ffigur 3.9). Efallai mai ogof hir a chul oedd yno yn wreiddiol, cyn i'r to ddymchwel.

Y tu mewn i wyneb clogwyn, mae amrywiadau o ran y math o graig sydd ynddo yn gallu creu cefnenau a daneddiadau bach. Mae hyn hefyd yn gallu digwydd pan fydd litholeg yr un math o graig yn amrywio (Ffigur 3.10).

🔑 **TERMAU ALLWEDDOL**

Ffinrewlifol Yn llythrennol, ystyr hyn yw ar gyrion neu yn agos at len iâ neu rewlif. Mae hyn hefyd yn cynnwys lleoliadau lledred uchel.

Geo Cilfach gul a dwfn sy'n gallu ffurfio ar hyd morlin â chlogwyni.

▲ **Ffigur 3.9** Geo wedi'i ffurfio ar hyd gwendid mewn gwaddodion Silwraidd gwydn, Ynys Valentia, Iwerddon

▲ **Ffigur 3.10** Strata sy'n amrywio, bob yn ail, o ran eu gwydnwch mewn tywodfeini Jwrasig, Bae West, Dorset

Morffoleg clogwyni a'r cydbwysedd rhwng prosesau morol a phrosesau isawyrol

Llethrau ar lan y môr yw clogwyni morol, i bob pwrpas. Yn wahanol i lethrau mewndirol, mae'r llethrau hyn yn agored i brosesau morol ar waelod y llethr. Felly, mae'r cydbwysedd cymharol rhwng prosesau morol ac isawyrol yn ddylanwad arwyddocaol ar siâp y clogwyn.

Mae erydiad morol yn ymosod ar y clogwyn rhwng lefel y llanw uchel a lefel y llanw isel. Yna mae malurion o'r clogwyn sydd wedi erydu, yn ogystal â defnydd sydd wedi'i gynhyrchu gan brosesau isawyrol yn uwch i fyny wyneb y clogwyn, yn syrthio i waelod y clogwyn. Yn dilyn hyn, mae prosesau morol yn symud y gwaddod hwn.

Efallai byddai'n ddefnyddiol i chi feddwl am dair sefyllfa sy'n ymwneud â'r cydbwysedd cymharol rhwng prosesau morol a phrosesau isawyrol (Ffigur 3.11):

(a) Prosesau morol > prosesau isawyrol
(b) Prosesau morol = prosesau isawyrol
(c) Prosesau morol < prosesau isawyrol.

(a) Prosesau morol yn fwy effeithiol na phrosesau isawyrol

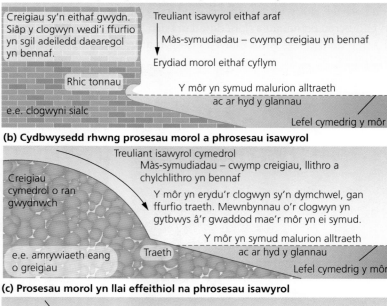

Creigiau sy'n eithaf gwydn. Siâp y clogwyn wedi'i ffurfio yn sgil adeiledd daearegol yn bennaf.

Treuliant isawyrol eithaf araf

Màs-symudiadau – cwymp creigiau yn bennaf

Erydiad morol eithaf cyflym

Rhic tonnau

Y môr yn symud malurion alltraeth ac ar hyd y glannau

e.e. clogwyni sialc

Lefel cymedrig y môr

(b) Cydbwysedd rhwng prosesau morol a phrosesau isawyrol

Treuliant isawyrol cymedrol
Màs-symudiadau – cwymp creigiau, llithro a chylchlithro yn bennaf

Creigiau cymedrol o ran gwydnwch

Y môr yn erydu'r clogwyn sy'n dymchwel, gan ffurfio traeth. Mewnbynnau o'r clogwyn yn gytbwys â'r gwaddod mae'r môr yn ei symud.

Y môr yn symud malurion alltraeth ac ar hyd y glannau

e.e. amrywiaeth eang o greigiau

Traeth

Lefel cymedrig y môr

(c) Prosesau morol yn llai effeithiol na phrosesau isawyrol

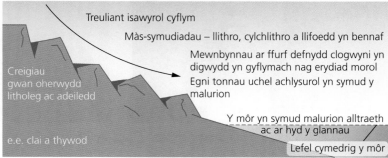

Treuliant isawyrol cyflym

Màs-symudiadau – llithro, cylchlithro a llifoedd yn bennaf

Mewnbynnau ar ffurf defnydd clogwyni yn digwydd yn gyflymach nag erydiad morol

Egni tonnau uchel achlysurol yn symud y malurion

Creigiau gwan oherwydd litholeg ac adeiledd

Y môr yn symud malurion alltraeth ac ar hyd y glannau

e.e. clai a thywod

Lefel cymedrig y môr

▶ **Ffigur 3.11** Y berthynas rhwng prosesau isawyrol a phrosesau morol, a'u heffaith ar siâp clogwyn

Yn sefyllfa (a), mae gweithred y tonnau yn ymosod ar y clogwyn yn gyson, ac mae unrhyw falurion yn cael eu symud oddi yno yn gyflym. Mae hyn yn tueddu i greu proffil clogwyn serth. Yn sefyllfa (b), dydy gweithred y tonnau ddim mor effeithiol â'r prosesau isawyrol ac felly mae malurion sy'n cael eu hindreulio o wyneb uchaf y clogwyn yn crynhoi ar waelod y clogwyn. Mae wyneb uchaf y clogwyn wedi'i dreulio tuag yn ôl, ond mae gwaelod y clogwyn wedi'i ddiogelu. Efallai bydd llethr llai serth yn rhan uchaf proffil y clogwyn. Yn sefyllfa (c), mae siâp y clogwyn yn adlewyrchu ffactorau fel litholeg ac adeiledd y graig. Yn aml iawn mae'r math hwn o broffil yn eithaf afluniaidd ac yn gallu newid yn gyflym yn dibynnu ar ffactorau fel y tywydd ac egni tonnau. Er enghraifft, gall cyfnod estynedig o law olygu bod symiau mawr o ddŵr yn mynd i mewn i'r system clogwyni, gan achosi i'r llethr fethu a chylchlithro.

Dylanwad lledred ar y cydbwysedd rhwng prosesau morol a phrosesau isawyrol

Mae rhai wedi awgrymu bod morffoleg clogwyn yn amrywio gyda lledred gan fod cyfradd cyflenwi a chyfradd tynnu malurion yn gysylltiedig â'r system egni arfordirol. Mae egni tonnau ar ei uchaf ar hyd arfordiroedd y lledredau canol (30°–60°) ac ar ei isaf yn y lledredau isel (y trofannau). Yn y lledredau uchel (e.e. Cylch yr Arctig), ar y cyfan mae arfordiroedd naill ai'n eithaf cysgodol neu'n cael eu gorchuddio ag iâ yn y gaeaf, felly maen nhw'n derbyn egni tonnau isel. Mae'r broses o symud a chyflenwi malurion o brosesau morol ar ei huchaf yn y lledredau canol.

Mae amrywiadau o ran dylanwad prosesau isawyrol yn fwy cymhleth. Mewn ardaloedd llaith, lledred isel fel Gorllewin Affrica a De-ddwyrain Asia, mae llystyfiant yn tueddu i orchuddio'r llethrau, a dim ond symiau eithaf bach o waddod sy'n disgyn oddi ar y clogwyni. Ond, mewn arfordiroedd trofannol cras, fel Namibia, de-orllewin Affrica neu o amgylch Gorynys Arabia, mae gorchudd llystyfiant yn brin ac felly mae clogwyni serth yn fwy cyffredin. Mae prosesau hindreulio fel rhewfriwio yn digwydd mewn lleoliadau lledred uchel. Dydy'r egni tonnau isel ddim yn gallu symud y symiau mawr o sgri sy'n cael eu cynhyrchu. Mewn lleoliadau fel Spitzbergen neu ogledd Alaska, mae'r llethrau'n adlewyrchu ongl orffwys y gwaddodion sy'n creu'r sgri.

Nodweddion enciliad clogwyni: uwcholwg a phroffil

Pan fydd ffin amlwg rhwng y môr a'r tir – er enghraifft ar hyd morlinau lle mae arwyneb y tir yn sylweddol uwch na lefel y môr – mae amrywiaeth o dirffurfiau unigryw yn gallu ffurfio yn sgil erydiad.

Mae **rhic** yn ffurfio o amgylch y marc penllanw cymedrig. Mae'n ymestyn o dan wyneb y clogwyn drwy gyfuniad o erydiad tonnau, bioerydiad a hindreuliad. Mae rhiciau i'w gweld mewn ardaloedd o ddaeareg gwahanol, ac maen nhw'n gyffredin iawn mewn calchfeini.

Mae **ogofâu môr** yn datblygu o amgylch y lefel dŵr cymedrig ac maen nhw'n ymestyn i mewn i waelod y clogwyn. Gall yr ogofâu hyn dyfu i fod yn fawr iawn – degau o fetrau o ran dyfnder, a nifer o fetrau o ran uchder. Yn aml iawn, maen nhw'n dilyn trywydd gwendidau yn y graig, e.e. ardal sy'n cynnwys

---

TERMAU ALLWEDDOL

Sgri Craig wedi'i thorri'n ddarnau, sy'n eithaf onglog fel arfer. Enw arall arno yw talws.

Rhic Danheddiad ar waelod clogwyn.

Ogofâu môr Tyllau o amrywiol feintiau mewn craig solid. Maen nhw'n gyffredin ar hyd arfordiroedd â chlogwyni lle mae gan y graig wendidau adeileddol fel bregion, planau haenu a ffawtiau.

▲ **Ffigur 3.12** Spouting Horn, Ynys Kaua'i, Hawaii. Mae'r mordwll hwn yn dilyn llinell tiwb lafa sydd wedi erydu. Uchder y golofn ddŵr yw tua 15 metr

▲ **Ffigur 3.13** Bwa mewn gwaddodion Silwraidd gwyn, Ynys Valentia, Iwerddon

▲ **Ffigur 3.14** Staciau a stympiau wedi'u gwneud o lechi a thywodfeini Defonaidd gwyn, Bedruthan, gogledd Cernyw

llawer o ffawtiau neu fregion. Pan fydd gwendid fertigol yn bodoli, mae **mordwll** yn gallu ffurfio, gan ymestyn drwy do'r ogof ac agor ar frig y clogwyn. Pan fydd y llanw'n ddigon uchel, gall y dŵr gael ei wthio drwy'r tiwb naturiol hwn, gan ffrwydro allan ar frig y clogwyn.

Yn achos pentiroedd bach sy'n ymestyn allan o linell gyffredinol y clogwyni, bydd erydiad yn fwy dwys yn y lleoliadau hyn yn sgil plygiant tonnau. Gall rhiciau ac ogofâu ffurfio sy'n gallu ymestyn drwy'r pentir i greu **bwa**. Gall yr arweddion hyn oroesi am ddegawdau, ond yn y diwedd maen nhw'n dymchwel gan adael colofn o graig yn sefyll ar ei phen ei hun, sef **stac**. Bydd stac yn parhau i gael ei dreulio hyd nes y bydd dim byd ond **stwmp** yn weddill fel llwyfan bach o graig, sydd weithiau'n cael ei orchuddio pan fydd y llanw'n uchel.

Llyfndiroedd glannau

Mae **llyfndiroedd glannau** yn dirffurfiau llorweddol neu'n dirffurfiau ar lethr graddol sy'n ymestyn allan o'r clogwyni tuag at y môr. Mae arwyneb y graig yn eithaf gwastad, ac yn cynnwys pyllau glan môr a blociau mwy o graig o bryd i'w gilydd. Mae'r llanw uchel yn tueddu i'w gorchuddio nhw; maen nhw'n cael eu dadorchuddio adeg y llanw isel.

▶ **Ffigur 3.15** Llyfndir glannau wedi'i wneud o dywodfaen Carbonifferaidd, Northumbria

Mae'n amlwg bod cysylltiad cryf rhwng llyfndiroedd glannau ac enciliad clogwyni (Ffigur 3.16). Ond, byddai'n anghywir tybio bod yr un prosesau yn creu clogwyni a llyfndiroedd.

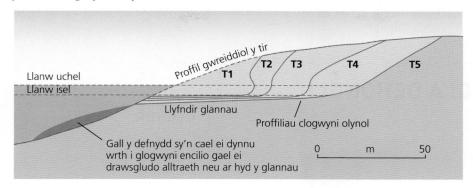

▲ **Ffigur 3.16** Enciliad clogwyni a datblygiad llyfndir glannau

Y term gwreiddiol am lwyfan o'r fath oedd llyfndir tonnau. Mae hyn yn dangos bod pobl yn tybio ar un adeg mai gweithred y tonnau oedd y dylanwad cryfaf ar ddatblygiad y tirffurf hwn. Ond, erbyn heddiw mae'r term hwn yn cael ei ystyried yn gamarweiniol gan fod nifer o brosesau yn rhyngweithio i greu'r tirffurf. Mae pobl yn deall hefyd fod dylanwad cymharol yr amrywiol brosesau yn newid o fan i fan ar draws y byd. Dydy llyfndiroedd glannau mewn lleoliadau cysgodol ddim yn debygol o fod wedi eu ffurfio'n gyfan gwbl gan weithred y tonnau. Pan fydd egni tonnau'n uchel, mae'n bwysig gwerthfawrogi pwysigrwydd rôl hindreulio sy'n gwanhau'r graig yn rhannol cyn i'r tonnau gwblhau'r treulio. Mae hindreulio gan halen a phroses gwlychu a sychu yn benodol yn gallu bod yn effeithiol iawn ar lyfndiroedd glannau. Mewn rhai lleoliadau, mae bioerydiad yn chwarae rhan bwysig. Mae arbenigwyr yn parhau i ddadlau am bwysigrwydd cymharol y prosesau sy'n gyfrifol am ddatblygiad llyfndiroedd glannau.

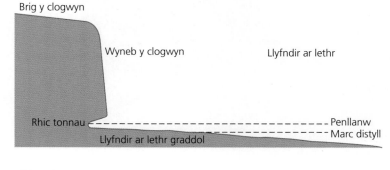

Fel arfer, mae dau fath sylfaenol o lyfndir glannau yn cael eu cydnabod (Ffigur 3.17):

- ar lethr – graddiant o 1° i 5°, llyfndir parhaus heb fylchau mawr yn y llethr
- is-lorweddol – graddiant sydd bron â bod yn wastad, gyda rhagfur bach a chlogwyn isel ar y marc distyll.

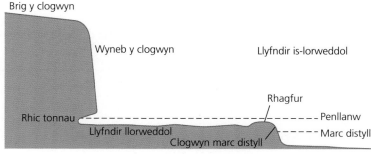

▲ **Ffigur 3.17** Mathau o lyfndir glannau

Mae rhai ymchwilwyr wedi awgrymu bod llyfndiroedd ar lethr yn gyffredin mewn amgylcheddau macro-lanwol fel Ynysoedd Prydain. Mae llyfndiroedd is-lorweddol yn fwy tebygol o ymddangos ar hyd arfordiroedd sy'n profi patrymau llanw meso a micro, fel llawer o Awstralia a rhanbarth y Môr Canoldir.

DADANSODDI A DEHONGLI

Astudiwch Ffigur 3.18.

▲ **Ffigur 3.18** Clogwyni o sialc sy'n goleddu tuag at y tir, Dorset

(a) Gan gyfeirio at Ffigur 3.18, esboniwch ddylanwad daeareg ar broffil y clogwyn.

CYNGOR

Mae'r term daeareg yn cynnwys litholeg ac adeiledd. Mae litholeg yn cyfeirio at gyfansoddiad ffisegol a chemegol craig, ac mae adeiledd yn cyfeirio at arweddion fel planau haenu, bregion a phlygiadau. Mae'r proffil serth yn dangos bod wyneb y clogwyn wedi ei dandorri ar y gwaelod ac yna'n dymchwel. Gan fod y strata sialc yn goleddu i lawr tuag at y tir, mae grymoedd o fewn y sialc yn gweithredu i gadw ei broffil yn eithaf sefydlog. Pe bai'r strata yn goleddu i'r cyfeiriad arall, byddai creigiau yn fwy tebygol o lithro i lawr tuag at y môr. Mae'r bregion a'r planau haenu o fewn y sialc yn llinellau gwendid. Yn rhan flaen y llun mae cyfres o ogofâu bach, ac ar y pentir pellaf mae ogof fwy. Efallai fod yr ogofâu yn arwydd bod mannau yn y sialc sy'n llai gwydn ac felly mae'r arweddion hyn yn torri ar draws y proffil.

(b)   Gan gyfeirio at Ffigur 3.18, awgrymwch pam nad oes llawer o falurion o'r clogwyn wrth y gwaelod.

CYNGOR

Gan fod y proffil yn serth, mae'n rhesymol disgwyl bod cwymp creigiau yn digwydd yn aml er mwyn cadw'r ongl hon sydd bron yn fertigol. Os yw hynny'n wir, beth sydd wedi digwydd i'r malurion sydd wedi disgyn oddi ar wyneb y clogwyn? Mae un esboniad amlwg yn ymwneud ag egni'r tonnau. Mae'r traeth bach yn awgrymu bod egni'r tonnau yn cyrraedd gwaelod y clogwyn yn rheolaidd, gan adael i brosesau erydu fel gweithred hydrolig, sgrafelliad ac athreuliad weithredu ar y malurion sialc. Unwaith y bydd y sialc wedi ei dorri'n ddarnau bach, gall y môr ei drawsgludo i ffwrdd. Hefyd, bydd y sialc yn torri i lawr yn gemegol, a gall hydoddiant ei olchi i ffwrdd.

Mae'n werth nodi bod llystyfiant yn gorchuddio darnau sylweddol o wyneb y clogwyni yn rhan flaen y llun. Ni fyddai'r llystyfiant hwn wedi gallu gosod gwreiddiau heblaw bod y sialc yn eithaf sefydlog. Efallai fod adrannau o'r clogwyni hyn ddim yn weithredol iawn ac felly nid yw cwymp creigiau yn digwydd yn aml.

(c)   Archwiliwch y rôl gall prosesau isawyrol ei chwarae wrth ffurfio clogwyni morol.

CYNGOR

Mae dwy gyfres o brosesau yn treulio pob clogwyn morol: prosesau morol (tonnau) a phrosesau isawyrol. Mae prosesau isawyrol yn cynnwys unrhyw rai o'r prosesau hindreuliad, fel carboneiddio a hydrolysis, yn ogystal ag erydiad gan ddŵr sy'n llifo dros arwyneb y clogwyn. Mae'r term hefyd yn cynnwys màs-symudiadau. Pan fydd prosesau morol yn weithredol iawn, er enghraifft mewn lleoliadau egni tonnau uchel, mae erydiad clogwyni yn gallu bod yn broses weithredol. Gall clogwyn encilio yn eithaf cyflym o safbwynt geomorffolegol, a chanlyniad hynny yw bod proffil y clogwyn yn aros ar ongl serth ar y cyfan.

Mewn lleoliadau lle mae prosesau isawyrol naill ai yr un mor effeithiol neu'n fwy effeithiol na phrosesau morol, mae proffil y clogwyni yn tueddu i fod yn fwy crwn. Bydd hindreuliad ac erydiad gan ddŵr sy'n llifo yn treulio rhan uchaf y clogwyn, a bydd rhan isaf y proffil yn gwrthsefyll ymosodiad y môr.

Ar ddaeareg sy'n arbennig o agored i ymosodiad isawyrol a màs-symudiad, mae proffil ongl is yn gallu ffurfio pan fydd llethr yn dymchwel o ganlyniad i gylchlithriadau, llithriadau a llifoedd. Ond, yn achos cylchlithriadau, mae rhai adrannau o'r clogwyn yn gallu aros yn eithaf serth nes bydd mwy o dreuliant yn digwydd. Ac ar waelod y clogwyn, mae gweithred y tonnau fel arfer yn tynnu unrhyw falurion yn gyflym, gan greu rhan is sy'n serth.

③ Arfordiroedd egni isel – uwcholwg a phroffil traethau

▶ *Pa ffactorau sy'n rhyngweithio i ffurfio traethau?*

Mae'r tirffurfiau sy'n cael eu creu yn dilyn dyddodi gwaddod yn gallu bod yr un mor ysblennydd â'r rheini sydd i'w cael ar hyd arfordiroedd creigiog. Ac yn union fel y clogwyni, mae'r prosesau sy'n ffurfio'r tirffurfiau egni isel hyn, a'u siapiau, yn gymhleth. Y categori mwyaf cyffredin o dirffurf sydd wedi'i greu gan ddyddodion yw'r traeth.

Storfeydd o waddodion rhydd o fewn y system arfordirol yw traethau. Bydd amrywiaeth o ddefnydd anghyfunol – tywod a graean bras gan amlaf – yn casglu rhwng yr ardal lle mae tonnau'n dechrau achosi ffrithiant gyda gwely'r môr a'r parth sydd rhwng y tir a lefel y llanw uchel. Mae traethau'n dirffurfiau dynamig iawn sy'n newid o ran siâp drwy'r amser, fwy neu lai. Bydd gwaddod yn ymateb yn gyflym i newidiadau yn y mewnbynnau egni o ran gwyntoedd, tonnau, ceryntau a llanwau. Mae llawer o draethau'n bodoli mewn cyflwr o ecwilibriwm dynamig. Hefyd, o bryd i'w gilydd, bydd newidiadau dramatig yn digwydd, yn enwedig yn sgil cynnydd sydyn yn egni'r tonnau, er enghraifft yn ystod storm egni uchel – cyflwr o ecwilibriwm metasefydlog (tudalennau 20–1).

Yn y lledredau canol, traethau cerigos yw'r traethau mwyaf cyffredin; yn y lledredau isel, traethau tywod sydd i'w gweld amlaf.

Uwcholwg traeth: tirffurfiau mawr

Mae traethau yn tueddu i ddilyn trywydd cyffredinol yr arfordir. Fodd bynnag, mae rhai yn ymestyn allan o'r morlin. Y prif ddylanwad ar uwcholwg traeth, sef yr olygfa o'r awyr, yw egni tonnau ac yn benodol y berthynas â phrif gyfeiriad y tonnau. Mae dau fath gwahanol o uwcholwg traeth yn bodoli:

- **torddwr-aliniedig** – traeth sy'n rhedeg yn baralel i'r traethlin
- **drifft-aniliedig** – traeth sy'n rhedeg ar ongl arosgo i'r traethlin.

Mae traeth torddwr-aliniedig yn system waddod eithaf caeedig fel arfer gan mai dim ond ychydig o ddefnydd sy'n symud i mewn ac allan o'r traeth. Mae plygiant tonnau'n achosi i frig y tonnau blygu i siâp y traethlin ac mae llwybrau'r torddwr a'r tynddwr yn gwneud yr un peth. Does dim llawer o waddod yn cael ei drawsgludo ar hyd y glannau, a dyddodiad yw'r elfen bwysicaf.

Mae rhai arweddion torddwr-aliniedig yn rhai mawr – er enghraifft Bae Rhosili, Penrhyn Gŵyr, sydd tua 5 km o hyd. Mae Grève de Lecq (Ffigur 3.19) tua 400 metr o hyd. Ar y llaw arall, mewn rhai cildraethau, mae traethau bach i'w cael sydd ond ychydig fetrau o hyd yn swatio yng ngwaelod y clogwyn.

Mae traeth drifft-aniliedig yn system fwy agored. Bydd gwaddod yn mynd i mewn ar un pen, yn teithio ar hyd y traeth oherwydd drifft y glannau, ac yna'n gadael y traeth ar y pen arall. Wrth i don agosáu, mae'n cyrraedd y lan ar ongl benodol sy'n dod â digon o egni i sicrhau bod y gwaddod yn parhau i symud.

Mae un math o uwcholwg traeth yn bodoli sy'n ffurfio yn sgil prosesau torddwr a drifft. Pan fydd pentiroedd yn tarfu ar ddrifft y glannau yn rhannol, mae traeth **ffurf bachyn pysgota** yn datblygu.

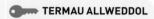

▲ **Ffigur 3.19** Traeth torddwr-aliniedig sy'n siâp cilgant, Grève de Lecq, Jersey

Mae plygiant o amgylch y pentir yn cynhyrchu brigau tonnau sy'n agosáu at y lan ar ychydig o ongl. Ymhellach ar hyd y bae mae ongl y tonnau sy'n agosáu yn fwy, ac mae hyn yn gadael i waddod gael ei drawsgludo ar hyd y glannau.

Tafodau

Fel arfer, pan fydd traeth yn cronni allan o'r lan i gyfeiriad drifft y glannau, mae **tafod** yn ffurfio. Yr enw ar y man lle mae'r tafod yn ymuno â'r tir yw'r pen procsimal, ac enw'r pen sy'n ymestyn allan o'r arfordir yw'r pen pellaf. Mae tafodau yn gyffredin iawn mewn lleoliadau lle:

- mae cyflenwad rheolaidd o waddod, yn enwedig tywod a graean bras
- mae drifft y glannau'n weithredol
- mae'r arfordir yn newid cyfeiriad yn sydyn, er enghraifft ger moryd neu fae
- mae'r amrediad llanw yn gyfyngedig, sef < 3 metr fel arfer.

Pan fydd yr amrediad llanw yn eithaf bach ac mae digon o egni tonnau, mae gwaddod yn cael ei drawsgludo'n rhwydd. Os yw cyflenwad y gwaddod yn dod i ben neu'n gostwng yn sylweddol, mae'r tafod yn debygol o golli gwaddod a diflannu yn y pen draw.

Pan fydd cerrynt y glannau yn mynd i mewn i ddŵr dyfnach ger pen pellaf y tafod, mae egni'r tonnau'n cael ei wasgaru ar draws cyfaint mwy o ddŵr. Mae'r cyfraddau trawsgludo yn lleihau ac mae dyddodiad yn cynyddu. Mae tonnau'n plygu o amgylch pen y tafod, gan gludo gwaddod gyda nhw. Gan fod yr amodau egni y tu ôl i ben pellaf y tafod yn eithaf isel, mae gwaddod yn cronni ar ffurf **pen atro** (Ffigur 3.21). Yr enw ar dafod sydd â sawl pen atro ar ei hyd yw tafod cyfansawdd. Pan fydd pen atro yn amlwg, mae'n debygol y bydd tonnau sy'n dod o gyfeiriad gwahanol i'r patrwm arferol yn y drifft yn dod â digon o egni i symud gwaddod i'r cyfeiriad gwahanol hwnnw. Gall natur y pen atro hefyd ddangos y camau gwahanol yn natblygiad y tafod. Yn aml, mae'n bosibl gweld arwyddion o gyfnodau pan oedd y morlin, gan

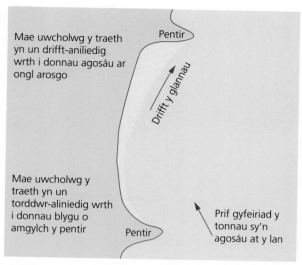

Mae uwcholwg y traeth yn un drifft-aniliedig wrth i donnau agosáu ar ongl arosgo

Drifft y glannau

Pentir

Mae uwcholwg y traeth yn un torddwr-aliniedig wrth i donnau blygu o amgylch y pentir

Pentir

Prif gyfeiriad y tonnau sy'n agosáu at y lan

▲ **Ffigur 3.20** Traeth ffurf bachyn pysgota – ffurf a phrosesau

🔑 TERMAU ALLWEDDOL

Tafod Traeth hir a chul sydd wedi'i gysylltu â'r tir mawr ar un pen yn unig.

Pen atro (neu ochr atro: *recurve*) Cefnen tebyg i fachyn sy'n datblygu ger pen pellaf tafod. Graean bras yw'r prif ddefnydd fel arfer.

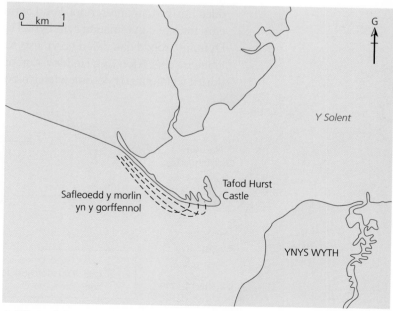

0 km 1

G

Y Solent

Tafod Hurst Castle

Safleoedd y morlin yn y gorffennol

YNYS WYTH

▲ **Ffigur 3.21** Enghreifftiau o ben atro ar dafod Hurst Castle, Hampshire

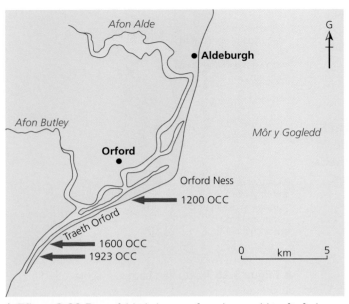

Afon Alde

● **Aldeburgh**

Afon Butley

● **Orford**

Orford Ness

← 1200 OCC

← 1600 OCC
← 1923 OCC

Traeth Orford

Môr y Gogledd

G

0   km   5

▲ **Ffigur 3.22** Dargyfeiriad aber yr afon oherwydd twf tafod

gynnwys y tafod, wedi'i leoli ymhellach allan i'r môr na'i safle diweddarach.

Mae'r rhan fwyaf o dafodau wedi ffurfio ers i lefel y môr sefydlogi tua 4000 o flynyddoedd yn ôl pan gododd lefel y môr yn dilyn diwedd yr oes iâ. Mae tafodau yn dirffurfiau sy'n addasu'n gyflym i unrhyw newidiadau o ran mewnbynnau egni a gwaddod. Dros gyfnod o ychydig ganrifoedd, mae tafod yn gallu ymestyn ar draws aber afon, gan ddargyfeirio'r man lle mae'r afon yn cyrraedd y môr. Gall y newid cyfeiriad hwn fod yn sawl cilometr o hyd. Er enghraifft, yn Suffolk, mae'r man lle mae Afon Alde yn cyrraedd Môr y Gogledd wedi'i ddargyfeirio i'r de tua 12 km oherwydd twf tafod Orford Ness (Ffigur 3.22).

Efallai byddai gweld dau dafod yn wynebu ei gilydd ar y naill ochr a'r llall i ddanheddiad yn y morlin yn ymddangos yn ddryslyd. Yn harbwr Christchurch yn Dorset, ar un adeg roedd tafod fwy neu lai yn ymestyn o Bentir Hengistbury yn y de yr holl ffordd i Gastell Highcliffe yn y gogledd-ddwyrain (Ffigur 3.23). Yn ystod dwy storm nerthol o'r dwyrain yn 1886 ac 1935, cafodd bwlch ei greu yn y tafod. Does dim tystiolaeth bod drifft o'r gogledd yn bodoli, felly mae'n ymddangos bod y ddau dafod wedi bod yn un tafod ar un adeg, wedi'i ffurfio gan symudiad gwaddod o'r de ar hyd y glannau. Dyma enghraifft o sut mae digwyddiadau'r gorffennol yn helpu i ddeall tirffurfiau'r presennol. Fodd bynnag, mewn rhai lleoliadau, mae digon o egni tonnau o gyfeiriadau cyferbyniol i gynhyrchu dau dafod. Yn Exmouth, Dyfnaint, roedd dau dafod yn ymestyn ar un adeg o'r gorllewin ac o'r dwyrain i mewn i aber Afon Exe. Heddiw, dim ond y tafod oedd wedi'i ffurfio gan ddrifft y glannau o'r de-orllewin sy'n bodoli, sef tafod Dawlish Warren (tudalennau 197–9). Erbyn hyn, mae'r tafod ar y lan gyferbyn yn rhan o'r ardal adeiledig yn Exmouth yn dilyn gwaith mawr i adennill y tir ac adeiladu wal fôr sylweddol. Mae'r darn hwn o'r arfordir yn dal i dderbyn digon o egni gwynt achlysurol o'r dwyrain a'r de-ddwyrain i symud rhywfaint o waddod traeth y dref o'r dwyrain i'r gorllewin. Mae hyn yn dangos sut cafodd y tafod 'coll' ei ffurfio yn y lle cyntaf.

Afon Stour

Afon Avon

Castell Highcliffe

Harbwr Christchurch

G

Pentir Hengistbury

Argor concrit, wedi'i adeiladu yn 1938

0   km   1

☐ Tywod wedi cronni sy'n cael ei ddadorchuddio adeg llanw isel

▲ **Ffigur 3.23** Dau dafod yn harbwr Christchurch, Dorset

DADANSODDI A DEHONGLI

Astudiwch Ffigur 3.24.

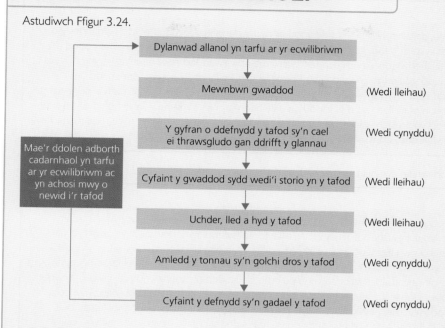

▲ **Ffigur 3.24** Adborth cadarnhaol ar waith mewn system tafod

(a) Gan ddefnyddio Ffigur 3.24, esboniwch sut byddai dau ddylanwad allanol yn gallu tarfu ar gyflenwad gwaddod y tafod.

CYNGOR

Gall prosesau naturiol darfu ar gyflenwad gwaddod y tafod, ond mae'n fwy tebygol mai ffactorau dynol fydd yn tarfu arno. Pe bai clogwyn yn cyflenwi gwaddod wrth iddo gael ei hindreulio a'i erydu gan brosesau isawyrol a morol, yn y pen draw, gallai'r clogwyn encilio y tu hwnt i'r man lle gall y tonnau ei gyrraedd. Yna byddai cyflenwad gwaddod o'r clogwyn yn lleihau. Efallai bod y gwaddod yn dod o afon yn bennaf. Os bydd defnydd y tir yn newid yn nalgylch yr afon, gallai hynny leihau swm y gwaddod sydd yn y parth arfordirol. Byddai **coedwigo** yn diogelu'r pridd rhag erydiad a thrawsgludiad gan lif trostir. Felly, mae llai o waddod yn mynd i mewn i'r sianeli sy'n draenio dŵr o'r dalgylch ac mae llai o waddod yn cael ei gludo i lawr i'r parth arfordirol. Mae gweithgareddau dynol ger yr arfordir yn gallu lleihau cyflenwad y gwaddod. Mae'n bosibl y byddai gwaith diogelu'r clogwyn yn sefydlogi wyneb y clogwyn ac yn atal gwaddod rhag disgyn a mynd i mewn i'r môr. Byddai codi argorau ar hyd yr arfordir yn gallu atal neu leihau llifoedd gwaddod ar hyd y glannau.

(b) Awgrymwch pa newidiadau posibl allai ddigwydd i'r tafod pe bai egni'r tonnau'n cynyddu.

CYNGOR

Wrth i egni'r tonnau gynyddu, gallai trawsgludiad gwaddod ar hyd y glannau gynyddu hefyd. Byddai mwy o waddod yn mynd i mewn i'r system tafod, gan ychwanegu at gyfaint y tafod. Mae'n bosibl y gallai'r tafod ymestyn o ran hyd yn ogystal â chynyddu o ran uchder. Gallai maint y gwaddod newid hefyd – gyda mwy o egni, mae'r tonnau'n gallu cludo gwaddod mwy o faint. Fodd bynnag, gallai mwy o egni tonnau fod yn ddinistriol i'r tafod oherwydd gallai'r tynddwr fod yn gryfach na'r torddwr, yn dibynnu ar y math o donnau dan sylw. Byddai hyn yn arwain at golled net o waddodion a lleihad ym maint y tafod. Gallai hefyd olygu bod tonnau'n llifo dros ben y tafod yn amlach, gan newid proffil y tafod drwy leihau ei uchder mewn mannau. Pe bai egni'r tonnau'n ddigon sylweddol, gallai'r tonnau greu bwlch yn y tafod a'i rannu'n ddarnau.

(c) Esboniwch werth ecwilibriwm fel cysyniad er mwyn deall datblygiad tafod.

CYNGOR

Mae bodolaeth unrhyw dafod yn aml yn arwydd o gydbwysedd ansicr rhwng amrywiol fewnbynnau sef y gwynt, egni'r tonnau, egni'r llanw a gwaddod. Yn ogystal â'r ffactorau naturiol hyn, mae pobl yn ymyrryd yn amlach nag erioed drwy wneud gwaith rheoli yn y parth arfordirol. Mae ecwilibriwm yn digwydd pan fydd cydbwysedd rhwng yr egni sy'n dod i mewn i ran arbennig o'r arfordir, neu i dirffurf unigol fel tafod, a'r egni sy'n cael ei wasgaru, heb i'r arfordir newid. Mae tafodau wedi eu creu o waddodion anghyfunol, sef graean, tywod, graean bras, cerigos a choblau. Gan fod y gwaddodion hyn yn symudol, bydd unrhyw newidiadau sylweddol i'r egni sy'n dod i mewn i'r tafod yn achosi newidiadau sydyn i siâp a maint y tafod. Mae'r gwahanol fathau o ecwilibriwm (tudalen 20) yn gallu ein helpu i ddeall sut a pham mae tafodau'n gallu newid mor gyflym. Efallai mai'r rheswm mwyaf amlwg yw bod digwyddiadau egni uchel dramatig a sydyn, fel storm, yn dod â llawer iawn o egni i'r arfordir. Gall hyn arwain at leihad sylweddol yn uchder y tafod a/neu greu bwlch ynddo. Byddai hyn yn enghraifft o ecwilibriwm metasefydlog oherwydd byddai angen i'r system tafod addasu i'r sefyllfa newydd.

 **TERM ALLWEDDOL**

Coedwigo Plannu coed.

Penrhynau cysbaidd a graeandiroedd

Mae penrhynau cysbaidd yn amrywio o ran maint ond dydyn nhw ddim yn arbennig o fach. Mae penrhyn Dungeness yn ymestyn tua 30 km ar hyd arfordir Caint a thua 15 km i mewn i'r Sianel. Ar hyd arfordir Carolina, UDA, mae penrhynau cysbaidd yn gallu ymestyn 150–200 km ar hyd yr ochr sydd wedi'i chysylltu â'r tir mawr, fel Penrhyn Fear (tudalen 70).

Mae penrhynau cysbaidd yn tueddu i ymddangos mewn lleoliadau lle mae gwaddod, sy'n cael ei gludo gan ddrifft y glannau, yn cael ei ddal pan fydd ecwilibriwm rhwng y mewnbynnau gwaddod a'r egni sydd ei angen i'w symud nhw. Fodd bynnag, dydy un esboniad ddim yn berthnasol i bob tirffurf o'r fath. Yn achos ynys alltraeth, mae plygiant tonnau o amgylch yr ynys ar y naill ochr neu'r llall yn golygu bod tonnau, sy'n teithio i gyfeiriadau gwahanol, yn dod at ei gilydd yng nghysgod yr ynys. Mae gwaddod yn cael ei ddyddodi yn y lleoliad hwn. Mewn rhai mannau, mae'r broses hon yn arwain at ffurfio graeandir. Mae tref Llandudno, Gogledd Cymru, wedi ei hadeiladu ar ben graeandir sy'n cysylltu'r tir mawr â Phenygogarth, oedd yn ynys alltraeth yn y gorffennol.

ASTUDIAETH ACHOS GYFOES: DUNGENESS

Mae'n ymddangos bod Dungeness, sy'n ardal fawr o gefnenau graean bras yng Nghaint, wedi bodoli'n wreiddiol fel tafod oedd yn ymestyn tua'r dwyrain oherwydd drifft y glannau. Roedd afonydd yn cludo gwaddod o'r mewndir, gan ychwanegu at y gwaddod oedd yn y parth arfordirol yn barod (byddai'r rhan fwyaf o'r gwaddod hwn wedi dod yn dilyn y cynnydd ôl-rewlifol yn lefel y môr). Gallai egni tonnau o'r dwyrain hefyd fod wedi cyfrannu at y ffaith bod gwaddod yn cronni yn y lleoliad hwn. Yn y drydedd ganrif ar ddeg, cafodd bwlch ei greu yn y tafod ar y pen procsimol. O hynny ymlaen, roedd gwaddod oedd wedi erydu yn ne-orllewin yr arfordir yn cael ei ddyddodi ymhellach i'r dwyrain, gan olygu bod cyfres o gefnenau graean bras yn ffurfio allan o'r lan. Gallai'r pen pellaf ymestyn allan o'r lan gan fod y cyrch byr i'r de-ddwyrain yn golygu mai dim ond hyn a hyn o egni tonnau oedd yn dod i mewn i'r ardal. Roedd gweithgareddau dynol yn ffactor arall gan fod draenio'r morfeydd, newidiadau o ran defnydd y tir a phrojectau diogelu'r arfordir wedi newid y prosesau naturiol.

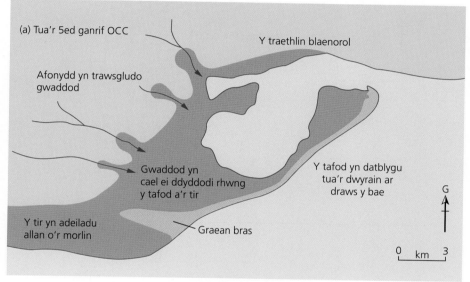

(a) Tua'r 5ed ganrif OCC

Y traethlin blaenorol

Afonydd yn trawsgludo gwaddod

Gwaddod yn cael ei ddyddodi rhwng y tafod a'r tir

Y tafod yn datblygu tua'r dwyrain ar draws y bae

Y tir yn adeiladu allan o'r morlin

Graean bras

0 km 3

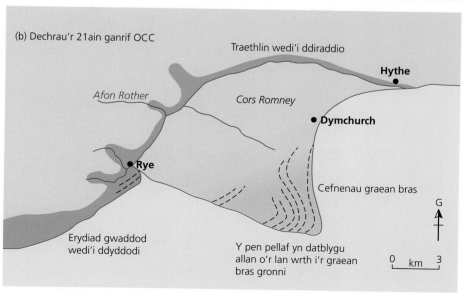

(b) Dechrau'r 21ain ganrif OCC

Traethlin wedi'i ddiraddio

Hythe

Afon Rother

Cors Romney

Dymchurch

Rye

Cefnenau graean bras

Erydiad gwaddod wedi'i ddyddodi

Y pen pellaf yn datblygu allan o'r lan wrth i'r graean bras gronni

0 km 3

◀ **Ffigur 3.25**
Sut cafodd Dungeness ei ffurfio

Barrau Dyddodion hir o dywod neu raean bras, sy'n aml yn ymestyn yn baralel i'r morlin; mae dŵr yn llifo drostyn nhw adeg llanw uchel. Mae lagŵn yn gorwedd rhwng y bar a'r tir mawr.

Barynysoedd Cyfres o ffurfiadau hir lle mae defnydd – tywod a/neu gwrel fel arfer – yn cronni. Maen nhw'n ymestyn yn baralel i'r morlin ac yn y golwg hyd yn oed adeg llanw uchel. Mae morfa a/neu lagŵn yn gorwedd rhwng y barynys a'r tir.

Barrau a barynysoedd

Mae **bar** yn derm cyffredinol am amrywiaeth o ffurfiadau lle mae gwaddod yn cronni yn y parth arfordirol. Maen nhw'n amrywio o ran maint – o arweddion eithaf bach sydd ychydig fetrau o led a chwpl o gannoedd o fetrau o hyd, i dirffurfiau dros 1 km o led, cannoedd o gilometrau o hyd, a hyd at 100 metr o uchder. Yr enw ar y tirffurfiau mwy yw **barynysoedd**. Mae tua 10–15% o forlinau'r byd wedi eu creu o farynysoedd, ac maen nhw'n arbennig o gyffredin yn y lledredau isel a'r lledredau canol. Mae rhai enghreifftiau o systemau barynysoedd diddorol i'w gweld ar arfordir dwyreiniol UDA (Ffigur 3.26).

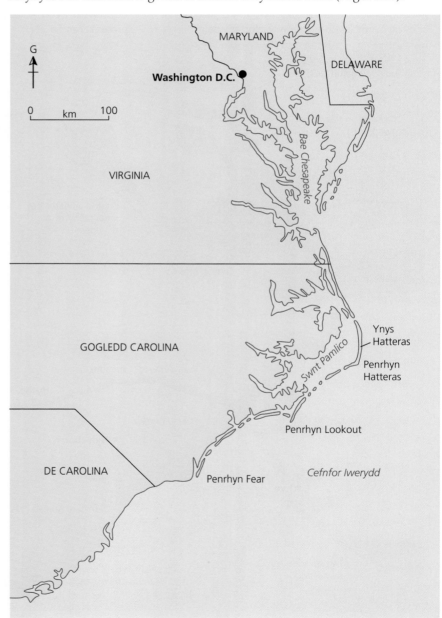

▶ **Ffigur 3.26**
Barynysoedd, arfordir dwyreiniol UDA

Dyma rai o nodweddion cyffredin barynysoedd:

- graddiant alltraeth ar lethr graddol
- amrediad llanw cyfyngedig < 3 m
- egni tonnau eithaf uchel.

Mae cyfres o gefnenau twyni i'w gweld ar y rhan fwyaf o farynysoedd, ar yr ochr sy'n wynebu'r môr. Mae symiau mawr o waddodion yn cael eu trawsgludo'n ddyddiol ar hyd ac o amgylch bardraethau. Os yw wedi'i greu o waddod mwy bras fel graean bras, mae dŵr yn gallu hidlo drwy'r barynys i mewn i'r lagŵn y tu ôl iddo. Mae ceryntau llanwol a llifoedd dŵr o afonydd a lagynau yn cyfuno i gynhyrchu patrymau dynamig o erydiad a dyddodiad ar hyd y bar.

Sut mae barrau a bardraethau yn ffurfio

Mae arbenigwyr yn parhau i ddadlau ynglŷn â sut cafodd barrau a bardraethau eu ffurfio; mae'n debyg bod damcaniaethau gwahanol yn berthnasol i leoliadau a chyfnodau gwahanol.

Newid yn lefel y môr

Pan gafodd samplau craidd eu casglu o farynysoedd ar hyd arfordir dwyreiniol UDA, roedd dyddodion o silt a chlai yn bresennol o dan dywod a graean bras y bar. Mae presenoldeb y gwaddodion bach hyn yn awgrymu bod y barynysoedd wedi cael eu ffurfio o dan amodau egni isel – er enghraifft, morydau neu lagynau wedi'u dal y tu ôl i'r bar. Mae'n ymddangos bod barrau wedi rholio tuag at y tir wrth i lefel y môr godi ar ddiwedd yr oes iâ ddiwethaf (Ffigur 3.27).

Un ddamcaniaeth arall yw bod barrau alltraeth wedi datblygu pan oedd lefel y môr ychydig yn uwch nag ydyw heddiw. Pan ostyngodd lefel y môr, cafodd defnyddiau oedd wedi cronni eu dadorchuddio, gan droi'n farynysoedd (Ffigur 3.28).

Bwlch mewn tafod

Yn ôl arbenigwyr, byddai rhai barrau wedi ffurfio wrth i donnau egni uchel greu bwlch mewn tafod, gan erydu sianel barhaol i ffurfio ynys (Ffigur 3.29).

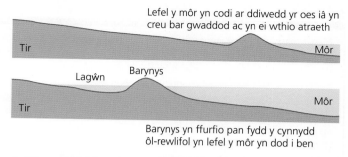

▲ **Ffigur 3.27** Sut mae barynysoedd yn ffurfio – lefel y môr yn codi

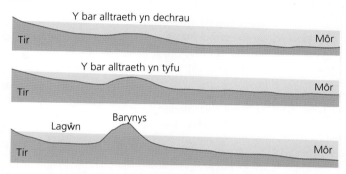

▲ **Ffigur 3.28** Sut mae barynysoedd yn ffurfio – lefel y môr yn gostwng

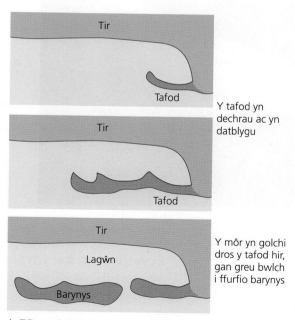

▲ **Ffigur 3.29** Sut mae barynysoedd yn ffurfio – bwlch mewn tafod

LLEOLIAD ENGHREIFFTIOL: SUT CAFODD TRAETH CHESIL EI FFURFIO – CYFUNIAD O FFACTORAU

Mewn mannau lle mae graean bras wedi cronni o amgylch arfordiroedd y lledredau canol, fel Ynysoedd Prydain, mae'n debyg bod hyn yn deillio o brosesau'r gorffennol yn hytrach na'r prosesau sy'n gweithredu heddiw. Pan oedd lefel y môr tua 120 o fetrau'n is nag ydyw heddiw, roedd ardaloedd mawr o flaendraeth yn y golwg a oedd yn agored i hindreulio dwys e.e. rhewfriwio. Wrth i'r iâ ar y tir ddechrau toddi, dechreuodd lefel y môr godi a chafodd y malurion hyn eu codi gan egni'r tonnau. Cafodd y gwaddod ei lyfnhau gan athreuliad, ac yn y pen draw daeth y bar o gerigos oedd yn tyfu i stop yn erbyn llinell y clogwyni.

Un enghraifft fawr o hyn yw Traeth Chesil, Dorset. Yn Bridport, ar ben gorllewinol y traeth, y prif ddefnydd yw graean bras maint pys ac uchder y gefnen yw tua 4 m. 30 cilometr i ffwrdd, ar y pen dwyreiniol yn Portland, uchder y gefnen yw 15 m a'r prif ddefnyddiau yw cerigos a choblau 5–7.5 cm. Fflint yw ffynhonnell y rhan fwyaf o'r gwaddodion a hynny o sialc, cornfeini (craig silica o Greensand) a chalchfaen o Portland.

▲ **Ffigur 3.30** Traeth Chesil

Yn wreiddiol, roedd arbenigwyr yn meddwl mai tafod oedd Traeth Chesil a oedd wedi tyfu ar hyd yr arfordir, gan ffurfio graeandir oedd yn uno Ynys Portland â'r tir mawr. Fodd bynnag, erbyn hyn mae gwaith ymchwil yn dangos bod ei wreiddiau'n fwy cymhleth.

■ Mae'n ymddangos bod llawer o'r gwaddod wedi rholio atraeth wrth i lefel y môr godi ar ddiwedd yr oes iâ ddiwethaf.

■ Mae agwedd y traeth heddiw yn union i'r de-orllewin o'r man lle mae'r tonnau egni uchel yn cyrraedd. Mae wyneb y traeth bron yn berpendicwlar i'r cyfeiriad hwn, gan awgrymu bod dylanwad torddwr yn ffactor.

■ Gan fod y tonnau egni uchel o'r de-orllewin yn gallu symud gwaddodion o bob maint, mae trawsgludiad ar hyd y glannau yn chwarae rhan bwysig hefyd. Dim ond y gwaddod llai sy'n gallu cael ei symud o'r dwyrain i'r gorllewin gan y tonnau egni is sy'n dod o'r de-ddwyrain. Mae gwaith ymchwil diweddar yn dangos bod y gwaddod mwy yn teithio'n gyflymach na'r gronynnau llai pan fydd egni'r tonnau'n ddigon uchel. Y rheswm dros hyn yw bod arwynebedd arwyneb cerigos yn fwy sy'n golygu bod mwy o le i'r tonnau weithredu arnyn nhw.

■ Mae gwaddod yn dal i gael ei ychwanegu at y system yn sgil erydiad clogwyni i'r gorllewin, er enghraifft ger Bae West (tudalen 57).

■ Mae'r gwaddod yn cael ei ecsbloetio'n fasnachol, ac mae angen trwydded i dynnu defnydd o'r traeth; bydd hyn yn effeithio ar ganlyniadau ymchwiliadau i faint y cerigos.

Mae Traeth Chesil yn ein hatgoffa bod tirffurfiau arfordirol yn aml yn ffurfio o ganlyniad i gyfuniad o ffactorau sy'n rhyngweithio â'i gilydd, a bod prosesau'r gorffennol yn gallu bod yn bwysig iawn.

Ecwilibriwm barynysoedd

Mae sefydlogrwydd neu ddiffyg sefydlogrwydd tirffurfiau fel barynysoedd yn achosi pryder difrifol o amgylch y byd. Y gofid yw bod y tirffurfiau hyn yn dioddef oherwydd y cynnydd yn y pwysau mae gweithgareddau dynol yn ei roi ar ardaloedd arfordirol, a'r newidiadau sy'n gysylltiedig â chynhesu byd-eang fel lefel y môr yn codi.

Dyma rai o'r bygythiadau:

- gwaddod wedi'i erydu ar yr ochr sy'n wynebu'r môr yn cael ei drawsgludo alltraeth
- tonnau'n llifo dros yr ynys, gan gludo gwaddod o'r ochr sy'n wynebu'r môr; defnydd yn cael ei ddyddodi yn y lagŵn gan achosi i'r bar symud tuag at y tir
- tonnau'n llifo dros farynysoedd arbennig o isel yn gyfan gwbl, gan wasgaru'r gwaddod
- y morlin y tu ôl i'r ynys yn colli amddiffyniad rhag y tonnau egni uchel
- colli'r barynysoedd fel mannau lle mae gweithgareddau dynol yn digwydd – er enghraifft tai, trafnidiaeth a chyflogaeth – fel y gwelwyd ar hyd Ynysoedd Chandeleur, Louisiana, UDA.

Barrau alltraeth

Yn y parth rhynglanwol, mae barrau'n gallu datblygu ger y lan. Mae siâp a threfniant y barrau hyn yn amrywio:

- llinol a pharalel i'r lan
- siâp cilgant a pharalel i'r lan
- toredig
- llinol ac ar ongl i'r lan.

Dydy arbenigwyr ddim yn gallu cytuno'n union sut maen nhw'n cael eu ffurfio ond mae pob damcaniaeth yn pwysleisio pwysigrwydd egni tonnau. Mae **barrau torbwynt** yn ffurfio wrth i ddefnydd symud atraeth pan fydd tonnau'n rhyngweithio â gwely'r môr ar ddyfnderoedd llai na gwaelod y don. Yn ogystal, mae defnydd yn symud alltraeth, wedi ei gludo gan y torddwr. Bydd bar yn ffurfio yn y man lle mae llifoedd y gwaddodion yn cydgyfeirio. Mae barrau ger y lan yn gallu symud atraeth neu alltraeth. Yn gyffredinol, bydd symudiad atraeth yn digwydd pan fydd egni'r tonnau'n isel i gymedrig. Ar y cyfan, mae symudiad alltraeth yn gysylltiedig â thonnau egni uchel pan fydd llifoedd tynddwr yn gallu cario gwaddod ar hyd gwely'r môr. Fel arfer, mae'r symudiad hwn yn digwydd ar gyfradd o 1–10 metr y dydd, er bod cyfraddau mor uchel â 30 metr y dydd wedi cael eu cofnodi. Mae tystiolaeth hefyd fod symudiad yn digwydd mewn cylchred, sy'n awgrymu bod ecwilibriwm dynamig wedi bodoli am gyfnod o nifer o flynyddoedd.

Uwcholwg traeth: tirffurfiau bach

Yn uwcholwg cyffredinol y traeth, mae'n bosibl y bydd nifer o arweddion bach i'w gweld. Fel arfer, gan eu bod nhw'n fach, dydyn nhw ddim yn para'n hir. Er bod bar neu draeth mawr yn gallu para am ddegawdau neu ganrifoedd, fydd arweddion bach fel cysbau neu farciau crychdonnau (*ripples*) ddim yn para'n hirach nag ychydig ddiwrnodau cyn i fewnbynnau gwaddod a/neu egni newid siâp yr arweddion hyn.

Cysbau traeth

Mae maint **cysbau** yn amrywio o 1 i 60 metr o un pen y cilgant i'r llall. Yn gyffredinol, y mwyaf yw'r mewnbwn o ran egni tonnau, y mwyaf yw maint y cwsb. Gwaddodion bras sydd yng nghyrn y cwsb, a gwaddodion llai sydd yn nhroad y cilgant.

> ### 🔑 TERMAU ALLWEDDOL
>
> **Barrau torbwynt** Gwaddod yn cronni yn y man lle mae'r tonnau'n torri gyntaf.
>
> **Cysbau** Arweddion siâp cilgant sy'n ymddangos yn rheolaidd ar hyd traeth.

▲ **Ffigur 3.31** Cysbau, Pentir Hengistbury, Dorset

Does neb yn hollol siŵr sut mae cysbau'n ffurfio. Fodd bynnag, unwaith maen nhw wedi datblygu, maen nhw'n atgyfnerthu'r prosesau sy'n eu ffurfio nhw.

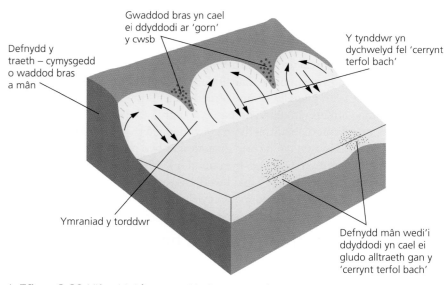

▲ **Ffigur 3.32** Llifoedd dŵr a gwaddod mewn cysbau

Mae'r model mwyaf tebygol, sydd wedi'i seilio ar dystiolaeth gwaith maes, yn cyfuno adborth cadarnhaol ac adborth negyddol (Ffigur 3.32). Yn ôl y model hunan-drefniant hwn, wrth lifo dros arwyneb traethau eithaf syth, mae dŵr yn cael ei ddenu i mewn i bantiau bach ac yn cyflymu. Mae gwaddod yn cael ei erydu, gan wneud y pantiau bach yn ddyfnach sy'n denu mwy o ddŵr ac yn cyflymu llif y dŵr wrth i adborth cadarnhaol ddigwydd. Mae cefnenau bach ar y traeth yn gwrthyrru'r dŵr ac yn achosi i'r llif arafu. Yn y lleoliadau hyn, mae egni is yn achosi dyddodiad, ac mae hyn yn cynyddu maint y gefnen. Wrth i'r pantiau fynd yn fwy, mae adborth negyddol yn dechrau gweithredu gan fod y torddwr wedi rhedeg allan o egni cyn cyrraedd cefn y cwsb, felly does dim gwaddod yn cael ei dynnu oddi yno. Yn yr un modd, unwaith mae cyrn y cwsb wedi cyrraedd maint penodol, mae dŵr yn llifo i ffwrdd yn eithaf cyflym felly does dim gwaddod yn cael ei ddyddodi.

Marciau crychdonnau ar y traeth

Yr arweddion lleiaf yn uwcholwg y traeth yw marciau crychdonnau. Maen nhw'n ffurfio mewn tywod ac maen nhw'n gallu cyrraedd uchder o 10 centimetr, gyda hyd at 50 centimetr rhwng eu brigau. Bydd marciau crychdonnau cymesur yn ffurfio lle mae llifoedd dŵr yn symud ar gyflymder tebyg i'w gilydd. Os yw'r llif sy'n mynd i un cyfeiriad yn gryfach na'r llif arall, mae marciau crychdonnau anghymesur yn ymddangos. Mae'r cerrynt cryf yn tueddu i annog y marciau crychdonnau i symud.

Proffil traeth

Yn debyg i unrhyw system llethrau, mae proffil traeth yn adlewyrchu'r ffordd y mae nifer o newidynnau'n rhyngweithio â'i gilydd. Dyma'r ffactorau allweddol:

- egni tonnau
- maint a siâp y defnyddiau ar y traeth
- amrediad llanw.

Rôl egni tonnau

Mae arbrofion labordy a gwaith maes yn awgrymu bod perthynas bwysig rhwng egni tonnau, yn enwedig serthrwydd y don (tudalen 5), ac ongl proffil y traeth. Wrth i donnau fynd yn llai serth, mae ongl llethr y traeth yn cynyddu. Mae arbenigwyr wedi sylwi bod proffil yr un traeth yn newid ar gylchred flynyddol gan fod serthrwydd y don yn amrywio.

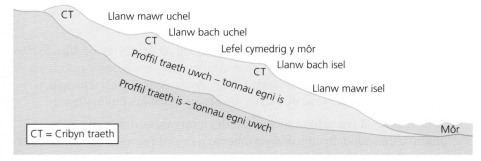

▲ **Ffigur 3.33** Newidiadau tymhorol ym mhroffil traeth

Mae tonnau mwy egnïol y gaeaf yn erydu ac yn trawsgludo gwaddod alltraeth, gan ffurfio bar alltraeth o bosibl. Yn ystod yr haf, mae tonnau egni is yn symud defnydd atraeth, gan wneud proffil y traeth yn fwy serth. Mae'n iawn symleiddio fel hyn i ryw raddau, ond mae tonnau egni uchel hefyd yn digwydd yn yr haf, a thonnau egni isel yn y gaeaf. Dydy defnyddio geiriau fel 'distrywiol' ac 'adeiladol' wrth sôn am donnau ddim yn ddefnyddiol yn y cyd-destun hwn. Yr hyn sy'n bwysig yw swm yr egni sy'n dod i'r traeth gyda'r don. Dydy proffil haf a phroffil gaeaf ddim yn dermau priodol chwaith mewn rhai rhanbarthau. Yn achos arfordiroedd sy'n profi monsynau, er enghraifft o amgylch isgyfandir India, mae'r tonnau egni uchel sy'n dod gydag unrhyw fonsŵn yn golygu bod proffil traeth yn newid adeg y tymhorau gwlyb a sych.

Mae'r berthynas rhwng proffil traeth ac egni tonnau yn gymhleth. Mae tonnau sy'n cyrraedd traeth serth yn tueddu i dorri'n uniongyrchol ar wyneb y traeth drwy ymchwyddo neu blymio. Gan fod swm sylweddol o'r egni sy'n dod i mewn yn cael ei adlewyrchu yn ôl o'r traeth, yr enw ar draethau fel hyn yw traethau adlewyrchol. Mae traethau ar ongl fach yn derbyn tonnau sy'n torri ac yn gorlifo gan fod gwaelod y don wedi cyffwrdd gwely'r môr ymhellach o'r lan. Gan fod egni'r tonnau sy'n dod i mewn yn gwasgaru wrth i'r tonnau symud dros y traeth llydan, yr enw ar draethau fel hyn yw traethau gwasgarol.

Pwysigrwydd maint a siâp gwaddod

Maint gwaddod

Mae maint defnydd mewn llethr yn ddylanwad pwysig ar siâp a serthrwydd y llethr. Mae traethau serth yn tueddu i gynnwys gwaddodion mwy; tywod mân sydd ar draethau bas fel arfer. Mae'r cysylltiad rhwng maint gwaddod a graddiant hefyd yn dibynnu y gyfradd **trylifiad**.

Yn achos gwaddod bras, mae bylchau mwy rhwng gronynnau unigol sy'n gadael i fwy o ddŵr basio drwy'r gwaddod yn gyflymach. Felly, wrth i'r torddwr symud i fyny traeth graean bras, mae llawer o ddŵr yn draenio i lawr drwy'r traeth ac mae'r ffrithiant rhwng y dŵr sy'n symud a'r gwaddod yn sylweddol. O ganlyniad, mae'r tynddwr yn llawer llai cryf. O safbwynt trawsgludo gwaddod, mae mwy o egni ar gael i symud gronynnau i fyny'r traeth; gan fod llif y dŵr sy'n dod yn ôl yn gyfyngedig, ychydig iawn o egni sydd ar gael i gludo gwaddod tua'r môr. Yr effaith gyffredinol yw bod defnydd yn cronni ar y traeth, gan wneud y proffil yn fwy serth.

Mae llai o le rhwng y gronynnau mewn gwaddodion llai, fel tywod. Gan fod llai o ddŵr yn draenio drwy'r traeth yn ystod llif y torddwr, mae mwy o ddŵr yn dychwelyd i lawr y traeth fel tynddwr. Mae mwy o egni ar gael i drawsgludo gwaddod yn y tynddwr ac mae hyn yn gostwng graddiant proffil y traeth.

Mae rôl y **lefel trwythiad** mewn traeth yn bwysig ac mae'n gysylltiedig â maint y gwaddod. Bydd y dŵr yn draenio'n rhwydd drwy waddod bras, gan achosi i'r lefel trwythiad fod yn llawer is na'r arwyneb. Mae hyn yn gadael parth annirlawn y gall unrhyw ddŵr ychwanegol ddraenio i mewn iddo. Bydd llai o ddŵr yn llifo fel tynddwr ar y traethau hyn. Mae tywod, ar y llaw arall, yn tueddu i fod yn ddirlawn fwy neu lai i'r arwyneb. Ychydig iawn o ddŵr ychwanegol sy'n gallu draenio drwyddo, ac felly mae mwy o ddŵr yn llifo dros yr arwyneb, yn debyg i'r amodau sy'n achosi llif trostir mewn dalgylch afon. Os oes mwy o ddŵr yn llifo dros arwyneb traeth, mae mwy o waddod yn cael ei drawsgludo. Yn benodol, os yw'r tynddwr yn gryfach na'r torddwr, fel arfer bydd mwy o ddefnydd yn cael ei gludo alltraeth gan ostwng graddiant y traeth.

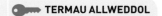

TERMAU ALLWEDDOL

Trylifiad Pa mor gyflym mae dŵr yn draenio drwy ddefnydd.

Lefel trwythiad Lefel uchaf dirlawnder o dan yr arwyneb.

Ffactor arall sy'n dylanwadu ar serthrwydd yw maint gronyn: y mwyaf yw maint gronyn, y mwyaf serth yw'r ongl orffwys. Felly, mae cerigos yn gallu ffurfio llethr mwy serth na thywod; mae tywod bras yn gallu ffurfio llethr mwy serth na thywod mân. Fel arfer, mae graddiant traethau graean bras yn fwy na 10° tra bod graddiant y mwyafrif o draethau tywod yn llai na 5°.

Mae'r ffactorau hyn i gyd i'w gweld yn gweithredu ar draethau sy'n storio gwaddod mwy (graean bras, cerigos) a thywod. Yn aml iawn, mae toriad amlwg yn y llethr rhwng y darn mwy serth sy'n cynnwys graean bras/cerigos a'r darn mwy graddol sy'n cynnwys tywod (Ffigur 3.34).

Siâp gwaddod

Gall siâp gwaddod ddylanwadu ar ei symudiad. Gan ddefnyddio'r tair echelin (Ffigur 2.10), mae'n bosibl dosbarthu gronynnau mwy fel cerigos i un o bedwar categori siâp:

- disg – gwastad
- sffêr – crwn
- rhoden – hir a chrwn
- llafn – hir a gwastad.

Mae maint arwynebedd arwyneb gronyn a gallu'r gronyn hwnnw i rolio yn ffactorau pwysig sy'n dylanwadu ar drawsgludiad gwaddod ac felly ar ddosbarthiad siapiau'r gronynnau ar draws proffil y traeth.

▲ **Ffigur 3.34** Onglau llethrau gwahanol ar yr un traeth: traeth tywod a cherigos, Sidmouth, Dyfnaint

Pwysigrwydd amrediad llanw

Mae lefel y dŵr ar draeth yn newid bob dydd o'r marc penllanw i'r marc distyll, ond mae'r llanw hefyd yn dilyn cylchred 14 diwrnod rhwng y llanw uchel (mawr) ac isel (bach). Mae'r gwahaniaeth rhwng y llanw uchel a'r llanw isel yn ddylanwad pwysig ar broffiliau traethau gan ei fod yn penderfynu beth yw lled y traethau. Yn achos arfordiroedd sy'n derbyn cyfuniad o egni tonnau uchel ac amrediad macro-lanwol, mae'r traethau'n tueddu i fod yn llydan. Mae'r amodau hyn i'w gweld yn Ynysoedd Prydain, ar arfordir gorllewinol Canada ac ar arfordir deheuol De America (tudalennau 15–6).

Ar draethau sydd wedi eu creu o gerigos a graean bras, mae **cribynnau traeth** i'w gweld. Mae'r rhain fel arfer yn gysylltiedig â'r prosesau torddwr sy'n digwydd pan fydd lefel y dŵr yn uchel yn ystod y cylchredau llanw (Ffigur 3.33). Mae cribynnau traeth mwy yn aml yn wastad ar y top, ac nid yw'r siâp hwn yn newid heblaw bod storm ddifrifol a llanw mawr yn digwydd ar yr un pryd. Fel arfer, does dim cefnenau amlwg fel hyn ym mhroffil traethau tywod. Mae gwynt yn gallu aildrefnu tywod yn eithaf hawdd, felly os yw cefnen fach wedi ffurfio ar lefel y llanw uchel yn dilyn llanw mawr, mae'n annhebygol y bydd yn aros yno tan y tro nesaf y bydd y llanw yn cyrraedd y man hwnnw.

TERM ALLWEDDOL

Cribynnau traeth *(berms)* Cefnenau llinol ar draeth, sy'n baralel i'r marc penllanw fel arfer.

④ Arfordiroedd egni tonnau isel – morydau a deltâu

▶ *Ar ba ffurf mae morydau a deltâu yn ymddangos, a pha brosesau sy'n gweithredu ynddyn nhw?*

Dydy'r un lefel o ddrama ffisegol ddim yn perthyn i forydau a deltâu ag sydd i'w weld pan fydd tonnau egni uchel yn torri yn erbyn clogwyni tal a serth. Fodd bynnag, mae ganddyn nhw arwyddocâd 'tawel' nid yn unig i brosesau ffisegol ond, yn amlach nag erioed, i weithgareddau dynol. Mae newidiadau i'r prosesau sy'n gweithredu ynddyn nhw ac arnyn nhw, yn ogystal â'r newidiadau i'r tirffurfiau eu hunain, yn arwyddocaol iawn.

Mae morydau a deltâu yn lleoliadau lle mae afonydd yn ymestyn i mewn i'r parth arfordirol. Mae'r ddau yn storfeydd pwysig o waddodion, ac maen nhw'n ffurfio o ganlyniad i'r rhyngweithio rhwng prosesau morol ac afonol. Fodd bynnag, mae gwahaniaeth sylfaenol rhyngddyn nhw. Mae deltâu yn ardaloedd lle mae gwaddod yn cronni allan o'r tir ac i mewn i'r môr. Daneddiadau yn y morlin yw morydau, siâp twndis fel arfer, sy'n llenwi â gwaddod (Ffigur 3.35).

▲ **Ffigur 3.35** Moryd Mawddach, Canolbarth Cymru, yn edrych tuag at y mewndir

Mae defnydd sydd wedi hindreulio ac erydu o'r tir yn cael ei storio mewn storfeydd gwaddod tanfor, ac mae hyn yn ddylanwad pwysig ar newid hinsawdd byd-eang. Mae morydau yn suddfannau sylweddol ar gyfer carbon a hefyd ar gyfer halogyddion fel metelau trwm (e.e. mercwri).

Morydau

Mae'n bosibl rhannu'r rhan fwyaf o forydau yn dair adran (Ffigur 3.36).

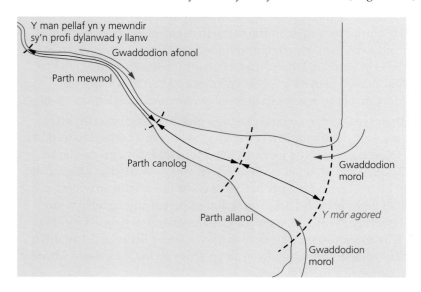

Y man pellaf yn y mewndir sy'n profi dylanwad y llanw

Gwaddodion afonol

Parth mewnol

Parth canolog

Gwaddodion morol

Parth allanol

Y môr agored

Gwaddodion morol

▶ **Ffigur 3.36** Yr adrannau mewn moryd

O ran mewnbynnau egni, mae'r adran allanol (ger y môr) yn derbyn llawer o egni cerrynt gan y tonnau a'r llanw, ac mae'r adran fewnol (ger y tir) yn derbyn mewnbynnau egni sylweddol o geryntau afonydd (Ffigur 3.37).

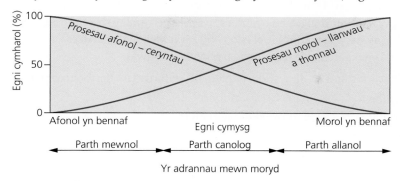

▲ **Ffigur 3.37** Newidiadau o ran egni mewn moryd

Mae gwaddodion mwy mân yn cael eu trawsgludo drwy'r ddwy ardal yma i mewn i'r adran ganolog sy'n llai egnïol. Yn yr adran hon y mae'r rhan fwyaf o'r dyddodi'n digwydd. Mae defnyddiau bras, fel tywod a graean, yn tueddu i gael eu dyddodi yn yr adrannau mewnol ac allanol.

Un broses bwysig ond amrywiol mewn morydau yw pan fydd dŵr heli a dŵr croyw yn cymysgu. Bydd cymysgu'n digwydd oherwydd trylediad – proses foleciwlaidd pan fydd gwahaniaethau yng ngwneuthuriad ïonig y dŵr heli a'r dŵr croyw yn aflonyddu'r dŵr, gan achosi iddo fod yr un mor hallt drwy'r foryd gyfan. Proses ffisegol yw llorfudiant sy'n cymysgu dŵr heli a dŵr croyw oherwydd llifoedd y dŵr yn y foryd. Mewn unrhyw foryd, gall y ddwy broses ddigwydd yr un pryd, ond yn aml bydd un yn gryfach na'r llall.

Mae gwaith ymchwil wedi dangos bod unrhyw foryd yn perthyn i un o dri chategori, yn dibynnu i ba raddau mae dŵr heli a dŵr croyw yn cymysgu ynddi. Y categorïau yw:

● haenedig – ychydig o gymysgu yn unig
● wedi cymysgu'n rhannol
● wedi cymysgu'n dda.

Mae morydau haenedig yn bodoli mewn amgylcheddau microlanwol. Yma, nid yw cerrynt y llanw na cherrynt yr afon yn ddigon cryf i aflonyddu'r dŵr er mwyn achosi cymysgu ffisegol. Mae dŵr croyw yn gorwedd uwchben y dŵr heli ac yn creu dwy haen: mae dŵr croyw yn lleihau tuag at y môr, mae dŵr heli'n lleihau tuag at y tir.

Wrth i gerrynt y llanw a cherrynt yr afon gynyddu, mae cyfradd y cymysgu'n cynyddu. Mae'r patrymau o ddŵr croyw, dŵr lled hallt (cymysgedd o ddŵr heli a dŵr croyw) a dŵr heli sy'n ffurfio yn ddylanwadau pwysig ar ddatblygiad ecosystemau.

Er bod llifoedd sylweddol o ddŵr yn mynd i mewn i, yn dod allan o, ac yn digwydd o fewn morydau, y broses bwysicaf yw dyddodiad. Felly, rydyn ni'n galw morydau yn **suddfannau gwaddodion**. Mae lleoliad storfeydd o waddod, tywod a llaid yn gallu symud yn rheolaidd.

 **TERM ALLWEDDOL**

Suddfan gwaddodion Lle mae gwaddod yn cronni ac yn cael ei storio. Mae mathau gwahanol o suddfannau'n bodoli dros amrediad eang o gyfnodau amser – o ddyddiau i filenia.

Deltâu

Mae deltâu, sef gwaddod o afonydd yn cronni mewn un man, yn gallu amrywio o ran maint. Pan fydd nant fach yn mynd i mewn i'r môr, mae delta yn gallu datblygu sy'n mesur rhai degau o fetrau sgwâr. Ar ben arall y sbectrwm, mae deltâu rhai afonydd cyfandirol – fel Afon Nîl, Afon Mekong neu Afon Mississippi – yn gorchuddio cannoedd o gilometrau sgwâr.

Mae deltâu arfordirol yn digwydd o ganlyniad i gyfuniad o'r ffactorau canlynol:

- egni afon
- gwaddod sy'n cael ei drawsgludo gan afon
- egni tonnau
- llifoedd ac amrediad llanw
- lled a graddiant sgafell
- tectoneg.

Drwy asesu dylanwad cymharol y ffactorau hyn, mae'n bosibl categoreiddio deltâu (Ffigur 3.38).

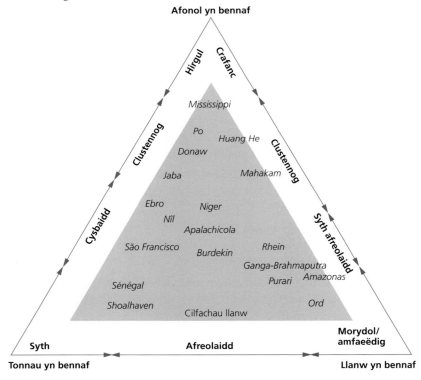

▲ **Ffigur 3.38** Mathau o ddeltâu

Yn achos deltâu afonol yn bennaf, mae'r dalgylchoedd yn fawr ac mae'r afon yn llifo mewn i ardal o fôr sy'n eithaf isel o ran egni. Mae'r Mississippi a'r Donaw (Danube) yn enghreifftiau o hyn. Mewn lleoliadau lle mae egni llanw yn uchel ac egni tonnau'n gymedrol, mae gwaddod yn cael ei ddyddodi yn berpendicwlar i'r morlin. Yma, mae deltâu llanw yn bennaf yn ffurfio, fel y Ganga-Brahmaputra a'r Rhein. Mae morlinau esmwyth gan ddeltâu sy'n wynebu ardaloedd o fôr agored ac sy'n derbyn lefelau uchel o egni tonnau. Mae ceryntau cryf ar hyd y glannau yn gweithredu ac yn cyfrannu at y broses o gronni gwaddod mewn rhesi llinol yn baralel i'r morlin. Yn aml iawn, mewn deltâu tonnau yn bennaf, mae systemau twyni tywod a thraethau mawr i'w gweld. Mae delta Afon São Francisco yng ngogledd-ddwyrain Brasil yn enghraifft o hyn.

Ond, mae'n bwysig gwerthfawrogi nad yw siâp delta yn debygol o ddatblygu o ganlyniad i un gyfres o brosesau yn unig. Mae newidiadau bach yn lefel y môr yn addasu'r mewnbynnau egni i'r deltâu wrth i ddylanwad tonnau a llanwau ymestyn dros fwy a mwy o'r delta.

Heddiw, mae fwy neu lai pob delta sy'n bodoli yn dirffurfiau eithaf ifanc. Mae lefel y môr wedi bod yn ei safle presennol ers tua 6000 o flynyddoedd, felly mae'r deltâu wedi datblygu yn ystod y cyfnod hwn, gyda symiau mawr iawn o waddod yn cyfrannu at y broses o ffurfio rhai ohonyn nhw. Yng ngogledd-orllewin isgyfandir India, mae dwy afon fawr yn llifo i mewn i un o'r deltâu mwyaf yn y byd. Mae Afon Ganga (Ganges) ac Afon Brahmaputra yn trawsgludo tua 1.5 biliwn tunnell fetrig o waddodion bob blwyddyn i lawr i Fae Bengal. Erbyn hyn, yn nelta'r ddwy afon, mae tua 1500 biliwn o fetrau ciwbig o ddefnydd yn gorwedd uwchben lefel cymedrig y llanw a bron 2000 biliwn o fetrau ciwbig yn ymestyn allan o dan y môr.

 # Gwerthuso'r mater

▶ *I ba raddau mae clogwyni morol wedi ffurfio yn sgil erydiad?*

Adnabod cyd-destunau posibl ar gyfer gwerthuso

Cyd-destun y ddadl yn y bennod hon yw clogwyni morol, ac mae hynny'n ymddangos yn ddigon syml. Ond, gydag unrhyw drafodaeth am dirffurfiau fel clogwyni neu draethau, mae angen meddwl am union ystyr y gair 'clogwyn'. Mae dwy ffordd o edrych ar glogwyn – y cyntaf yw ei drawstoriad neu'r proffil, a'r ail yw ei uwcholwg neu'r olygfa o'r awyr. Mae rhai clogwyni yn codi'n fertigol i fyny o'r lan, ac mae gan glogwyni eraill ongl llethr graddol. Er bod ymyl rhai clogwyni yn eithaf syth ar hyd yr arfordir o edrych arnyn nhw o'r awyr, mae ddaneddiadau i'w gweld ar hyd clogwyni eraill.

Wrth ymchwilio i dirffurfiau, mae maint yn ystyriaeth bwysig. Mae maint ffisegol clogwyni yn amrywio'n sylweddol. Mae Clogwyni Gwyn Dover, sy'n enwog ar draws y byd, wedi eu creu o sialc sy'n ymestyn tua 110 metr o'r gwaelod i'r brig. Ar y llaw arall, mae clogwyni sydd ag uchder o ychydig fetrau yn unig i'w cael mewn lleoliadau eraill, e.e. ar hyd rhannau o arfordir Northumberland lle mae twyni tywod yn ffurfio cefn y traeth. Peth arall i'w ystyried yw maint yr amrywiadau yn uwcholwg clogwyni – o'r daneddiadau bach sydd ychydig gentimetrau o hyd, i'r arweddion mwy fel geos a childraethau neu faeau bach.

Agwedd bwysig arall i'w hystyried cyn dewis tystiolaeth ac enghreifftiau i'w dadansoddi yw union ystyr y gair 'erydiad'.

- Mae erydiad morol yn derbyn ei egni gan y tonnau sy'n cyrraedd y parth arfordirol. Pan fydd tonnau'n torri wrth iddyn nhw gyrraedd ardal dŵr bas, mae'r dŵr sy'n symud yn achosi prosesau fel gweithred hydrolig a sgrafelliad.
- Gall erydiad afonol ddylanwadu ar glogwyni morol, er enghraifft pan fydd nant yn cludo dŵr dros ymyl y clogwyn, gan dorri i mewn i frig y clogwyn a rhaeadru i lawr dros yr wyneb.

- Mae'n bosibl bod erydiad rhewlifol yn digwydd heddiw mewn lleoliadau lledred uchel fel y Cylch Arctig, er enghraifft o amgylch arfordir Grønland, neu ardaloedd yn Ne America lle mae rhewlifoedd yn mynd i lawr i'r môr. Mewn lleoliadau eraill mae rhewlifiannau'r gorffennol wedi gadael eu marc ar y dirwedd lle roedd rhewlifoedd yn llifo ar un adeg, gan erydu'r graig i adael llethrau seth ar hyd ymylon yr hyn sydd bellach yn ffiordau.

Mae'r system clogwyni yn dangos y ffactorau sy'n cynhyrchu clogwyni morol, yn ogystal â'r rhyngweithio rhwng y ffactorau hyn. Mae ffactorau fel daeareg, hindreulio, gweithgareddau dynol ac elfennau biotig (fflora a ffawna) i gyd yn berthnasol wrth ymchwilio i glogwyni morol (Ffigur 3.4).

Rôl erydiad

Yn syml iawn, 'llethrau glan môr' yw clogwyni morol felly mae'n bwysig ystyried y prosesau sy'n gweithredu ar lethrau. Ond, mae ffactor ychwanegol yn effeithio ar glogwyni morol yn wahanol i lethrau mewndirol – gweithred y môr. Ar waelod clogwyn, yn aml mae mewnbwn egni'r tonnau yn gallu bod yn sylweddol iawn. Mae gwasgedd o hyd at 11 000 kg/m^2 oherwydd effaith symudiad a phwysau'r dŵr yn gallu erydu hyd yn oed y graig fwyaf gwydn ar wyneb y clogwyn. Er mwyn i rymoedd o'r fath fod yn effeithiol, mae angen i'r arfordir dderbyn symiau uchel iawn o egni tonnau. Mae rhai lleoliadau yn profi'r amodau hyn yn rheolaidd ac yn aml, er enghraifft arfordiroedd gorllewin Iwerddon, gogledd yr Alban a rhannau o Ynys y De, Seland Newydd. Dydy lleoliadau eraill ddim yn derbyn lefelau uchel o egni tonnau, er enghraifft o amgylch y Môr Canoldir neu arfordir gogledd Awstralia.

Mae erydiad morol yn rhan bwysig o'r broses o ffurfio arweddion bach fel rhic neu ogof. Os yw'r arweddion erydol hyn yn bresennol, mae'n fwy tebygol y bydd y clogwyn mewn perygl o ddymchwel sy'n golygu y bydd y clogwyn yn parhau i fod yn serth.

Mae plygiant tonnau yn dosbarthu egni tonnau ar hyd y morlin, ac mae hyn yn effeithio ar y rôl mae erydiad morol yn ei chwarae ar hyd darnau o forlin. Pan fydd egni tonnau, ac felly prosesau erydu, yn crynhoi ar bentiroedd, mae clogwyni dramatig yn ffurfio yn y lleoliadau hyn. I'r gwrthwyneb i hyn, mae baeau yn ffurfio lle mae egni tonnau'n fwy gwasgaredig ar hyd yr arfordir ac felly mae erydiad yn llai effeithiol.

Nid erydiad morol yw'r unig beth sy'n gallu effeithio ar glogwyni. Gall erydiad ddigwydd wrth i ddŵr lifo i lawr y llethr. Gall y dŵr godi a thrawsgludo pridd a gwaddod o rannau uchaf y clogwyn, gan gyfrannu at ei ddatblygiad. Mae dŵr ffo a llifoedd arwyneb yn gallu bod yn ffactorau pwysig pan fydd clogwyn wedi ei greu o graig anathraidd, e.e. gwenithfaen neu glai.

Agwedd arall ar ffurfiant a datblygiad clogwyni yw'r cydbwysedd rhwng prosesau cyfoes a dylanwad prosesau'r gorffennol. Dydy tirweddau a thirffurfiau bron byth yn datblygu dan ddylanwad prosesau sy'n gweithredu heddiw yn unig. Gall digwyddiadau'r gorffennol gael effaith yn y tymor hir yn aml iawn. Yn y cyd-destun hwn, mae'r erydiad rhewlifol a ddigwyddodd yn ystod yr oes iâ ddiwethaf wedi dylanwadu ar glogwyni morol heddiw. Er enghraifft, cafodd y clogwyni serth ac uchel ar hyd ymylon ffiordau Alaska, Chile a Norwy eu ffurfio yn bennaf o ganlyniad i erydiad gan iâ wrth i rewlif symud i lawr tuag at y môr.

Rôl ffactorau eraill heblaw am erydiad

Mae archwilio clogwyn fel system yn arwain yn naturiol at ystyried ffactorau eraill heblaw am erydiad.

- **Daeareg clogwyni** – mae litholeg ac adeiledd yn dylanwadu ar glogwyni morol gan eu bod yn penderfynu i ba raddau mae craig benodol yn gallu gwrthsefyll effeithiau treulio. Mae adeiledd clogwyn – hynny yw, ongl goledd y creigiau – yn bwysig iawn o ran ei effaith ar broffil y clogwyn. Yn yr un modd, mae mathau gwahanol o ddaeareg yn wyneb yr un graig yn gallu bod yn gyfrifol am amrywiadau bach ym mhroffil y clogwyn. Bydd haen o graig fwy gwydn yn ymestyn allan o wyneb y clogwyn gan ei bod yn cael ei threulio ar raddfa arafach na'r strata sydd ychydig yn llai gwydn. Mae arweddion bach fel geos a childraethau yn ffurfio o ganlyniad i erydiad. Fodd bynnag, mae daeareg leol yn ddylanwad pwysig gan fod rhaid i greigiau mwy gwydn fod ar y naill ochr a'r llall i greigiau llai gwydn er mwyn i erydiad ddigwydd.

- Mae **tectoneg** yn gallu bod yn ddylanwad pwysig drwy brosesau sy'n achosi i greigiau blygu a ffurfio ffawtiau. Mae ongl goledd y strata gwaddod, mewn perthynas â'r arfordir, yn gallu dylanwadu ar effeithiolrwydd prosesau erydu, a thrwy hynny ar ddatblygiad clogwyni morol. Mae clogwyni sydd wedi eu creu o strata sy'n goleddu i lawr tuag at y tir yn tueddu i fod yn fwy gwydn yn erbyn erydiad na'r rheini sy'n goleddu tuag at y môr. Yn achos strata sy'n goleddu tuag at y môr, mae creigiau'n gallu disgyn i lawr ar hyd wyneb y clogwyn.

- **Prosesau isawyrol** – mae rôl hindreuliad yn hollbwysig. Mae'n bosibl gwahaniaethu rhwng rhannau uchaf ac isaf proffil clogwyn yng nghyd-destun prosesau. Er bod erydiad tonnau'n gallu bod yn hynod o effeithiol ar waelod clogwyn, mae hindreuliad ar waith yn y parth hwn hefyd. Fodd bynnag, efallai mai yn rhan uchaf y clogwyn mae prosesau hindreulio yn digwydd amlaf. Wrth ymchwilio i broffiliau clogwyni, mae hindreulio yn ffactor allweddol sy'n effeithio ar siâp y proffil.

- **Màs-symudiadau** – mae proffiliau clogwyni naill ai'n cael eu cynnal neu'n cael eu newid gan fàs-symudiadau. Ond, mae cysylltiad agos rhwng màs-symudiad a natur daeareg y clogwyn, yn ogystal â'r prosesau hindreulio sy'n gweithredu arno. Mae rôl dŵr mewn system clogwyni yn aml yn dylanwadu ar y math o fàs-symudiad sy'n digwydd. Bydd creigiau sy'n gallu dal dŵr yn profi cynnydd sylweddol yn y diriant croesrym sy'n gweithredu arnynt oherwydd pwysau'r dŵr. Hefyd, mae dŵr yn gallu gweithredu fel iraid rhwng y graig a'r clogwyn felly mae cryfder croesrym y graig yn gostwng.

- Mae unrhyw **newid yn lefel y môr** naill ai'n creu morlin soddedig neu forlin cyfodol. Mae proffiliau clogwyni yn gallu adlewyrchu addasiadau i'r morlin, er enghraifft proffil llethr-dros-wal neu pan fydd hen glogwyn morol yn mynd y tu hwnt i ddylanwadau erydu.

- Mae **dylanwad gweithgareddau dynol** yn ffactor sy'n fwyfwy arwyddocaol yng nghyd-destun arweddion arfordirol, gan gynnwys clogwyni. Weithiau bydd gwaddod o'r parth arfordirol yn cael ei dynnu yn ystod gweithgareddau dynol, sydd wedyn yn golygu bod egni'r tonnau yn effeithio ar glogwyn oedd wedi ei ddiogelu cyn hynny. Hefyd, mae'n bosibl lleihau effaith erydiad ar glogwyni drwy waith rheoli arfordirol – er enghraifft, gosod rhwyd dros wynebau clogwyni ansefydlog, neu ddiogelu gwaelod clogwyn rhag gweithred y tonnau drwy osod wal fôr neu rip rap ar ffurf clawdd o glogfeini mawr.

Dod i gasgliad sy'n seiliedig ar dystiolaeth

Mae'n hawdd ysgrifennu am brosesau erydu fel pe baen nhw'n digwydd yn barhaus mewn amgylcheddau fel yr arfordir. Un pwynt defnyddiol i'w gofio wrth werthuso yw bod clogwyn yn eithaf 'tawel' fel arfer – hynny yw, does dim llawer o 'waith' geomorffolegol yn digwydd. Mae'n ddefnyddiol cyfeirio at y ffaith bod digwyddiadau egni uchel, fel storm neu hyd yn oed tswnami, yn hynod effeithiol ac yn gyfrifol am lawer o erydiad morol, er nad ydyn nhw'n digwydd yn aml.

Yn debyg i bob tirffurf a thirwedd, yn anaml iawn mae un ffactor – neu yn y gwerthusiad penodol hwn, un gyfres o brosesau (erydiad) – yn gyfrifol am ddatblygiad y tirffurf hwnnw. O safbwynt daearyddwr, mae morffoleg tirffurf a sut mae'n newid yn dibynnu ar sawl ffactor gwahanol sy'n rhyngweithio â'i gilydd. Mae'n anodd penderfynu a yw un ffactor yn fwy pwysig nag un arall, gan fod prosesau'r gorffennol yn parhau i ddylanwadu ar dirffurfiau heddiw ac mae gwahaniaethau pwysig o un lle i'r llall.

Crynodeb o'r bennod

✔ Mae'n bosibl archwilio morlin drwy edrych ar ei uwcholwg. Mae llawer o arfordiroedd naill ai'n gydgordiol neu'n anghydgordiol o ran uwcholwg – hynny yw yr olygfa o'r awyr – yn bennaf oherwydd dylanwad daeareg.

✔ Mae clogwyni yn arwedd amlwg ar hyd arfordiroedd egni uchel ac maen nhw'n amrywio'n fawr o ran trawstoriad ac uwcholwg. Mae meddwl yng nghyd-destun systemau yn gallu bod yn ddefnyddiol iawn wrth ymchwilio i glogwyni, oherwydd mae'n dangos sut mae ffactorau fel daeareg, hydroleg a gweithred y tonnau yn rhyngweithio i gynhyrchu math penodol o glogwyn. Un dylanwad cryf ar nifer o glogwyni yw'r cydbwysedd rhwng prosesau morol a phrosesau isawyrol.

✔ Wrth i forlin encilio, mae amrywiol dirffurfiau yn datblygu. Mae llyfndiroedd glannau yn ymestyn o waelod clogwyn allan tuag at y môr, ac yn digwydd pan fydd nifer o ffactorau gwahanol yn rhyngweithio.

✔ Mae traethau eang yn gyffredin ar hyd morlinau egni isel. Mae uwcholwg traethau'n adlewyrchu'r prif brosesau trawsgludo gwaddod sy'n gweithredu yn yr ardal ac sy'n tueddu i fod yn brosesau drifft-aniliedig neu'n dorddwr-aniliedig. Un math o draeth yw tafod ac mae'n gallu bod yn arwedd amlwg ar ddarn o forlin.

✔ Mae penrhyn cysbaidd yn arwedd sy'n ffurfio pan fydd gwaddod yn cronni, ac mae'n ymestyn allan o'r morlin. Mae barynysoedd, ar y llaw arall, yn gallu ymestyn am bellter sylweddol ar hyd arfordir. Yn aml iawn, mae ecwilibriwm system bardraeth yn ansefydlog.

✔ Mae proffiliau traethau yn amrywio'n sylweddol, ac mae egni tonnau a'r math o waddod sy'n bresennol (maint a siâp) yn ddau ffactor allweddol o ran eu datblygiad.

✔ Mae morydau a deltâu yn ffurfio o ganlyniad i'r rhyngweithio rhwng prosesau afonol a phrosesau morol, ac maen nhw'n gallu bod yn arweddion amlwg ar hyd arfordiroedd egni tonnau isel. Mae morydau a deltâu yn suddfannau pwysig ar gyfer gwaddodion.

Cwestiynau adolygu

1 Esboniwch y gwahaniaethau sylfaenol rhwng uwcholwg arfordirol cydgordiol ac uwcholwg anghydgordiol.

2 Disgrifiwch ac esboniwch sut mae siâp y tir ger y morlin yn dylanwadu ar yr uwcholwg arfordirol.

3 Beth yw ystyr y termau 'adeiledd creigiau' a 'litholeg creigiau'?

4 Disgrifiwch ac esboniwch ddylanwad adeiledd creigiau ar broffiliau clogwyni.

5 Amlinellwch sut mae'r cydbwysedd rhwng prosesau morol a phrosesau isawyrol yn dylanwadu ar broffiliau clogwyni.

6 Esboniwch sut mae tirffurfiau'n ffurfio o ganlyniad i enciliad clogwyni.

7 Gwahaniaethwch rhwng traethau dan ddylanwad y torddwr a thraethau dan ddylanwad y drifft.

8 Esboniwch y prosesau sy'n gweithredu i ffurfio tafodau.

9 Awgrymwch sut gallai bardraethau gael eu ffurfio.

10 Disgrifiwch ac esboniwch sut mae proffil llawer o draethau yn amrywio'n dymhorol.

11 Esboniwch arwyddocâd maint a siâp gwaddod fel ffactorau sy'n dylanwadu ar broffiliau traethau.

12 Amlinellwch pam mae'n ddefnyddiol gwahaniaethu rhwng ardaloedd gwahanol mewn moryd.

Gweithgareddau trafod

1 Mewn grwpiau bach, astudiwch y morlin ar ddarnau cyferbyniol o'r arfordir, gan ganolbwyntio ar ardaloedd sy'n gyfarwydd i chi o ran daeareg (math o graig ac adeiledd y graig), er enghraifft Penrhyn Gŵyr (tudalen 52). Byddai defnyddio mapiau Arolwg Ordnans graddfa 1:50 000 ac 1:25 000 yn briodol. Hefyd, mae gwybodaeth am adeiledd creigiau ar gael ar wefan Arolwg Daearegol Prydain. Trafodwch sut mae plygiant tonnau yn effeithio ar ddosbarthiad egni ar hyd morlin. Bydd angen i chi wybod beth yw cyfeiriad y prifwyntoedd a chyfeiriad unrhyw wyntoedd eilaidd arwyddocaol. Sut gallai'r dosbarthiad egni hwn ddylanwadu ar y tirffurfiau byddech chi'n disgwyl eu gweld ar hyd y morlin dan sylw?

2 Gan ddefnyddio mapiau Arolwg Ordnans neu Google Earth, trafodwch y ffactorau allweddol sy'n dylanwadau ar ddatblygiad traethau ar hyd darn o forlin. Pa wybodaeth sydd heb ei rhoi mewn map neu ddelwedd fyddai'n ddefnyddiol i helpu eich trafodaeth?

3 Trafodwch sut a pham mae traethau'n newid eu siâp dros amser. Ystyriwch y newidiadau hyn dros amrywiaeth o gyfnodau amser gwahanol, er enghraifft cylchred llanw, yn dymhorol neu'n flynyddol. Yn eich trafodaeth, dylech gynnwys lleoliadau y tu hwnt i Ynysoedd Prydain – er enghraifft, gallech ddefnyddio eich profiadau chi neu brofiadau eich cyd-fyfyrwyr o wyliau tramor. Weithiau mae lluniau gwyliau'n gallu bod yn adnodd annisgwyl o werthfawr!

4 Trafodwch bwysigrwydd maint wrth ymchwilio i glogwyni neu draethau. Ystyriwch y ffordd mae tirffurfiau fel hyn yn amrywio o ran maint (er enghraifft uchder clogwyni, lled a hyd traethau) a sut mae'n bwysig gwerthfawrogi'r arweddion bach a mawr sy'n ymddangos yn y tirffurfiau hyn.

5 Gan gyfeirio at forlinau egni uchel â chlogwyni, a morlinau egni isel lle mae gwaddod yn cronni, ymchwiliwch i sut mae tirweddau arfordirol cyferbyniol yn cael eu portreadu'n anffurfiol fel lleoedd. Mewn grwpiau bach, dewiswch fath penodol o bortread anffurfiol – e.e. llun wedi'i beintio, cerddoriaeth, rhaglen deledu, ffilm neu destun (nofel/barddoniaeth) – ac ystyriwch sut mae'r cyfrwng hwn yn portreadu arweddion morol fel traethau, clogwyni neu forydau. Cyflwynwch gasgliadau eich grŵp i'r grwpiau eraill er mwyn adeiladu gwybodaeth a dealltwriaeth o gryfderau a gwendidau'r portreadau anffurfiol gwahanol.

FFOCWS Y GWAITH MAES

A *Clogwyni* Mae'r tirweddau hyn yn elfennau anodd i'w hymchwilio fel disgyblion Safon Uwch. Mae nifer o broblemau diogelwch i'w hystyried a dydy'r math o offer tirfesur sydd ei angen ddim ar gael i ysgolion. Gallech chi ymchwilio i'r tirffurfiau ar hyd darn o forlin, neu forlinau cyferbyniol yng nghyd-destun y berthynas rhwng arweddion a ffactorau fel daeareg, agwedd ac egni tonnau (e.e. defnyddio cyrch, amodau gwynt cyfartalog). Mae'n bosibl cael amcangyfrif eithaf manwl o uchder clogwyn gan ddefnyddio clinomedr, tâp mesur a thrigonometreg syml. Mae'n werthfawr cael brasluniau maes manwl o broffiliau clogwyni cyferbyniol, yn enwedig wrth ymchwilio i nodweddion lleoliad glan môr. Mae llawer o leoliadau arfordirol yn cael eu portreadu i ryw raddau oherwydd eu lleoliad ffisegol – mae Clogwyni Gwyn Dover a nifer o leoliadau eraill yn enwog gan eu bod wedi cael eu defnyddio fel lleoliadau ar raglenni teledu, er enghraifft. Wrth wneud arolwg o farn ymwelwyr, efallai byddai'n ddefnyddiol cynnwys cwestiynau am rôl clogwyni lleol o ran denu ymwelwyr i leoliad.

B *Traethau* Mae traethau yn fannau llawer haws eu cyrraedd a llawer mwy ymarferol ar gyfer ymchwiliadau annibynnol, ond mae materion diogelwch yn hollbwysig yn achos traethau hefyd wrth gynllunio a mynd ati i gasglu data. Dyma rai pynciau posibl ar gyfer ymchwiliad:

- Cymharu proffiliau traethau mewn lleoliadau gwahanol
- Cymharu proffiliau tymhorol yr un traeth
- Archwilio sut mae cynlluniau rheoli fel adeiladu argorau/ailgyflenwi'r traeth yn effeithio ar uwcholwg a phroffil traeth
- Archwilio dylanwad drifft y glannau – cymharu sut mae gwaddod yn cronni ar y naill ochr a'r llall i'r argorau, er enghraifft
- Cymharu maint a siâp gwaddod ar hyd proffil traeth
- Cymharu maint a siâp gwaddod ar hyd y traeth ei hun.

C *Ymchwilio i ddosbarthiad siapiau cerigos ar draws proffil traeth.* Ar draeth cerigos, mae'r mathau o gerigos sydd yno yn gallu amrywio o ran siâp ar draws proffil y traeth. Gallech chi wneud ymchwiliad o'r fath ar un traeth, ar yr amod ei fod yn ddigon hir i'ch galluogi chi i gymharu data o sawl man gwahanol. Opsiwn arall yw cymharu sawl traeth gwahanol. Beth bynnag dewiswch chi ei wneud, mae angen casglu data am siâp cerigos ar hyd trawsluniau sy'n rhedeg ar draws y proffil. Rhywbeth arall i'w ystyried yw a ddylech chi gasglu data ar bellterau penodol ar hyd y trawslun, neu gymharu dau safle – un ar y pen agosaf at y môr a'r llall ar y gefnen uchaf. Mae angen i chi ystyried pa fath o strategaeth samplu fyddai fwyaf addas i'r ymchwiliad. Mae'n bwysig hefyd eich bod yn archwilio siâp trawstoriadol y traeth er mwyn gallu canfod union leoliad eich pwyntiau samplu.

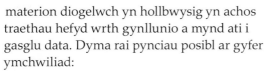

Darllen pellach

Bird, E. (2016) *Coastal Cliffs: Morphology and Management.* Berlin: Springer

Bridges, E.M. (1998) *Classic Landform Guide: Gower Coast.* Sheffield: Geographical Association

Field Studies Council (2001) *Rocky Shore Name Trail*

Field Studies Council (2003) *Rocks Chart*

Long, A.J., Waller, M.P., Plater, A.J. (2006) 'Coastal resilience and late Holocene tidal inlet history: the evolution of Dungeness foreland and the Romney marsh depositional complex', *Geomorphology,* 82(3–4), tt.309–30

Otvos, E. (2012) 'Coastal barriers – nomenclature, processes and classification issues', *Geomorphology,* 139–40, tt.39–52

Woodroffe, S. (2017) 'Coastal landscapes: processes, systems and change', *Geography Review,* Medi

PENNOD 4

Ecosystemau mewn amgylcheddau arfordirol

Mae'r penodau blaenorol wedi canolbwyntio ar yr elfennau anfiolegol sy'n perthyn i'r tirffurfiau a'r tirweddau yn y parth arfordirol. Weithiau, mae'r penodau hyn wedi sôn am organebau sy'n byw ar hyd yr arfordir, ond dim ond o safbwynt eu cyfraniad at brosesau fel hindreulio ac erydiad. Erbyn hyn, mae arbenigwyr yn canolbwyntio ar ddysgu a deall mwy am sut mae ecosystemau arfordirol yn gweithredu. Mae hyn oherwydd bod pryderon yn cynyddu am ddiogelwch a chadwraeth yr ecosystemau hyn, am ffyrdd cynaliadwy o'u defnyddio a'r ffyrdd mae gweithgareddau dynol a newid amgylcheddol yn effeithio arnyn nhw. Bydd y bennod hon:

- yn archwilio gwerth ecosystemau arfordirol
- yn ymchwilio i olyniaeth ecolegol a datblygiad morfeydd heli a thwyni morol
- yn dadansoddi ffurfiant a nodweddion mangrofau a riffiau cwrel
- yn gwerthuso rôl llystyfiant o ran datblygiad systemau twyni morol.

CYSYNIADAU ALLWEDDOL

Systemau System yw grŵp o wrthrychau sy'n perthyn i'w gilydd. Mae systemau ffisegol yn tueddu i fod yn agored, sy'n golygu bod llifoedd egni a defnyddiau'n symud ar draws eu ffiniau. Bydd newid i un rhan o'r system yn dod â newidiadau i'r rhannau eraill wrth i fecanweithiau adborth weithredu. Er enghraifft, mae'n bosibl dadlau bod ecosystem mangrof yn system sydd â mewnbynnau fel gwaddod ac egni solar, prosesau a storfeydd fel ffotosynthesis a maetholion, ac allbynnau fel twf y planhigion mangrof a'r rhywogaethau pysgod sy'n byw o fewn ac o amgylch y mangrofau.

Adborth Ymateb mewnol awtomatig i newid mewn system. Er enghraifft, mewn system morfa heli, os yw lefel y môr yn codi, bydd mwy o'r morfa wedi ei orchuddio am gyfnodau hirach ac o dan ddŵr dyfnach. Bydd planhigion sy'n gallu goddef cael eu gorchuddio'n raddol ond sy'n methu bod dan ddŵr yn gyfan gwbl yn marw, a bydd y morfa'n diraddio.

Trothwy 'Pwynt sy'n sbarduno newid' mewn system. Er enghraifft, yn ystod cyfnod o gannu cwrelau, os bydd digon o gwrel ar hyd riff yn dirywio ac yn marw, bydd y berthynas symbiotig rhwng y cwrel a nifer y rhywogaethau sy'n byw ar ac o amgylch y riff yn dioddef. Os yw maint y cannu yn ddigon difrifol, bydd yr ecosystem cwrel gyfan yn diraddio, ac efallai na fydd yn aildyfu byth eto.

Ecwilibriwm Cyflwr o gydbwysedd mewn system sy'n digwydd pan fydd mewnbynnau ac allbynnau'n gyfartal. Er enghraifft, mewn system twyni tywod, pan fydd swm y tywod ffres sy'n cael ei chwythu ar dwyni wedi'u gorchuddio â moresg yn gyfartal â chyfradd twf y moresg, mae'r system twyni yn tueddu i aros yn sefydlog.

Cydnabod gwerth ecosystemau arfordirol

▶ *Ym mha ffyrdd mae ecosystemau arfordirol yn werthfawr?*

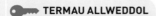 **TERMAU ALLWEDDOL**

Ecosystem System weithredol a rhyngweithiol sy'n cynnwys organebau a'u hamgylchedd.

Cyfannol *(holistic)* Sefyllfa lle mae'r rhannau gwahanol sy'n perthyn i rywbeth wedi eu cysylltu'n agos at ei gilydd, a does dim modd eu deall yn llawn heb gyfeirio at y peth cyfan.

Biotig Organebau byw.

Anfiotig Cydrannau sydd ddim yn fyw, er enghraifft daeareg a hinsawdd.

Cyfalaf naturiol Elfennau o fyd natur sy'n cynhyrchu gwerth i bobl, naill ai'n uniongyrchol neu'n anuniongyrchol.

Incwm naturiol Y nwyddau a'r gwasanaethau mae pobl yn eu cael o gyfalaf naturiol.

Mae **ecosystemau** yn elfen bwysig o ddaearyddiaeth ffisegol nifer o arfordiroedd, os nad pob arfordir. Maen nhw'n gallu cyfrannu'n weithredol at ddatblygiad arweddion fel clogwyni a llyfndiroedd glannau, ond maen nhw hefyd yn gyfrifol am greu tirffurfiau a thirweddau 'organig' ac unigryw fel systemau riff cwrel a thwyni.

Yn debyg i unrhyw ecosystem, mae ecosystemau arfordirol yn **gyfannol**. Pan fydd newid yn digwydd i unrhyw ran o'r ecosystem, mae'n creu adborth sy'n achosi newid drwy'r system gyfan. Er enghraifft, mae storm drofannol yn gallu achosi erydiad sylweddol mewn riff cwrel, mae tân yn gallu dinistrio llystyfiant twyni, neu mae clogwyn yn gallu dymchwel dros ardal o lyfndir glannau gan orchuddio'r holl fywyd yn yr ardal honno.

Mae planhigion, anifeiliaid a micro-organebau yn byw mewn cynefinoedd yn y parth arfordirol sy'n darparu:

- mwynau a maetholion organig
- creigiau a gwaddod (i dyfu arnyn nhw)
- dŵr.

Mae cydrannau **biotig** nid yn unig dan ddylanwad yr amgylchedd **anfiotig**, ond maen nhw hefyd yn gallu achosi newid i'w hamgylchedd ffisegol. Efallai mai'r sefyllfa fwyaf eithafol yw pan fydd cwrel yn adeiladu riff i ffurfio atol. Mae planhigion hefyd yn cyfrannu at sefydlogi gwaddodion fel llaid a thywod mewn morfeydd heli a thwyni tywod.

Ecosystemau fel asedau

Mae'r gair 'cyfalaf' fel arfer yn cyfeirio at ffactor cynhyrchu, neu yn fwy cyffredin, at arian. Mae cyfalaf yn cael ei ddefnyddio mewn amrywiol ffyrdd i gynhyrchu nwyddau a gwasanaethau. Mae'r term **cyfalaf naturiol** yn cyfeirio at unrhyw asedau naturiol sydd â'r gallu i gynhyrchu nwyddau a gwasanaethau. Bydd cyfalaf naturiol yn cynhyrchu **incwm naturiol** fel cynhaeaf o bysgod cregyn neu egni gwynt.

Cyn nawr, roedd yr amgylchedd a'r nwyddau mae'n ei ddarparu yn cael ei ystyried yn rhywbeth i'w ecsbloetio, ond bellach mae mwy o bwyslais yn cael ei roi ar reoli'r amgylchedd er mwyn ei ddefnyddio'n gynaliadwy. Dydy hynny ddim yn golygu bod y dulliau rheoli'n arwain at gynaliadwyedd bob tro ac ym mhob man, ond mae rheoli effeithiol yn cael ei ystyried yn werthfawr. Mae tystiolaeth yn awgrymu bod rhai pysgodfeydd yn cael eu rheoli'n dda er mwyn sicrhau bod y stociau pysgod yn cyrraedd lefel iach a chynaliadwy.

Yn ogystal â nwyddau diriaethol, mae mwy a mwy o sylw yn cael ei roi i'r manteision llai amlwg mae ecosystemau yn eu cynnig i bobl. Mae aer glân, diogelwch rhag peryglon a gweithgareddau hamdden yn rhai o'r manteision cymdeithasol hyn. Mae plannu coed ar hyd strydoedd er mwyn amsugno llygryddion, er enghraifft, yn ddull cydnabyddedig, ac mae cynlluniau plannu wedi cael eu rhoi ar waith i wireddu'r manteision hyn. Mae **gwasanaethau ecosystem** o'r fath yn derbyn blaenoriaeth ym maes cynllunio a rheoli.

🔑 **TERM ALLWEDDOL**

Gwasanaethau ecosystem
Prosesau naturiol yr amgylchedd sy'n darparu asedau a manteision ar gyfer gweithgareddau dynol.

Cafodd Asesiad Ecosystemau y Mileniwm ei sefydlu ar ddechrau'r mileniwm presennol i asesu'r ffordd mae newidiadau i ecosystemau yn effeithio ar lesiant bodau dynol. Dros gyfnod o bedair blynedd, roedd bron i 1500 o wyddonwyr o amgylch y byd yn gwerthuso cyflwr ecosystemau ac yn canfod pa newidiadau oedd yn digwydd i'r ecosystemau hyn. Ar sail canfyddiadau Asesiad Ecosystemau y Mileniwm, cafodd gwasanaethau ecosystem eu dosbarthu i bedwar categori (Tabl 4.1).

Math o wasanaeth ecosystem	Diffiniad
Gwasanaethau darparu	Cynhyrchion uniongyrchol yr ecosystemau, fel bwyd
Gwasanaethau rheoleiddio	Manteision bod â rheolaeth naturiol ar bethau, er enghraifft CO_2
Gwasanaethau diwylliannol	Manteision anfaterol mae systemau naturiol yn eu cynnig, fel nofio yn y môr neu'r pleser esthetig o edrych ar olygfa
Gwasanaethau cynhaliol	Prosesau mewn ecosystem sy'n cynnal gwasanaethau eraill, fel cylchu maetholion

▲ **Tabl 4.1** Categorïau o wasanaethau ecosystem

Yn 2011, lansiodd Llywodraeth y DU yr Asesiad Ecosystemau Cenedlaethol, gyda phroses ddilynol oedd yn arolygu cyflwr ecosystemau y DU. Roedd yr arolwg yn hyrwyddo gwerth y gwasanaethau ecosystem mae'r DU yn eu derbyn, gan gynnwys gwasanaethau'r parth arfordirol.

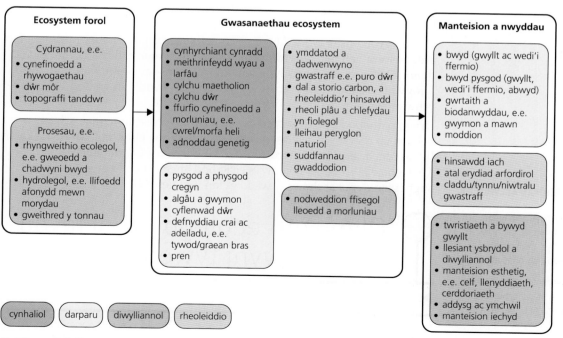

▲ **Ffigur 4.1** Gwasanaethau ecosystem arfordirol a morol

Gan fod ffyrdd mwy trwyadl o fesur gwerth ecosystemau yn bodoli erbyn hyn, mae'n bosibl asesu pwysigrwydd economaidd gwasanaethau diwylliannol. Er enghraifft, cafodd gwariant ymwelwyr mewn pedair o warchodfeydd adar môr y Gymdeithas Frenhinol er Gwarchod Adar *(RSPB)* ei fesur yn 2009. Roedd ymwelwyr â safle Clogwyni Bempton wedi mynd yno i wylio adar môr yn bennaf, ond yn y tri lleoliad arall, roedd pobl wedi ymweld â nhw am fwy nag un rheswm, nid gwylio adar môr yn unig (Tabl 4.2).

Lleoliad	Nifer yr ymwelwyr	Amcangyfrif o'r gwariant (£)
Clogwyni Bempton, Lloegr	76 500	750 000
Ynys Lawd, Cymru	44 000	223 000
Pentir Galloway, Yr Alban	19 000	126 000
Ynys Rathlin, Gogledd Iwerddon	14 500	115 000
Cyfanswm	154 000	1 214 000

▲ **Tabl 4.2** Gwariant ymwelwyr ym mhedair o warchodfeydd adar yr *RSPB* yn y DU, 2009

Yn y gorffennol, mae pobl wedi tueddu i gymryd gwasanaethau darparu yn ganiataol. Mae'r problemau â'r gwasanaethau hyn wedi ymwneud, ar y cyfan, â chynaliadwyedd y cyflenwad – er enghraifft, mae gorbysgota'n gallu arwain at ddiffyg stociau pysgod. Drwy ystyried asedau ecosystemau yn fwy eang, fel gwasanaethau rheoleiddio, diwylliannol a chynhaliol, mae'n bosibl gwerthfawrogi'r holl fanteision sy'n dod o gyfalaf naturiol. Mae gwerth ariannol y manteision hyn yn cael ei gydnabod yn fwy nag erioed. Drwy wneud hynny, mae'n bosibl cyfrifo cost unrhyw leihad mewn gwasanaeth penodol, yn ogystal â chost colli'r gwasanaeth yn gyfan gwbl. O ganlyniad, mae'n bosibl cymharu costau a manteision, sy'n golygu bod y broses o wneud penderfyniadau yn fwy cyfannol ac effeithiol.

Os nad yw'n bosibl defnyddio gwasanaeth ecosystem, er enghraifft gan fod ardal o forfa heli neu fangrof wedi ei cholli, yna mae colled a chost i fodau dynol. Gan nad oes morfa heli neu fangrof i amsugno egni'r tonnau, bydd llifogydd o'r môr yn fwy tebygol o ddigwydd a bydd hyn yn dod â chostau ychwanegol i unigolion ac i'r gymuned ehangach.

Drwy gydnabod pwysigrwydd gwasanaethau ecosystem, mae arbenigwyr bellach yn rhoi mwy o sylw i ganfod dulliau rheoli effeithiol. Mae Rheolaeth Integredig ar Barthau Arfordirol *(ICZM: Integrated Coastal Zone Management)* yn ddull sy'n pwysleisio bod angen rheoli'r amgylchedd ac anghenion dynol ar draws tirwedd gyfan (tudalen 191).

2 Olyniaeth ecolegol: morfeydd heli a thwyni tywod morol

▶ *Beth yw olyniaeth ecolegol a sut mae'n gweithredu?*

Yr enw ar y ddamcaniaeth bod llystyfiant yn newid o fewn ecosystem yw **olyniaeth planhigion**. Mae'n cynnwys nifer o **serau**, lle mae pob cymuned serol yn fwy cymhleth na'r un flaenorol. Mae olyniaeth y mathau o lystyfiant yn digwydd dros amser ac yn cynnwys y newidiadau canlynol:

- amgylchedd ffisegol sy'n dod yn fwy ffafriol, e.e. pridd, cyflenwad dŵr, cysgod
- cynnydd cadarnhaol o ran llifoedd egni a maetholion
- cynnydd mewn bioamrywiaeth
- cynnydd mewn **cynhyrchedd cynradd net (CCN)**.

Yn y pen draw, mae **cymuned uchafbwyntiol** yn ffurfio. Cyhyd ag y bydd yr amgylchedd ffisegol yn aros yn sefydlog, dylai'r gymuned uchafbwyntiol barhau yn ddiderfyn. Gan fod mwy o amrywiaeth o rywogaethau yn perthyn iddi, mae cymuned uchafbwyntiol yn gallu ei chynnal ei hun. Erbyn hyn, mae arbenigwyr yn cydnabod bod rhywfaint o newid yn debygol iawn a bod y term 'cymuned aeddfed' yn fwy addas. Mae'r term hwn yn cael ei ddefnyddio i ddisgrifio ecosystem lle mae adborth negyddol yn hollbwysig, gan ddangos bod y gymuned yn gallu ymdopi'n llwyddiannus â rhywfaint o straen – er enghraifft, clefyd sy'n effeithio ar rywogaeth benodol, neu gyfnod cyfyngedig o sychder.

Fodd bynnag, mae'n anodd iawn rhagweld unrhyw newid, ac mae natur ddynamig ecosystemau yn cael ei hystyried yn elfen bwysig. Mae tri ffactor yn berthnasol i newid o fewn ecosystem:

- **ffactorau awtogenig**
- **ffactorau alogenig**
- amser.

Mae'r syniad bod olyniaeth yn digwydd mewn dilyniant trefnus, ac yn dilyn trefn reolaidd mae'n bosibl ei rhagweld, yn awgrym twyllodrus o syml. Er bod llystyfiant mewn ardal yn gallu newid, mae arbenigwyr bellach o'r farn fod meddwl yng nghyd-destun 'mosaig' dynamig a chymhleth o blanhigion yn fwy realistig. Mae newid mewn llystyfiant yn gallu digwydd am amrywiaeth o resymau, nid yn sgil symud ymlaen o un cam serol i'r nesaf yn unig. Gallai planhigion aeddfed yn eu llawn dwf gael eu lladd, er enghraifft gan glefyd neu ysglyfaethwr, gan adael bylchau yn yr ecosystem lle gallai rhywogaethau eraill ddechrau cytrefu. Yn y pen draw, gall hyn arwain at ryw fath o newid cylchol, ond nid o reidrwydd y newid oedd wedi'i ragweld drwy olyniaeth. Mae tân – hynny yw, tân naturiol neu dân oherwydd gweithgareddau dynol (a allai fod yn ddamweiniol neu wedi'i gynnau ar bwrpas) – yn gallu amharu ar ecosystem yn ddifrifol. Mewn rhai ecosystemau, mae'n bosibl gweld erbyn hyn fod tân yn tarfu ar olyniaeth, ac mae cymuned oedd yn cael ei hystyried ar un adeg yn gymuned uchafbwyntiol yn troi'n ecosystem wedi'i haflonyddu sy'n bodoli fel cymuned is-uchafbwyntiol.

Yn hytrach na rhoi'r pwyslais ar olyniaeth ragweladwy, un ffordd realistig o ddisgrifio'r sefyllfa, yn syml iawn, yw trawsnewidiad di-dor a newid dynamig mewn llystyfiant.

Mathau o ecosystemau arfordirol

Dyma'r ddau brif fath o ecosystem sydd i'w cael yn y parth arfordirol: **hydroserau** a **seroserau**.

Mae'r cydrannau biotig sydd i'w cael yn y ddau fath o ecosystem, i ryw raddau, yn **haloffytig**.

TERMAU ALLWEDDOL

Cynhyrchedd cynradd net (CCN) Pa mor gyflym mae planhigion yn cronni egni ar ffurf defnydd organig, gan ystyried yr egni maen nhw'n ei ddefnyddio ar gyfer resbiradu.

Cymuned uchafbwyntiol Cymuned sy'n bodoli mewn cyflwr o ecwilibriwm, yn dibynnu ar amodau'r pridd a'r hinsawdd, ac sy'n gallu ei chynnal ei hun.

Ffactorau awtogenig Ffactorau mewnol yn yr ecosystemau fel defnydd planhigol yn pydru ac yn newid amodau'r pridd.

Ffactorau alogenig Ffactorau allanol i'r ecosystem fel newid hinsawdd neu weithgareddau dynol, e.e. effeithiau sathru.

Hydroserau Cymunedau sydd i'w cael mewn amodau gwlyb neu ddwrlawn, er enghraifft morfeydd a mangrofau.

Seroserau Cymunedau sydd i'w cael mewn amodau sych, er enghraifft twyni tywod.

Haloffytig Yn gallu goddef lefelau eithaf uchel o halen yn yr amgylchedd – rhywbeth sy'n wenwynig i anifeiliaid a phlanhigion daearol.

Mae ecosystemau arfordirol yn tueddu i fod yn amlwg mewn mannau lle mae gwaddod yn gallu cronni. Mewn lleoliadau fel hyn, mae planhigion bach iawn yn gallu tyfu ac yna gall elfennau eraill o weoedd a chadwyni bwyd ddatblygu. Ar yr olwg gyntaf, dydy moryd lleidiog neu res o fangrofau ar hyd arfordir ddim yn ymddangos yn arwyddocaol iawn yn ecolegol, ond mae'n bwysig cofio pa mor gynhyrchiol yw rhai o'r ecosystemau hyn. O safbwynt cynhyrchedd cynradd net, mae ecosystemau arfordirol ymhlith rhai o ecosystemau mwyaf cynhyrchiol y byd.

Ecosystem	CCN cyfartalog (g/m² y flwyddyn)
Morydau gan gynnwys morfa heli	1500
Mangrofau	1200
Riffiau cwrel	2000
Fforestydd glaw trofannol	2200
Tir wedi'i drin	650

▲ **Tabl 4.3** Cynhyrchedd cynradd net ar gyfer detholiad o ecosystemau

Mae'r ffigurau o amgylch y gwerthoedd cymedrig hyn yn amrywio'n fawr yn dibynnu ar yr amodau lleol, e.e. tymereddau cyfartalog a nifer yr oriau o olau haul. Fodd bynnag, mae pwysigrwydd ecosystemau arfordirol o ran eu perthynas â llifoedd egni yn amlwg.

Ffurfio morfeydd heli

Ar hyd llawer o arfordiroedd egni isel y lledredau canol, mae math o **haloser** yn datblygu, sef y morfa heli. Yn y parth rhynglanwol, mae'r ffactorau canlynol yn gosod cyfyngiadau llym ar allu planhigion i gytrefu:

- llanwau yn gorlifo'r tir ddwywaith y dydd
- lefelau uchel o halen
- gweithred y tonnau
- amodau gwyntog, agored.

Mae rhywogaethau morwellt, fel gwellt y gamlas (*Zostera* spp.), i'w gweld yn tyfu fel llifddol mewn dŵr bas, ychydig islaw y marc distyll. Mae **rhywogaethau arloesol**, fel y llyrlys (*Salicornia* spp.) a chordwellt (*Spartina* spp.), yn gallu goddef yr amodau caled o amgylch lefel y marc distyll. Mae coesynnau planhigion yn arafu llif y dŵr, sy'n annog gwaddod i setlo. Mae dyddodiad yn digwydd pan fydd llif y dŵr ar ei gyflymder arafaf, sef rhan isaf y gylchred llanw ac yn ystod y cyfnodau y naill ochr a'r llall i'r llanw uchel. Unwaith mae planhigion yn bresennol, mae dyddodiad yn digwydd yn fwy parhaus ac ar gyfradd gyflymach, ac mae uchder y morfa yn codi.

Proses clystyriad

Pan fydd gwaddod yn cronni mewn moryd, un broses ffisegol allweddol sy'n digwydd yw **clystyriad**. Mae'r gwaddodion lleiaf, clai a silt, yn cael eu trawsgludo mewn daliant, hyd yn oed pan fydd egni'r dŵr yn isel. Byddai dadl syml yn awgrymu eu bod nhw'n cael eu dyddodi mewn amgylcheddau egni tonnau isel, fel morydau (tudalen 78) – ceryntau sydd â mwy na digon o egni i gadw'r gronynnau bach iawn mewn daliant. Mae'r cyfnod o ddŵr llac (egni isel), o amgylch y llanw isel a'r llanw uchel, yn fyr fel arfer ac mae gwaddod silt a chlai yn cymryd amser hir

TERMAU ALLWEDDOL

Haloser Cymunedau sydd i'w cael mewn amodau lle mae lefelau halen yn uchel, er enghraifft morfeydd heli a mangrofau.

Planhigion neu **rywogaethau arloesol** Y cyntaf i gytrefu lleoliad. Maen nhw wedi addasu'n dda i oroesi amodau anfiotig llym.

Clystyriad Y broses lle mae clai a silt yn glynu wrth ei gilydd i ffurfio gronynnau mwy.

▲ **Ffigur 4.2** Cordwellt ar ddechrau mis Ebrill, Dorset

i setlo. Bydd symiau mawr o ddŵr yn symud i mewn i foryd ac allan ohono. Hefyd mae rhai morydau yn derbyn mewnbynnau sylweddol o egni tonnau.

Nid darnau mân o ronynnau mwy, fel tywod, yw gronynnau clai. Mae clai yn cael ei ffurfio gan broses gemegol hindreulio. Mae gan ronynnau clai wefr negyddol sy'n achosi i'r gronynnau unigol aros ar wahân mewn dŵr croyw. Wrth i glai fynd i mewn i foryd, mae ïonau sodiwm positif yn y dŵr hallt yn trechu'r grymoedd negyddol gwrthyrrol yn y gronynnau clai. Pan fydd gronynnau clai unigol yn dod yn agos, maen nhw'n clymu wrth ei gilydd i ffurfio croniadau mwy o'r enw **clystyrau**.

Yn ogystal â'r clystyriad electrocemegol hwn, mae clystyriad organig yn gallu digwydd hefyd. Mewn lleoliadau lle mae nifer o infertebratau, mae'r organebau hyn yn amlyncu gronynnau clai. Mae'r infertebratau, fel crancod a berdys, yn treulio unrhyw ddefnydd organig yn y clai ac yna'n ysgarthu pelenni sydd, i bob pwrpas, yn glystyrau clai. Mae'r clystyrau 'organig' hyn yn ddigon mawr i setlo a chael eu dyddodi.

🔑 **TERM ALLWEDDOL**

Clystyrau Croniadau sy'n cael eu ffurfio pan fydd gronynnau clai unigol yn glynu wrth ei gilydd.

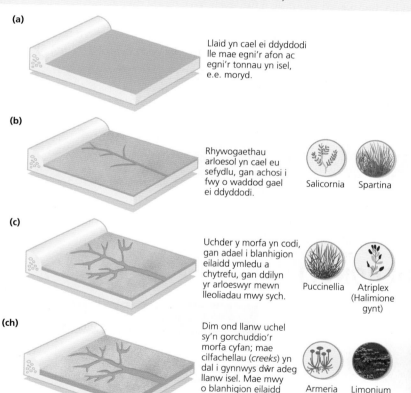

(a) Llaid yn cael ei ddyddodi lle mae egni'r afon ac egni'r tonnau yn isel, e.e. moryd.

(b) Rhywogaethau arloesol yn cael eu sefydlu, gan achosi i fwy o waddod gael ei ddyddodi.
Salicornia Spartina

(c) Uchder y morfa yn codi, gan adael i blanhigion eilaidd ymledu a chytrefu, gan ddilyn yr arloeswyr mewn lleoliadau mwy sych.
Puccinellia Atriplex (Halimione gynt)

(ch) Dim ond llanw uchel sy'n gorchuddio'r morfa cyfan; mae cilfachellau (creeks) yn dal i gynnwys dŵr adeg llanw isel. Mae mwy o blanhigion eilaidd yn ymledu a chytrefu lle mae'r amodau yn fwy sych ac yn llai hallt.
Armeria Limonium

(d) Ardaloedd mawr o'r morfa yn parhau'n sych heblaw pan fydd y llanw'n uchel iawn. Mae ecosystem rhan uchaf y morfa yn fwy daearol na morol.
Juncus

▲ **Ffigur 4.3** Olyniaeth morfa heli

▲ **Ffigur 4.4** Morfa heli adeg llanw isel yn gynnar ym mis Ebrill, Dorset; cordwellt yw'r rhywogaeth planhigyn drechol

Wrth symud yn uwch ar hyd y morfa, mae'r amodau'n newid – mae gwaddod yn aros yn sych am fwy o amser ac mae'n llai hallt. Mae cynnwys organig y morfa yn cynyddu gan fod planhigion yn dadelfennu. Mae'r amodau alcaliaidd yn rhannau is y morfa yn diflannu, ac mae'r pridd yn fwy asidig ymhellach i ffwrdd o'r parth rhynglanwol. O ganlyniad, mae rhywogaethau planhigion gwahanol yn gallu cytrefu, e.e. llygwyn llwydwyn (*Atriplex* spp.), gwellt y morfa (*Puccinellia* spp.), lafant y môr (*Limonium* spp.) a chlustog Fair (*Armeria* spp.). Wrth i ymlediad ac olyniaeth y rhywogaethau gwahanol barhau, mae'r morfa yn tyfu allan oddi wrth y lan (Ffigur 4.3). Bydd nodweddion yr ardal sydd bellaf oddi wrth y dŵr agored yn dod yn llai morol ac yn fwy daearol. Mae brwyn (*Juncus* spp.) yn cytrefu'r ardaloedd mwy gwlyb, yn ogystal â choed gwern (*Alnus* spp.), hyd nes y bydd coetir derw (*Quercus* spp.) yn ei sefydlu ei hun yn y pen draw. Mae organebau ar y tir (er enghraifft pryfed cop a phryfed sy'n hedfan) yn cytrefu neu'n ymweld yn aml â rhannau o'r morfa, ac mae mamolion fel cwningod yn defnyddio rhannau o'r morfa sy'n fwy sych. Yn y morfa rhynglanwol, rhywogaethau morol (crancod a physgod cregyn) yw'r rhywogaethau trechol. Drwy broses ymlediad ac olyniaeth, mae patrwm clir o lystyfiant yn rhedeg ar draws morfa heli aeddfed o'r dŵr agored i'r amgylchedd daearol (Ffigur 4.5).

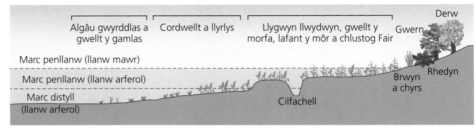

▲ **Ffigur 4.5** Trawstoriad cyffredinol ar draws morfa heli

Mae union olyniaeth y rhywogaethau yn amrywio o un lle i'r llall. Mae cyfuniadau gwahanol o blanhigion i'w cael ar draws y byd.

DADANSODDI A DEHONGLI

Astudiwch Tabl 4.4, sy'n dangos y gyfradd cronni net blynyddol ar gyfer detholiad o leoliadau morfa heli yng Nghymru a Lloegr.

Morfa heli	Cyfradd cronni net blynyddol (mm)
1	2.0
2	2.5
3	5.0
4	3.0
5	3.5
6	1.5
7	4.5
8	6.0
9	4.0
10	3.0
11	5.5
12	7.0
13	6.5

▶ **Tabl 4.4** Cyfraddau cronni morfeydd heli mewn detholiad o leoliadau yng Nghymru a Lloegr

(a) Cyfrifwch y cyfraddau cronni net cymedrig a chanolrifol ar gyfer y data sydd i'w gweld yn Nhabl 4.4.

CYNGOR

Mae dau ystadegyn i'w cyfrifo – mae'r ddau yn fesurau canolduedd sy'n rhoi trosolwg syml o'r set ddata. I gael y gwerth cymedrig (neu'r cyfartaledd), rhaid adio'r gwerthoedd data a'u rhannu â nifer yr eitemau o data, sef 13. Y canolrif yw gwerth canol y set ddata. Byddwch chi'n canfod hwn drwy roi'r data yn eu trefn restrol ac yna dod o hyd i'r gwerth canol yn y dilyniant. Mae'n bwysig gweithio'n fanwl gywir a dangos eich gwaith cyfrifo yn glir. Er nad oes llawer o farciau ar gael ar gyfer y cwestiwn hwn, byddai'n esgeulus colli'r marciau hyn drwy fod yn ddiofal. Nodwch eich ateb gan roi unedau'r ffigurau.

(b) Esboniwch sut mae olyniaeth planhigion yn ffurfio morfa heli.

CYNGOR

Mae'n bwysig eich bod chi'n dangos gwybodaeth fanwl a deallutwriaeth awdurdodol wrth drafod cysyniadau fel olyniaeth planhigion. Drwy ddechrau eich ateb â diffiniad clir a chywir, rydych chi'n dangos eich bod yn canolbwyntio ar y cwestiwn. Y cam nesaf yw creu cysylltiad pendant rhwng y broses a'r tirffurf/tirwedd, sef morfa heli yn yr achos hwn. Un agwedd allweddol ar olyniaeth yw ymlediad ac olyniaeth rhywogaethau planhigion gwahanol dros amser wrth i amodau ffisegol newid. Gan gychwyn gyda'r rhywogaethau arloesol, symudwch drwy'r dilyniant o newidiadau mae morfa heli'n mynd drwyddyn nhw o ran rhywogaethau ac amodau. Bydd cynnwys manylion fel enwau planhigion yn sicrhau bod eich ateb yn fwy argyhoeddiadol. Efallai byddai diagram wedi'i labelu'n dda yn cyfleu llawer o'ch gwybodaeth a'ch dealltwriaeth o'r broses.

(c) Awgrymwch beth yw cryfderau a gwendidau ystyried bod morfa heli yn system agored.

CYNGOR

Mae'r cwestiwn hwn yn fwy penagored na'r cwestiwn blaenorol ac mae gofyn i chi wneud asesiad. Byddai'n ddefnyddiol i chi sefydlu'n gynnar bod eich ateb wedi ei seilio ar ddealltwriaeth gadarn o beth yw system agored a sut mae'n gweithredu. Mae'n bosibl iawn y byddai diagram syml yn gwneud hynny'n effeithiol, yn enwedig os yw'r labelu'n defnyddio morfa heli i ddangos enghreifftiau o fewnbynnau (e.e. gwaddod mewn daliant, llanwau), storfeydd a phrosesau (e.e. gwaddod yn cronni, olyniaeth planhigion) ac allbynnau (e.e. tirffurfiau morfa heli, egni). Yr elfen allweddol yw cynnig eich safbwynt eich hun am fanteision ac anfanteision ystyried bod morfa heli yn system agored. Un fantais bwysig yw nodi sut mae newid i un rhan yn gallu effeithio ar bob rhan o'r system morfa heli. Er mwyn argyhoeddi'r darllenwr, gallwch chi awgrymu newidiadau posibl fel lefel y môr yn codi neu ostyngiad yn y cyflenwad gwaddod, ac yna dilynwch yr effeithiau gallai'r newidiadau hyn eu cael drwy'r system. Dylech chi ystyried yr anfanteision, er enghraifft pa mor anodd yw hi i sefydlu ffiniau ar gyfer systemau agored. Pa mor bell i'r mewndir mae'r system yn ymestyn o ran cyflenwad gwaddod? A ddylai system morfa heli sydd y tu ôl i dafod gynnwys y tafod ei hun?

Twyni morol

Mae twyni tywod arfordirol yn arwedd gyffredin ar hyd llawer o arfordiroedd y lledredau canol. Maen nhw'n datblygu uwchben lefel y llanw uchel ac yn gallu ymestyn 10 cilometr i'r mewndir. Mae rhai systemau twyni wedi'u ffurfio o gyfres o gefnenau a chafnau sy'n baralel i'r traethlin. Mewn systemau twyni eraill, mae'r drefn yn fwy cymhleth, ac mae'r cefnenau ar ongl sgwâr i'r môr neu'n plygu i ffwrdd oddi wrth y traeth. Mae uchder y cefnenau'n amrywio o 1–2 metr hyd at 30 metr. Dyma'r ffactorau sy'n ei gwneud hi'n fwy tebygol y bydd twyni arfordirol yn ffurfio:

- cyflenwad helaeth o dywod
- traeth graddiant isel

- gwyntoedd atraeth cryf
- ardal i'r mewndir o'r traeth lle mae twyni'n gallu datblygu
- llystyfiant i gytrefu'r twyni.

Y rhyngweithio rhwng buanedd y gwynt, llystyfiant a thrawsgludiad tywod

Proses neidiant, yn bennaf, sy'n gyfrifol am drawsgludiad tywod yn aeolaidd (tudalen 40). Ar y tir, mae hon yn broses egnïol gan fod y gronyn tywod sy'n disgyn yn cael mwy o effaith nag y mae mewn dŵr. Gall y gronynnau tywod gael eu dadleoli yn uchel uwchben yr arwyneb, weithiau mor uchel ag 1 metr. Mae cyflymder y gwynt yn cynyddu'n sylweddol uwchben yr arwyneb, felly mae gronynnau'n gallu cael eu trawsgludo'n rhwydd gyda'r gwynt. Unwaith mae gwaddod yn symud, mae cynnydd bach yng nghyflymder y gwynt yn cynhyrchu cynnydd mawr o ran trawsgludiad y tywod. Er enghraifft, os yw buanedd y gwynt yn cynyddu 25%, mae'r gyfradd trawsgludo gwaddod yn dyblu. Gall y gronynnau hefyd gael eu rholio dros arwyneb gwastad a llithro i lawr arwyneb sydd ar lethr.

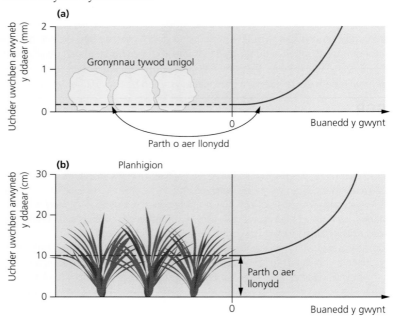

▲ **Ffigur 4.6** Buanedd y gwynt uwchben tywod noeth (a) ac arwyneb wedi'i orchuddio â llystyfiant (b); sylwch, mae'n bwysig gwerthfawrogi'r gwahaniaeth yng ngraddfa'r echelin *y* yn y ddau ddiagram

Mae buanedd y gwynt yn cynyddu'n gyflym wrth fynd yn uwch na'r man yn union uwchben arwyneb y tywod noeth. Oherwydd eu maint (maen nhw'n ymestyn allan uwchben y parth bach o aer llonydd ar yr arwyneb) a'u harwynebau garw, mae gronynnau tywod yn arbennig o agored i gael eu symud gan y gwynt.

Mewn ardal lle mae planhigion yn tyfu, mae'r parth o aer llonydd yn gallu ymestyn sawl centimetr uwchben yr arwyneb. Mae coesynnau planhigion a dail yn creu ffrithiant ag aer sy'n symud. Mae hyn yn gadael gwaddod ar yr arwyneb heb ei aflonyddu ac yn annog unrhyw waddod sy'n symud i gael ei ddyddodi (Ffigur 4.6).

Ffurfio twyni morol

Mae systemau twyni tywod morol yn enghreifftiau o dirffurfiau lle mae planhigion yn chwarae rhan bwysig. Mae ffurfiant, datblygiad a sefydlogrwydd twyni yn dibynnu i raddau helaeth ar blanhigion.

Fel arfer, mae twyni morol yn dechrau ffurfio ychydig uwchben marc penllanw y llanw mawr. Ar ochr gysgodol unrhyw rwystrau fel broc neu wymon, mae tywod yn gallu dechrau cronni gan fod buanedd y gwynt ychydig yn is. Gall hadau rhywogaethau arloesol egino yma. Mae eu dail a'u coesynnau yn arafu buanedd y gwynt ac mae eu gwreiddiau hefyd yn helpu i ddal a sefydlogi tywod. Mae egin-dwyni bach ac isel yn datblygu. Os bydd digon o dywod yn cronni, mae egin-dwyni cyfagos yn cyfuno i greu llinell o flaen-dwyni, tua 2 fetr o uchder, sy'n nodi cefn y traeth.

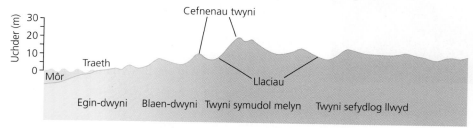

▲ **Ffigur 4.7** Trawstoriad ar draws system twyni gyffredinol

Wrth i blanhigion gytrefu'r blaen-dwyni, mae'r twyni hyn yn tyfu'n fertigol (hyd at tua 10 metr) ac o ran lled, gan ffurfio cefnen fawr. Mae buanedd y gwynt yn uwch ar yr ochr atwynt (tua'r môr) o gymharu â'r ochr gysgodol. Mae tywod yn cael ei drawsgludo i fyny a dros frig y gefnen ac yna'n cael ei ddyddodi ar lethr yr ochr gysgodol. Dros amser, mae pob twyn yn symud yn raddol i'r mewndir. Mae rhai twyni wedi symud ar gyfradd o hyd at 7 m y flwyddyn^{-1}.

Wrth i fwy o dywod gronni, yn aml bydd dilyniant o gefnenau paralel yn datblygu, sy'n golygu bod y system yn ymestyn i'r mewndir. Rhwng rhai cefnenau mae **llac** yn gallu ymddangos. Mae llaciau yn ffurfio mewn lleoliadau lle mae'r **lefel trwythiad** yn croestorri'r arwyneb. Mae'r lefel trwythiad yn symud yn fertigol yn dibynnu ar y cydbwysedd rhwng y mewnbynnau a'r allbynnau dŵr. Ar hyd arfordiroedd y lledredau canol, fel y DU a'r Iseldiroedd, mae'r gaeaf yn tueddu i fod yn fwy gwlyb na'r haf ac felly mae'r lefel trwythiad yn codi a gostwng yn dymhorol. Mae'n bosibl iawn y bydd llaciau yn sych yn ystod yr haf.

Mae'r termau *melyn* a *llwyd* yn cael eu defnyddio i ddisgrifio ardaloedd o system twyni, a hefyd y termau *symudol* a *sefydlog*. Mae'r termau hyn yn disgrifio newidiadau i'r system twyni wrth symud yn bellach oddi wrth y môr. Twyni symudol melyn yw'r twyni lle mae tywod yn parhau i gronni ar gefnenau. Ychydig iawn o gynnwys organig sydd ar yr haen uchaf felly mae'n lliw melyn yn bennaf. Mae llai o dywod yn cael ei chwythu ymhellach i'r mewndir ac felly mae'r dirwedd yn fwy llonydd. Gyda mwy o lystyfiant, mae pridd mwy datblygedig, lliw llwyd yn ffurfio sy'n cynnwys symiau uwch o **hwmws**. Mae lefelau uwch o hwmws yn golygu bod mwy o faetholion ar gael i

TERMAU ALLWEDDOL

Llaciau Pantiau sy'n ffurfio rhwng cefnenau twyni, sy'n aml yn cynnwys pyllau o ddŵr.

Lefel trwythiad Y ffin uchaf mewn creigiau rhwng amodau dirlawn ac annirlawn.

Hwmws Y defnydd organig yn y pridd sy'n ffurfio pan fydd planhigion ac anifeiliaid yn dadelfennu. Mae ei bresenoldeb yn gwella ffrwythlondeb y pridd ac yn helpu'r tir i ddal mwy o ddŵr.

blanhigion ac mae'r pridd yn gallu amsugno a storio mwy o ddŵr croyw ar ôl glawiadau. Yna, gall planhigion gwahanol eu sefydlu eu hunain.

Mae system twyni yn datblygu i gyfeiriad y môr o'r man lle cafodd ei ffurfio gyntaf. Y mwyaf yw'r pellter o'r môr, yr hynaf yw'r twyni. Felly, mae patrwm gofodol diddorol i'w weld ar dwyni sydd hefyd yn adlewyrchu newidiadau dros amser (Ffigur 4.7).

Chwythbantiau mewn system twyni – adborth cadarnhaol ar waith

Yng nghanol y cefnenau twyni melyn, weithiau mae **chwythbantiau** i'w gweld (Ffigur 4.8).

▲ **Ffigur 4.8** Chwythbant mewn twyn, Sandscale, Cumbria

Maen nhw'n dechrau ffurfio pan fydd y twyni yn colli symiau sylweddol o lystyfiant, er enghraifft oherwydd:

- gweithgarwch anifeiliaid, fel tyllau cwningod
- gweithgaredd y tonnau, er enghraifft cyfuniad o donnau storm a llanw arbennig o uchel
- gweithgareddau dynol, er enghraifft pobl yn sathru llystyfiant drwy gerdded, marchogaeth, neu yrru cerbydau.

Yna mae'r gwynt yn tynnu'r tywod drwy broses **dadchwythiad** gan nad oes llystyfiant yno i sefydlogi'r tir.

(a) Dadchwythiad yn dechrau

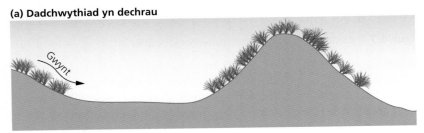

Gwynt

(b) Chwythbant yn datblygu

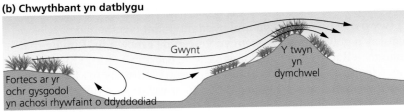

Gwynt

Y twyn yn dymchwel

Fortecs ar yr ochr gysgodol yn achosi rhywfaint o ddyddodiad

(c) Dadchwythiad yn dod i ben

Gwynt yn chwythu dros y brig, gan achosi i dywod symud dros gefnen y twyn a symud i lawr y llethr

Yr ochr atwynt yn mynd yn ansefydlog

Dadchwythiad yn stopio pan fydd lefel trwythiad wedi'i gyrraedd neu pan fydd gwaddod mwy yn ymddangos

▲ **Ffigur 4.9** Sut mae chwythbantiau yn ffurfio

Unwaith mae'r tywod noeth wedi'i ddadorchuddio, mae llif y gwynt yn creu ceudod sy'n dyfnhau, gan drawsgludo tywod i'r mewndir. Wrth i'r llethr ar yr ochr atwynt fynd yn fwy serth, mae'r gwynt yn tynnu mwy a mwy o dywod oddi yno. Mae gwreiddiau'r llystyfiant yn colli eu gafael sy'n golygu bod mwy o'r tywod yn agored i'r gwynt ac yn chwythu ymhellach i'r mewndir.

Yn y pen draw, mae dadchwythiad yn dod i ben. Os bydd y dŵr yn cyrraedd y lefel trwythiad, bydd y tywod yn rhy wlyb i gael ei godi. Fel arall, mae'n bosibl y bydd gwaddod mwy bras o dan y tywod sy'n rhy drwm i gael ei godi gan y gwynt (Ffigur 4.9).

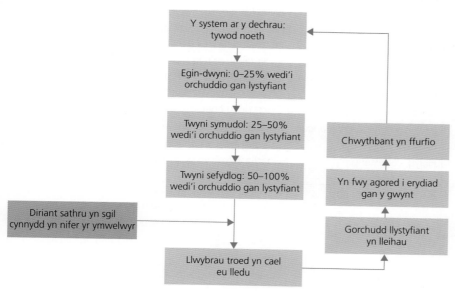

▲ **Ffigur 4.10** Mecanweithiau adborth mewn system twyni

Gallai'r diriant ddigwydd mewn unrhyw leoliad yn y system twyni. Lle bynnag mae'n digwydd, mae'r system yn addasu, ac yn dibynnu pa mor ddifrifol yw'r aflonyddu, gallai mecanweithiau adborth gwahanol weithredu (Ffigur 4.10).

Ecoleg twyni morol

Mae traeth yn amgylchedd anodd iawn i blanhigion. Mae'r rhywogaethau sy'n llwyddo i sefydlu yno wedi'u haddasu i oresgyn ffactorau fel:

- prinder dŵr ffres
- pridd sy'n gallu dal ychydig iawn o ddŵr yn unig
- arwyneb tir symudol – tywod
- lefelau uchel o halen
- bod yn agored i wyntoedd cryf a pharhaus
- tymereddau arwyneb **dyddiol** eithafol
- lefelau isel o faetholion.

Mae'r planhigion arloesol sy'n llwyddo i gytrefu egin-dwyni a'r planhigion trechol ar gefnenau twyni eraill yn rhywogaethau gwydn sydd ag amrywiaeth o addasiadau. Mae nifer o rywogaethau yn haloffytau, ond maen nhw hefyd yn **seroffytau**.

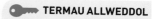

TERMAU ALLWEDDOL

Dyddiol Rhywbeth sy'n digwydd dros gyfnod o 24 awr.

Seroffytau Planhigion sydd wedi addasu i oroesi mewn amgylcheddau sych.

Lleoliad yn y system twyni	Planhigion nodweddiadol	Addasiadau
Egin-dwyni	Helys – *Salsola kali*	Suddlon
	Taglys arfor – *Calystegia soldanella*	Yn ymgripio ar hyd arwyneb; yn ymwreiddio'n hawdd o'r coesynnau sy'n cyffwrdd â'r arwyneb
Blaen-dwyni	Marchwellt y twyni – *Agropyron junceiforme*	Yn lledaenu ar hyd rhisomau tanddaearol; dail cul; yn cael ei beillio gan y gwynt
	Llaethlys y môr – *Euphorbia paralias*	Suddlon; yn lledaenu ar hyd rhisomau tanddaearol
Twyni melyn	Moresg – *Ammophilia arenaria*	Gwreiddiau hir; yn lledaenu ar hyd rhisomau tanddaearol; dail cul sy'n cyrlio; gwrymiau ar arwyneb y dail
	Dant y llew – *Taraxacum officinale*	Prif wreiddyn hir; rosét dail yn tyfu'n isel; hadau'n cael eu gwasgaru yn y gwynt
Twyni llwyd	Peiswellt coch – *Festuca rubra*	Yn lledaenu ar hyd rhisomau tanddaearol; dail cul; yn cael ei beillio gan y gwynt
	Eithin – *Ulex* spp.	Wedi ei orchuddio â drain; yn aildyfu os yw'n llosgi
	Grug – *Calluna* spp.	Coesynnau coediog; yn aildyfu os yw'n llosgi
Llaciau	Brwyn – rhywogaeth *Juncus*	Yn goddef pridd dwrlawn
	Gwern – *Alnus* spp.	Coeden fach: yn goddef pridd dwrlawn
	Helyg – *Salix* spp.	Coed a llwyni; yn goddef pridd dwrlawn; system gwreiddiau eang
Prysg twyni	Bedwen – *Betula* spp.	Coeden; rhywogaeth arloesol sy'n goddef priddoedd ysgafn, asidig sy'n draenio'n dda
	Mieri – *Rubus* spp.	Llwyn; gwreiddiau hir sy'n cynhyrchu llawer o gyffion
Coetir	Pinwydd – *Pinus* spp.	Coeden; yn goddef priddoedd ysgafn, asidig sy'n draenio'n dda
	Derw – *Quercus* spp.	Coeden; rhywogaeth uchafbwyntiol

▲ **Tabl 4.5** Planhigion twyni: eu lleoliadau a'u haddasiadau

⚷ TERM ALLWEDDOL

Rhisomau Coesynnau sy'n rhedeg o dan y ddaear sy'n tyfu cyffion a gwreiddiau.

▶ **Ffigur 4.11** Moresg tua 1.5 metr o daldra ym mis Medi, Dawlish Warren, Dyfnaint

Mae'r addasiadau sydd wedi caniatáu i blanhigion gytrefu a llwyddo mewn gwahanol leoliadau yn y system twyni yn arwyddocaol iawn. Er enghraifft, mae rôl y gwynt o ran peillio yn bwysig. Gan fod y gwyntoedd yn symud yn eithaf cyflym, byddai unrhyw arogl i ddenu pryfed yn cael ei wasgaru yn sydyn iawn, gan olygu na fyddai blodyn yn gallu denu'r pryfyn. Rhaid i lystyfiant y llac oroesi cyfnodau estynedig pan fydd y tir yn ddwrlawn.

Efallai mai'r rhywogaeth allweddol yw'r moresg. Mae rôl y moresg yn hanfodol o ran sefydlogi'r twyni melyn, a phan fydd cyflenwad y tywod yn dod i ben, bydd y moresg yn marw. Mae angen i gyflenwadau ffres o dywod gronni ar yr arwyneb, a thrwy hyn bydd y moresg yn parhau i dyfu'n llorweddol ac yn fertigol drwy'r tywod. Gall rhisomau moresg ledaenu hyd at 2 fetr y flwyddyn.

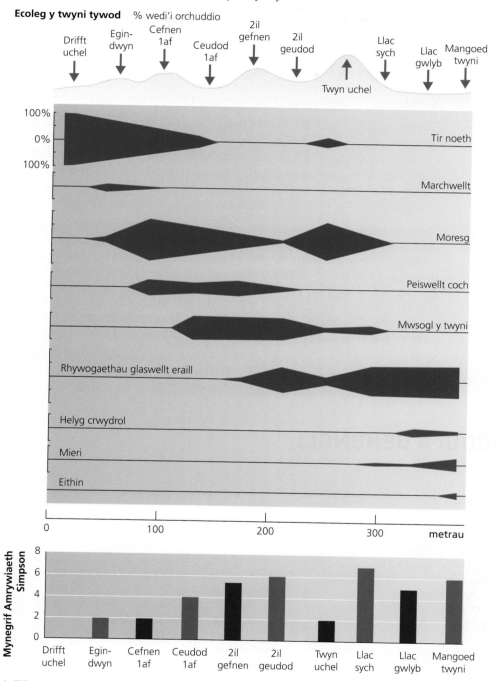

▲ **Ffigur 4.12** Diagram barcud sy'n dangos amrywiadau o ran gorchudd llystyfiant, a graff bar sy'n dangos lefelau amrywiaeth ar draws system twyni tywod, Morfa Harlech, Gogledd Cymru

TERM ALLWEDDOL

Cylchfäedd Y ffiniau gofodol sy'n perthyn i unedau ecolegol.

Mae **cylchfäedd** yn elfen amlwg sy'n bresennol mewn llawer o systemau twyni morol a morfeydd heli. Mae cyfres o unedau ecolegol gwahanol, pob un fwy neu lai'n baralel i'r lan yn achos twyni, yn ymestyn i'r mewndir o'r traeth. Ym mhob dilyniant o dwyni, llaciau, prysg a choetir, mae cyfuniad nodweddiadol ac unigryw o blanhigion, pryfed ac anifeiliaid (Ffigur 4.12). Mae'r un peth yn wir am forfa heli. Mae faint o ddŵr sy'n gorchuddio rhan benodol o forfa heli, ac am ba hyd, yn dibynnu ar bellter y rhan honno oddi wrth ddŵr agored, ac mae hyn yn effeithio ar ba blanhigion sy'n tyfu yno. Yn y ddwy ecosystem, mae'r trawsnewidiad o rywogaethau haloffytig i blanhigion sy'n methu goddef halen yn gallu bod yn drawiadol.

Fodd bynnag, mae'r ffaith bod cilfachau a chilfachellau yn llifo drwy'r morfa yn cymhlethu'r patrwm cylchfäedd. Mae eu presenoldeb yn golygu bod dŵr dyfnach i'w gael yn amlach ac yn fwy rheolaidd mewn rhannau o'r morfa sydd bellter oddi wrth ddŵr agored. Gall coridorau o blanhigion dorri drwy ffiniau clir y parthau – byddai'r planhigion hyn, e.e. gwellt y gamlas a llyrlys, fel arfer i'w cael mewn ardaloedd sy'n agosach at ddŵr agored.

Mae patrymau gwirioneddol llystyfiant mewn system twyni tywod yn gallu cymylu ffiniau cylchfäedd hefyd. Mae sawl ffactor yn gallu amharu ar batrwm cylchfäedd – er enghraifft, chwythbantiau, erydiad tonnau sy'n tynnu egin-dwyni, ac ymyriadau dynol fel cyrsiau golff neu amaethyddiaeth. Yn achlysurol, gall digwyddiadau unigryw aflonyddu ar brosesau a phatrymau naturiol. Cafodd gweithgareddau milwrol yr Ail Ryfel Byd effaith ddifrifol ar y system twyni ar benrhyn Studland yn Dorset. Roedd milwyr y Cynghreiriaid yn ymarfer glanio o'r môr yno wrth baratoi i oresgyn Normandie ar D-Day.

Mae cylchfäedd (amrywiaeth gofodol) yn wahanol i olyniaeth (newid dros amser). Fodd bynnag, drwy ymchwilio i'r newidiadau ar draws system twyni neu forfa heli, mae'n bosibl deall cylchfäedd ac olyniaeth.

DADANSODDI A DEHONGLI

(a) Esboniwch olyniaeth fel cysyniad yng nghyd-destun ecosystemau.

CYNGOR

Mae disgwyl i chi ddangos gwybodaeth fanwl a dealltwriaeth awdurdodol wrth drafod y cysyniadau a'r prosesau sy'n berthnasol i unrhyw destun rydych chi'n ei astudio. Gan fod llystyfiant yn chwarae rôl mor bwysig mewn ecosystemau twyni morol, mae olyniaeth yn gysyniad pwysig. Os bydd ecosystem yn dechrau mewn lleoliad sydd heb gael ei gytrefu gan unrhyw organebau o'r blaen, er enghraifft tywod noeth, yr enw ar hyn yw olyniaeth gynradd. Pan fydd olyniaeth yn digwydd mewn ardal sydd wedi cael ei chytrefu o'r blaen, er enghraifft yn dilyn tân, yr enw ar hyn yw olyniaeth eilaidd. Mae olyniaeth yn disgrifio'r newidiadau graddol sy'n digwydd mewn ecosystem. Mae planhigion yn ymledu pan maen nhw'n gallu ymdopi â'r amodau, ac wrth i olyniaeth barhau, mae'r amodau amgylcheddol, fel y math o bridd, yn newid. Yna, gall organebau gwahanol ymledu ac olynu yn y lleoliad. Os nad yw unrhyw beth yn tarfu arnyn nhw, mae'r olyniaeth yn gallu arwain at sefydlu cymuned uchafbwyntiol neu aeddfed o organebau.

Astudiwch Ffigur 4.13 sy'n dangos newidiadau o ran gorchudd llystyfiant a nifer y rhywogaethau planhigion ar hyd trawslun drwy system twyni morol.

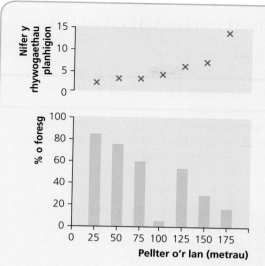

◀ **Ffigur 4.13** Newidiadau o ran gorchudd llystyfiant a nifer y rhywogaethau planhigion ar hyd trawslun drwy system twyni morol

(b) Gan gyfeirio at Ffigur 4.13, esboniwch sut mae'r pellter o'r lan yn dylanwadu ar batrwm nifer y rhywogaethau.

CYNGOR

Wrth ddadansoddi a dehongli unrhyw set o ddata, un dull posibl yw cynnig y darlun neu'r duedd gyffredinol, ac yna canolbwyntio ar unrhyw fanylion diddorol. Drwy gynnig crynodeb, rydych chi'n dangos eich bod yn gallu tynnu'r data at ei gilydd i lunio safbwynt rhesymegol. Yn yr enghraifft hon, wrth i'r pellter o'r lan gynyddu, mae nifer y rhywogaethau planhigion hefyd yn cynyddu – perthynas bositif. Gallwn ni weld dylanwad hyn wrth i'r amodau amgylcheddol newid wrth symud yn bellach i'r mewndir ar hyd y trawslun. Mae dylanwad uniongyrchol y môr (e.e. effaith ewyn halen) yn lleihau, mae buanedd y gwynt yn gostwng ac mae nifer o newidiadau'n digwydd yn y pridd. Mae lefelau uwch o ddefnydd organig yn cronni yn y pridd – oherwydd hyn, gall y pridd ddal mwy o ddŵr croyw ac mae'r pH yn llai alcalïaidd. Mae'r holl newidiadau hyn yn arwain at gynnydd yn amrywiaeth y planhigion sy'n tyfu yno.

(c) Gan gyfeirio at Ffigur 4.13, awgrymwch pam mae canran y gorchudd moresg ar draws y system twyni yn amrywio.

CYNGOR

Moresg (*Ammophilia arenaria*) yw un o'r rhywogaethau pwysicaf, os nad y rhywogaeth bwysicaf, ymhlith y planhigion mewn ecosystem twyni morol. Mae'n blanhigyn cytrefu eilaidd sy'n wydn iawn, ac mae'n caniatáu i'r system twyni ddechrau datblygu go iawn. Mae canrannau uchel o foresg i'w gweld yn rhannau blaen y system twyni, a'r rheswm dros hyn yw bod y planhigyn hwn yn methu â chytrefu llawer o dir heblaw am dywod noeth. Yn wir, os nad oes tywod ffres yn chwythu ar y planhigyn, mae'r moresg yn marw. Mae'r ffaith ei fod yn gallu tyfu i fyny'n syth a lledaenu drwy ei risomau yn golygu ei fod yn gallu ffynnu yn y blaen-dwyni a'r twyni melyn. Wrth symud ymhellach i'r mewndir ar hyd y trawslun, mae'r tywod yn mynd yn fwy sefydlog a'r pridd yn mynd yn fwy datblygedig. Mae hyn yn golygu bod planhigion eraill heblaw'r moresg yn gallu cytrefu a newid yr amodau hyd yn oed ymhellach. Prin iawn yw'r moresg sy'n tyfu 100 metr o'r lan, ac mae'n debyg mai'r rheswm dros hyn yw mai llac yw'r lleoliad hwn. Dydy nifer y rhywogaethau ddim wedi lleihau, ac mae hynny'n awgrymu bod planhigion fel gwern, helyg a brwyn wedi sefydlu yn yr ardal hon. Mae'r ychydig blanhigion moresg sy'n weddill siŵr o fod yn goroesi yn y lleoliadau mwyaf sych, ar ymylon eithaf y llac. Dehongliad arall efallai yw bod chwythbant yn y lleoliad hwn. Gallai hynny esbonio'r canran isel o foresg ond nid nifer y rhywogaethau gan fod chwythbant yn cynnwys tywod noeth yn bennaf ac ychydig iawn o lystyfiant.

③ Ecosystemau mangrofau a riffiau cwrel

▶ *Sut mae mangrofau a riffiau cwrel yn cyfrannu at y parth arfordirol?*

Diolch i'r heulwen dwys a'r tymereddau uchel sydd i'w cael yno, mae rhanbarth y trofannau yn cynnig amodau delfrydol lle gall ecosystemau arfordirol amrywiol a hynod gynhyrchiol ddatblygu.

Mangrofau

Mae mangrofau yn grŵp o rywogaethau coed sy'n gallu goddef lefelau eithaf uchel o ddŵr heli. Maen nhw'n amrywio o lwyni estynedig i goed sy'n gallu cyrraedd uchder o 60 metr. Pan fydd y coed hyn yn gorchuddio ardaloedd estynedig, mae fforestydd mangrof yn datblygu. Maen nhw'n tyfu mewn un man penodol ar y Ddaear, sef parth y naill ochr neu'r llall i'r Cyhydedd hyd at tua lledred 30°, gan nad ydyn nhw'n goddef rhew. Mae llawer o fangrofau yn tyfu gwreiddiau awyrol niferus sy'n dod allan o'r boncyff uwchben y llaid. Pwrpas y gwreiddiau hyn yw angori'r goeden a'i helpu i ddal gwaddod. Mae'r gwreiddiau awyrol hefyd yn helpu i gael mwy o ocsigen gan nad oes llawer ar gael yn y gwaddod dwrlawn o amgylch y gwreiddiau.

Mae fforestydd mangrof yn tyfu mewn tri math o leoliad fel arfer, sef:

- ardaloedd afonol yn bennaf fel deltâu, er enghraifft delta Afon Niger, Gorllewin Affrica; delta Afon Mekong, De-ddwyrain Asia
- ardaloedd llanw yn bennaf fel morydau, er enghraifft Tiriogaeth y Gogledd, Awstralia
- ynysoedd riffiau cwrel, er enghraifft Grand Cayman, yr Antilles Mwyaf.

Fel arfer, does dim olyniaeth bendant o ran y llystyfiant mewn fforestydd mangrof, ond mae rhywogaethau gwahanol yn cytrefu mathau gwahanol o leoliadau yn y delta neu'r foryd. Mae mangrofau yn ecosystem amrywiol gyda lefel uchel o gynhyrchedd cynradd net (CCN). Yn debyg i forfeydd heli ar ledredau uwch, mae mangrofau yn gweithredu fel meithrinfeydd i nifer o rywogaethau pysgod ac

▲ **Ffigur 4.14** Rhes o fangrofau ar hyd cilfach llanw, Ynys Okinawa, y Cefnfor Tawel

infertebratau. Y prif wahaniaeth rhwng mangrofau a morfeydd heli yw bod cyfran y biomas uwchben lefel y dŵr yn llawer uwch mewn fforestydd mangrof.

Mae mangrofau'n gweithredu fel rhwystr, i bob pwrpas, sy'n amsugno egni tonnau ac felly'n amddiffyn y lan rhag erydiad. Mae rhai mangrofau wedi gwrthsefyll ymchwyddiadau storm o hyd at 2 fetr a gwyntoedd 150 km/awr. Ond, maen nhw'n tueddu i gael eu dinistrio gan stormydd trofannol eithafol a tswnamïau. Pan fydd mangrofau yn cael eu difa, naill ai'n naturiol neu oherwydd gweithgareddau dynol, mae'n achosi mwy o risg i'r parth arfordirol (tudalennau 132–4).

Riffiau cwrel

Polypiaid morol yw cwrelau. Anifeiliaid siâp coden yw polypiaid, sydd fel arfer ond ychydig filimetrau o ran diamedr ac ychydig gentimetrau o hyd. Maen nhw'n secretu sgerbwd amddiffynnol o'u hamgylch eu hunain sydd wedi ei wneud o galsiwm carbonad ($CaCO_3$). Bydd rhai cwrelau yn dal eu bwyd gan ddefnyddio tentaclau bach sy'n pigo. I gael maeth, mae'r mwyafrif yn dibynnu ar berthynas **symbiotig** ag algâu microsgopig o'r enw zooxanthellae. Mae'r algâu hyn yn rhyddhau maetholion drwy ffotosynthesis, ac mae'r polypiaid yn bwydo ar y maetholion hyn. Gan eu bod yn darparu maetholion i'r polypiaid, mae'r algâu yn gallu cysgodi yn y sgerbwd cwrel caled a chael rhywfaint o fwynau o'r cwrel. Mae'r algâu yn cynnwys pigmentau sy'n rhoi'r lliw i'r cwrel.

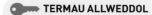

Cwrelau dŵr oer

Diolch i ddatblygiadau technolegol mewn archwiliadau dŵr dwfn dros y ddau ddegawd diwethaf (e.e. cerbydau tanddwr gyda phobl ynddyn nhw neu wedi eu rheoli o bell), mae arbenigwyr wedi canfod sawl peth newydd am fioamrywiaeth y môr. Un o'r canfyddiadau mwyaf diddorol oedd y ffaith bod cwrelau'n ffynnu mewn amgylcheddau dŵr dwfn ac oer. Ar ddyfnder o hyd at 6000 metr, mae cwrelau dŵr dwfn wedi bod yn ffynnu mewn lleoliadau ar hyd arfordir cyfan gogledd-orllewin Ewrop (e.e. Tomenni Darwin oddi ar arfordir gogledd-orllewin yr Alban), o amgylch Awstralia, Seland Newydd a Japan, ac ar hyd arfordiroedd gorllewinol a dwyreiniol UDA. Mae cwrelau i'w cael oddi ar arfordir Antarctica hyd yn oed. Mewn profion DNA i wahaniaethu rhwng y rhywogaethau, hyd yn hyn mae tua 3300 o rywogaethau wedi'u canfod, ac mae'r nifer yn dal i gynyddu.

Maen nhw'n byw heb unrhyw olau haul, felly does dim algâu ganddyn nhw, ac maen nhw'n cael eu hegni a'u maetholion drwy ddal organebau bach mewn ceryntau sy'n pasio. Mae gwaith ymchwil hefyd wedi dangos bod y cymunedau cwrel hyn yn hen iawn – yn ôl yr amcangyfrifon, mae'r hynaf yn 3000–4000 mlwydd oed. O ran eu maint, maen nhw'n amrywio o bolypiaid unigol, maint gronyn reis, i gytrefi sy'n cyrraedd uchder o 10 metr a rhai cymunedau riff sy'n ymestyn am tua 40 cilometr ar hyd gwely'r môr.

Gan eu bod yn byw mor ddwfn yn y cefnfor, byddai'n hawdd tybio nad yw cwrelau dŵr oer yn cynnig rhyw lawer o ran gwasanaeth ecosystem. Mewn gwirionedd, maen nhw'n gynefinoedd pwysig i ystod eang o organebau fel cramenogion a physgod. Yn ogystal â chynnal bioamrywiaeth, mae'r cwrelau hyn yn fannau bridio ar gyfer rhywogaethau sy'n bwysig yn fasnachol fel yr honos ac amrywiol aelodau o'r teulu pysgod coch.

Cwrelau dŵr cynnes

Dyma'r cwrelau mae'r rhan fwyaf o bobl yn meddwl amdanyn nhw, sy'n tyfu ar draws yr un lledredau â mangrofau, hyd at tua 30° y naill ochr neu'r llall i'r Cyhydedd. Er mwyn ffynnu, mae cwrelau trofannol yn dibynnu ar amodau amgylcheddol penodol, sef:

- tymheredd – tymheredd dŵr blynyddol cymedrig heb fod yn llai nag 18°C, yn ddelfrydol tua 26°C
- dyfnder dŵr – 25 metr neu'n llai, ond mae cwrelau'n marw os ydyn nhw'n agored i'r aer yn rhy hir, felly maen nhw ond yn ymestyn i fyny hyd at lefel y llanw isel
- halwynedd – mae cwrelau angen lefelau halwynedd >30 000–32 000 rhan am bob miliwn (*ppm*)
- golau – mae angen golau ar yr algâu zooxanthellae ar gyfer ffotosynthesis
- dŵr clir – mae presenoldeb gwaddod yn golygu bod llai o olau ar gael; gall hefyd rwystro tiwbiau bwydo'r cwrel
- gweithred y tonnau – mae angen llawer o ocsigen yn y dŵr felly mae ychydig o gynnwrf yn y dŵr yn fuddiol, ond nid gormod gan y gallai'r tonnau niweidio'r cwrel yn ffisegol

Mathau o riffiau cwrel trofannol

Mae arbenigwyr wedi canfod pedwar math o riff (Tabl 4.6).

Math o riff	Nodweddion
Ymylriff	Yn datblygu o forlin, yn aml wedi'u hamddiffyn gan farynys
Barriff	Yn datblygu yn baralel i'r lan, weithiau wedi'u lleoli bellter sylweddol oddi wrth y lan. Yn tueddu i fod yn strwythurau mawr gan eu bod yn eithaf llydan a pharhaus yn eu hyd llinol
Atol	Yn codi o sylfeini folcanig o dan y dŵr. Yn aml maen nhw'n siâp cylch gyda lagŵn yn y canol
Clwt	Riffiau bach sy'n datblygu rhwng y tir a'r barriffiau, neu mewn lagynau

▲ **Tabl 4.6** Mathau o riffiau cwrel

Mae nifer o ddamcaniaethau gwahanol wedi cael eu cynnig am darddiad riffiau. Gan fod amrywiaeth o riffiau'n bodoli, mae'n debyg nad oes un ddamcaniaeth sy'n gallu esbonio tarddiad pob riff. Yn debyg i rai tirffurfiau arfordirol eraill, mae digwyddiadau'r gorffennol, fel newidiadau yn lefel y môr, wedi chwarae rhan bwysig.

Nid yw riffiau yn dilyn yr un math o olyniaeth ag sydd i'w gweld mewn morfeydd heli a thwyni tywod, ond mae patrwm clir o gylchfäedd i'w weld mewn rhai riffiau. Mae rhywogaethau cwrel gwahanol yn ffafrio cynefinoedd gwahanol yn adeiledd y riff, gan ddibynnu ar yr egni tonnau, tymheredd y dŵr a'r lefelau golau sydd i'w cael yn y man penodol hwnnw. Gan fod cymaint o amrywiaeth o ran mathau o gwrel, mae llawer o **fioamrywiaeth** i'w chael mewn riffiau.

▲ **Ffigur 4.15** Ecosystem riffiau cwrel iach gyda lefel uchel o fioamrywiaeth, Gwlad Thai

ASTUDIAETH ACHOS GYFOES: Y BARRIFF MAWR

Mae strwythur llinol enfawr sy'n cynnwys riffiau cwrel, **caion** (cays), ynysoedd mawr a lagynau, yn ymestyn 2300 o gilometrau ar hyd arfordir dwyreiniol Awstralia, gan orchuddio arwynebedd o 344 000 km². Gan fod gwerth naturiol y Riff mor eithriadol, mae ganddo statws fel Parc Morol sydd wedi'i ddiogelu gan Awstralia, ac yn fwy diweddar cafodd ei restru hefyd yn lleoliad Treftadaeth y Byd gan Sefydliad Addysg, Gwyddoniaeth a Diwylliant y Cenhedloedd Unedig (UNESCO). Dyma gasgliad mwyaf y byd o riffiau cwrel sy'n cynnwys 400 math gwahanol o gwrel, 1600 o rywogaethau pysgod a 4000 o rywogaethau molysgiaid. Yn ogystal, mae'n gartref i lawer o rywogaethau adar, amffibiaid a mamolion sy'n dibynnu ar y Riff fel cynefin – er enghraifft, y dwgong (neu'r morfuwch) a'r môr-grwban gwyrdd mawr, dwy rywogaeth sydd mewn perygl o ddiflannu.

Y rheswm pam mae cymaint o amrywiaeth yn y Riff yw ei fod wedi esblygu dros filenia. Mae wedi cael ei ddadorchuddio a'i orlifo yn sgil newidiadau yn lefel y môr sy'n gysylltiedig â chylchredau rhewlifol/rhyngrewlifol (tudalennau 117–9). Yn ystod y cyfnodau rhewlifol, gostyngodd lefel y môr gan olygu bod y riffiau, oedd wedi'u dadorchuddio i adael bryniau calchfaen â brig gwastad, yn profi treuliant isawyrol. Roedd afonydd yn troelli rhwng y bryniau ac roedd y morlin ymhellach i'r dwyrain. Yn ystod y cyfnodau rhyngrewlifol, cododd lefel y môr i greu ynysoedd gan olygu bod y cwrel yn gallu tyfu am gyfnodau. Mae'r Riff heddiw wedi bod yn tyfu ers 15 000 o flynyddoedd, sy'n golygu bod bioamrywiaeth unigryw wedi datblygu.

Er bod ei statws fel Safle Treftadaeth y Byd a Pharc Morol yn ei ddiogelu rywfaint, mae pobl yn defnyddio'r Riff am nifer o resymau, ac mae amrediad o weithgareddau hamdden a masnachol yn digwydd yno. Oherwydd hyn, mae'r gwaith o reoli'r Riff yn gymhleth gan fod nifer o gyfranogwyr (rhanddeiliaid) yn rhan o'r broses, ac mae gan bawb flaenoriaethau a barn wahanol wrth drafod agwedd benodol ar y Riff.

Mae **UNESCO** wedi rhoi'r Barriff Mawr ar Restr Treftadaeth y Byd, gan ysbrydoli cyfranogwyr eraill i'w warchod

Cafodd **Sefydliad y Barriff Mawr** ei sefydlu mewn ymateb i apêl gan *UNESCO* a oedd yn gofyn i bobl godi arian i warchod safleoedd treftadaeth

Mae'r **cyfryngau byd-eang** yn codi ymwybyddiaeth o'r ffaith bod angen gwarchod y Riff: cafodd cyfres am y Riff ei ffilmio gan y BBC yn 2015

Mae'r **cyfranogwyr** (rhanddeiliaid) i'w cael mewn **lleoedd** amrywiol ac mae eu **maint** yn amrywio. Mae'r **grym** i weithredu – ac i gyflawni newid – wedi ei rannu rhwng y **rhwydwaith cydgysylltiedig** hwn o gyfranogwyr. Bydd y newidiadau mwyaf effeithiol yn digwydd pan fydd cyfranogwyr yn cydweithio mewn **partneriaeth**

Mae **diwydiannau twristiaeth** a gweithwyr yn rhoi pwysau ar y llywodraeth i sicrhau bod y Riff yn cael ei reoli mewn ffordd gynaliadwy er mwyn cael manteision amgylcheddol, economaidd a chymdeithasol yn y tymor hir

Yn 2016, gwnaeth **Llywodraeth Awstralia** addo gwario £600 miliwn i wella ansawdd y dŵr o amgylch y Riff

Mae **Prifysgolion Awstralia**, gan gynnwys y Sefydliad Gwyddor Forol a Phrifysgol James Cook, yn ymchwilio i'r ffyrdd gorau o warchod y Riff

▲ **Ffigur 4.16** Rhwydwaith y cyfranogwyr sy'n rhan o'r gwaith o reoli'r Barriff Mawr

Er gwaetha'r holl sylw diweddar i iechyd biolegol y Riff, mae gweithgareddau dynol yn fygythiad cyson iddo. Mae twristiaid anghyfrifol a phobl sy'n gweithio yn y diwydiant twristiaeth, pysgodfeydd masnachol, ac amaethyddiaeth a chloddio yn gallu achosi'r effeithiau canlynol: niwed ffisegol, gor-ecsbloetio, trapio anifeiliaid fel môr-grwbanod a dwgongiaid mewn rhwydi yn ddamweiniol, gwrtaith a gwaddod mewn dŵr ffo yn llifo i mewn i'r Riff gan darfu ar y cydbwysedd maetholion a gostwng ansawdd y dŵr.

Fodd bynnag, efallai mai'r bygythiad mwyaf difrifol sy'n deillio o weithgareddau dynol yw newid hinsawdd. Yn 2016, roedd y tymheredd yn Awstralia yn eithriadol o boeth am naw mis, ac oherwydd hyn, roedd cannu cwrel ar led a bu farw 30% o gwrel y Riff. Gan fod cydgysylltiadau o fewn unrhyw ecosystem, mae marwolaeth y cwrel wedi effeithio ar greaduriaid eraill fel molysgiaid a physgod, ac mae nifer yr organebau yn y rhan fwyaf o rywogaethau wedi gostwng wrth i gynefinoedd a bwyd ddiflannu. Yr enw ar golli amrywiaeth mewn riff yw 'homogeneiddio biotig', sef tuedd i gynnwys elfennau tebyg i'w gilydd a diffyg amrywiaeth.

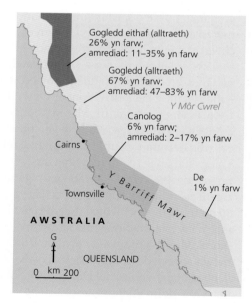

Gogledd eithaf (alltraeth) 26% yn farw; amrediad: 11–35% yn farw

Gogledd (alltraeth) 67% yn farw; amrediad: 47–83% yn farw

Y Môr Cwrel

Canolog 6% yn farw; amrediad: 2–17% yn farw

Cairns

De 1% yn farw

Townsville

Y Barriff Mawr

AWSTRALIA

G

QUEENSLAND

0   km   200

▲ **Ffigur 4.17** Effaith cannu cwrel ar y Barriff Mawr yn 2016; mae'r amrediadau yn cynrychioli'r chwartelau uchaf ac isaf

🔑 TERM ALLWEDDOL

Cai Ynys dywodlyd fach ac isel ar arwyneb riff cwrel.

④ Gwerthuso'r mater

▶ *Asesu rôl llystyfiant o ran datblygiad systemau twyni morol dros amser.*

Adnabod cyd-destunau posibl, ffynonellau data a meini prawf ar gyfer asesu

Wrth i bwysau gweithgareddau dynol gynyddu ar y parth arfordirol, mae cynaliadwyedd systemau twyni morol wedi dod yn fater brys a phwysig. Felly, mae gwybodaeth a dealltwriaeth o'r ffordd mae system twyni'n gweithredu yn hanfodol er mwyn rheoli ecosystemau o'r fath yn llwyddiannus.

- Cyd-destunau posibl:
  - **(a)** Mae'n bwysig ystyried graddfa ddaearyddol neu *raddfa ofodol* ym mhob ymchwiliad. Wrth ystyried systemau twyni morol, byddai'n bosibl cymharu datblygiad systemau twyni o sawl maint gwahanol er mwyn asesu'r rôl mae llystyfiant yn ei chwarae mewn lleoliadau gwahanol. Mae rhai systemau twyni morol yn fawr iawn ac yn ymestyn dros nifer o ddegau o hectarau – mae Cynffig ger Pen-y-Bont ar Ogwr, De Cymru, yn un enghraifft. Mae systemau eraill yn eithaf bach ac efallai'n gorchuddio ychydig hectarau yn unig y tu ôl i gildraeth. Yn ogystal, mae twyni morol yn amrywio o ran uchder – o ychydig fetrau yn unig i rai twyni arfordirol sy'n cyrraedd uchder o 20 i 30 metr. Wrth ymchwilio i dwyni tywod, mae'n bwysig canolbwyntio ar dwyni morol. Mae twyni tywod hefyd yn ffurfio mewn ardaloedd sych (cras), ond dydy lleoliadau mewndirol fel Diffeithwch Sahara neu Gobi ddim yn berthnasol – rhaid canolbwyntio ar dwyni morol.
  - **(b)** Yn ogystal â'r raddfa ofodol, mae'n bosibl ystyried y raddfa amseryddol hefyd. Dydy'r raddfa ddaearegol/macro ddim yn addas wrth ymchwilio i ecosystem heddiw, ond mae'n bosibl y gallai'r graddfeydd meso (miloedd o flynyddoedd) neu'r micro (dilyniant llanw neu un storm) gynnig safbwyntiau defnyddiol eraill. Drwy gymharu a chyferbynnu ffurfiant twyni o feintiau gwahanol, mae'n bosibl cynnig asesiad perswadiol a chynhwysfawr.

- Ffynonellau data – un ffynhonnell allweddol bosibl yng nghyd-destun twyni morol fyddai ymchwiliad gwaith maes dan arweiniad y myfyriwr. Mae ffynonellau data eraill am systemau twyni tywod penodol ar gael ar wefannau ymddiriedolaethau bywyd gwyllt lleol, grwpiau cadwraeth natur ac asiantaethau'r llywodraeth fel Asiantaeth yr Amgylchedd. Yn aml, bydd gwybodaeth ddefnyddiol ar gael ar wefannau sefydliadau academaidd dibynadwy (bydd .ac yng nghyfeiriad y wefan fel arfer). Fodd bynnag, efallai na fydd hi'n bosibl rhoi rhif ar gyfer maint y ffactorau i gyd, er enghraifft cyfaint a llifoedd gwaddod. Mae'n bosibl mesur buanedd a chyfeiriad y gwynt, ond rhaid cael gwerthoedd cyfartalog blynyddol er mwyn asesu dylanwad y gwynt. Hefyd, mae digwyddiadau atmosfferig eithafol, fel stormydd, yn gallu bod yn arwyddocaol. Efallai bydd data wedi'u casglu dros amser ar gael, ond yn achos y mwyafrif helaeth o leoliadau, ni fydd y cyfnod hwn yn ymestyn dros fwy nag ychydig ddegawdau.

- Meini prawf ar gyfer asesu – yn debyg i ffynonellau data, mae'n anodd, os nad yn amhosibl, cael gwybodaeth am rai o'r meini prawf. Fodd bynnag, dydy hynny ddim yn golygu y dylech chi osgoi trafod eu rolau posibl – yn hytrach, rhaid dod i gasgliad gwybodus am ystyriaethau fel argaeledd gwaddod. Mae tystiolaeth fesuradwy ar gael sy'n dangos sut mae rhai ffactorau, er enghraifft dwysedd llystyfiant, yn dylanwadu ar system.

Asesu rôl llystyfiant

Er mwyn i systemau twyni ddechrau datblygu, rhaid i'r tywod fod yn sefydlog, ac mae'r broses honno yn dechrau ac yn parhau gyda phlanhigion. Unwaith bydd rhywogaethau arloesol fel y marchwellt wedi'u sefydlu, gall y tywod ddechrau cronni (tudalen 96). Mae buanedd y gwynt yn agos at y ddaear yn gostwng, sy'n golygu bod gronynnau tywod yn llai tebygol o gael eu trawsgludo. Bydd gwreiddiau llystyfiant hefyd yn helpu i dynhau'r pridd llac.

Cyhyd â bod adborth negyddol yn digwydd – hynny yw, bod mwy o dywod yn cronni nag sy'n cael ei golli o'r lleoliad – yna gall y twyni ddatblygu. Gall planhigion gwahanol ymledu ac olynu, e.e. moresg a dant y llew ar y twyni melyn, peiswellt coch ar y twyni llwyd, a gwern a brwyn yn y llaciau.

Mae planhigion hefyd yn helpu i drawsnewid y tywod yn bridd. Wrth i blanhigion farw, mae eu meinweoedd yn dadelfennu ac mae hynny'n ychwanegu defnydd organig at yr haen arwynebol. Y mwyaf o hwmws sydd yn y pridd, y mwyaf o gynnydd fydd ym mhroses olyniaeth llystyfiant.

Mae llystyfiant yn creu cynefinoedd i bryfed ac anifeiliaid fel pryfed cop, lindys a chwilod. Yn eu tro, mae pryfed yn dod yn ysglyfaeth i adar, pryfed eraill a mamolion, felly mae gweoedd a chadwyni bwyd yn datblygu sy'n elfennau pwysig mewn system twyni aeddfed.

Mewn mannau lle mae gweithgareddau dynol yn tynnu'r llystyfiant – er enghraifft, lle mae lefelau uchel o sathru drwy gerdded neu farchogaeth – mae pwysigrwydd planhigion i'w weld yn glir. Pan fydd chwythbantiau'n ffurfio, gall erydiad ddifrodi'r system twyni yn hawdd iawn wrth i adborth cadarnhaol weithredu.

Asesu rôl cyflenwad gwaddod

Wrth gwrs, nid llystyfiant yw'r unig ddylanwad ar ddatblygiad twyni. Heb gyflenwad digonol o dywod sych, mae'n amhosibl i dywod gronni er mwyn ffurfio system twyni. Dydy morlin creigiog gyda chlogwyni a dŵr dwfn, ac sy'n agos at y tir, ddim yn amgylchedd sy'n caniatáu i dwyni ddatblygu. Mae gwaddod yn y parth arfordirol yn dod yn bennaf o ardaloedd mewndirol, wedi ei gludo i lawr i'r arfordir gan afonydd. Os yw'r cyflenwad hwn wedi ei gyfyngu, efallai gan fod y cyfraddau hindreuliad ac erydiad yn isel, yna bydd y prinder gwaddod yn cael effaith negyddol ar ffurfiant a datblygiad twyni (tudalennau 36–45). Mae angen traethau tywod er mwyn i dwyni ddatblygu.

Gall tywod gael ei symud wrth i'r llanw ostwng ac wrth i'r ardal ger y lan sychu. Y mwyaf yw'r ardal hon ger y lan, y mwyaf o dywod fydd ar gael, fwy na thebyg. Yn aml iawn, mae ardal lydan i'w chael ger y lan ar hyd arfordiroedd sy'n profi amodau macro-lanwol – hynny yw, amrediad llanw mawr. Mae arfordir gorllewinol Ewrop, fel Llydaw a Chernyw, yn enghreifftiau o leoliadau o'r fath.

Mae angen i dywod ffres chwythu dros rai planhigion, fel moresg, er mwyn iddyn nhw ffynnu. Yna mae'r glaswellt yn tyfu tuag i fyny, gan ymestyn ei wreiddiau a'i risomau a pharhau i dyfu. Unwaith mae'r cyflenwad tywod yn dod i ben, mae'r moresg yn marw. Dyma enghraifft o adborth cadarnhaol.

Asesu rôl egni gwynt

Mae ffactorau fel buanedd a chyfeiriad y gwynt yn bwysig o ran trawsgludo gronynnau tywod. Os nad yw gwyntoedd atraeth cryf yn chwythu yn ddigon aml, yna bydd datblygiad y twyni yn cael ei ddal yn ôl. Mae angen i dywod gael ei chwythu i'r mewndir gan adael iddo gronni – mae hyn yn arbennig o bwysig i'r moresg – er mwyn i ddilyniant o gefnenau a cheudodau ffurfio. Yna bydd y tywod sy'n cael ei chwythu atraeth yn cael ei 'golli' wrth iddo lanio yn y môr a setlo ar wely'r môr.

Asesu rôl amser

Roedd y gwaith ymchwil a gyflwynodd y cysyniad o olyniaeth wedi ei seilio ar arsylwi newidiadau mewn llystyfiant dros amser. Mae un dilyniant o gymunedau planhigion yn dilyn un arall, gan bwysleisio rôl amser o ran datblygiad ecosystem. Yn aml iawn, mae astudio trawslun ar draws system twyni morol yn ymddangos fel 'taith drwy amser', gyda'r gymuned blanhigion ieuengaf ar yr egin-dwyni a'r hynaf yn y coetir.

Cododd lefel y môr ar ddiwedd y cyfnod rhewlifol mawr diwethaf. Yn dilyn hynny, mae'r traethlin presennol o amgylch llawer o arfordiroedd wedi bod yn eithaf sefydlog ers tua 6000 o flynyddoedd. Felly, mae twyni morol yn dirffurfiau eithaf diweddar o safbwynt geomorffolegol. Maen nhw hefyd yn gallu newid yn gyflym – er enghraifft, mae'r egni tonnau a'r egni gwynt mewn un storm egni uchel yn gallu erydu llawer o system twyni, gan effeithio ar ddatblygiad y twyni. Mae tonnau egni uchel yn gallu tynnu egin-dwyni yn gyflym, gan olygu bod y system twyni yn edrych fel pe bai'n dechrau gyda'r twyni melyn llai yng nghefn y traeth.

Asesu rôl gweithgareddau dynol

Mae gweithgareddau dynol yn rhoi mwy a mwy o bwysau ar systemau twyni arfordirol, ac mae hyn i'w weld ar draws y byd. Mae twyni tywod yn lleoliadau sy'n cael eu defnyddio am bob math o resymau: hamdden, tai, diwydiant, trafnidiaeth, coedwigaeth, y fyddin ac amaethyddiaeth. Weithiau mae system twyni'n cael ei dinistrio yn llwyr, ond mewn llawer o leoliadau, mae gweithgareddau'n aflonyddu ar systemau ac yn rhwystro newidiadau naturiol o ran datblygiad llystyfiant. Mae gormod o weithgareddau hamdden yn gallu erydu neu sathru ar lystyfiant. Dim ond planhigion gwydn sy'n goroesi, a gall llystyfiant ddiflannu o rai ardaloedd yn gyfan gwbl. Mae tân sy'n dechrau yn sgil gweithgareddau dynol yn gallu dinistrio llystyfiant a lleihau bioamrywiaeth yn ddifrifol. Pan fydd hyn yn digwydd, mae cymunedau gwahanol o blanhigion yn gallu sefydlu – er enghraifft os yw'r pridd yn fwy 'aeddfed' na thywod noeth oherwydd bod defnydd organig wedi cronni yno cyn i'r tân ddigwydd.

Dydy dylanwad gweithgareddau dynol ar ecosystemau ddim yn negyddol bob tro. Mae

gwaith cadwraeth yn rhoi amser a lle i'r systemau twyni weithredu heb i weithgareddau dynol dinistriol effeithio arnyn nhw. Mewn rhai lleoliadau, mae gweithgareddau dynol yn golygu bod y tir yn cael llonydd. Er enghraifft, mae gweithgareddau milwrol neu beirianwaith diwydiannol yn gallu golygu bod pobl yn cadw draw o'r ardal. Mewn sawl lleoliad, mae gweithfeydd dur yn ymestyn ar draws cannoedd o hectarau o dir arfordirol, a dydy llawer o'r tir hwn ddim yn cael ei ddefnyddio o gwbl. Yn rhannau mwy anghysbell y safleoedd hyn, gall ecosystemau ffynnu.

Dod i gasgliad sy'n seiliedig ar dystiolaeth

Mae'n amlwg bod gan lystyfiant rôl hanfodol i'w chwarae yn y broses o ffurfio twyni morol. Planhigion sy'n dechrau y broses o gronni tywod drwy ddal y tywod yn ffisegol rhwng y coesynnau a'r gwreiddiau. Mae planhigion hefyd yn darparu'r defnydd organig sydd ei angen er mwyn i bridd ffurfio. Os bydd olyniaeth planhigion yn digwydd heb unrhyw rwystrau mawr, bydd y twyni yn dod yn 'sefydlog' yn y pen draw. Bydd llystyfiant yn gorchuddio'r arwyneb a bydd cymuned uchafbwyntiol o goetir yn sefydlu.

Ar y llaw arall, mae ffactorau fel y cyflenwad tywod a gwyntoedd atraeth yn chwarae rôl bwysig o ran datblygiad twyni. Yn debyg i'r holl systemau eraill, mae llifoedd egni a defnyddiau yn helpu i ddisgrifio a diffinio'r berthynas rhwng gwahanol gydrannau'r system. Byddai'n bosibl dadlau bod argaeledd tywod yn chwarae rôl bwysig iawn, oherwydd heb dywod, dydy'r rhywogaeth allweddol yn y system hon, sef moresg, ddim yn mynd i oroesi. Yn yr un modd, heb egni gwynt, dydy tywod ddim yn symudol ac mae nodwedd hanfodol o'r system twyni morol ar goll.

Yn fwy nag erioed, mae gweithgareddau dynol naill ai'n hybu datblygiad cynaliadwy systemau twyni neu'n arwain at ddifrodi neu ddinistrio'r twyni. Yn debyg i bob system naturiol, mae effeithiau cynhesu byd-eang anthropogenig yn dechrau dod yn amlwg, ac yn achos twyni morol, y ffactor allweddol yw'r cynnydd yn lefel y môr.

Crynodeb o'r bennod

✔ Mae amrywiol ecosystemau, boed yn haloserau neu'n seroserau, yn gydrannau pwysig mewn llawer o leoliadau arfordirol. Mae'r 'gwasanaethau ecosystem' maen nhw'n eu cynnig yn cael eu cydnabod a'u gwerthfawrogi yn fwy nag erioed ac yn dylanwadu ar benderfyniadau o ran rheoli'r parth arfordirol.

✔ Mae olyniaeth ecolegol yn gallu digwydd drwy ddilyniant o serau mewn unrhyw leoliad unigol, felly mae'n bosibl ymchwilio i sut a pham mae ecosystem yn amrywio'n ofodol ac yn amseryddol. Wrth i leoliad gael ei gytrefu a'i weddnewid, mae'r llifoedd maetholion ac egni yn mynd yn fwy cymhleth.

✔ Mae systemau twyni tywod a morfeydd heli yn ddwy ecosystem gyffredin a dynamig sydd i'w cael yn y system arfordirol. Mae'r amodau sydd i'w cael mewn twyni tywod a morfeydd heli yn eithaf llym, ac felly mae gan y ddwy ecosystem yma gyfresi o blanhigion nodweddiadol sy'n dibynnu ar addasiadau penodol er mwyn goroesi.

✔ Mae mangrofau a riffiau cwrel yn ddau fath o ecosystem arfordirol trofannol sydd â lefelau uchel o fioamrywiaeth ac sy'n gallu ffynnu yn y parth arfordirol.

✔ Mae pob ecosystem arfordirol yn agored i fygythiadau amrywiol fel lefel y môr yn codi, cynnydd yn nhymheredd y dŵr ac amrediad o weithgareddau dynol. Ond, mae gweithgareddau dynol hefyd yn gallu gwarchod amgylcheddau ac ecosystemau.

Cwestiynau adolygu

1 Esboniwch y ffyrdd gall ecosystemau gael eu gwerthfawrogi fel gwasanaethau.
2 Beth yw ystyr y termau 'hydroser' a 'seroser'?
3 Amlinellwch broses clystyriad.
4 Esboniwch sut mae olyniaeth planhigion yn gweithredu naill ai mewn morfa heli neu mewn system twyni morol.
5 Esboniwch pam mae moresg yn gallu cytrefu twyni symudol mor llwyddiannus.
6 Disgrifiwch ac esboniwch sut mae chwythbant yn gallu ffurfio mewn system twyni.
7 Amlinellwch y gwasanaethau ecosystem mae mangrofau'n gallu eu darparu.
8 Disgrifiwch yr amodau amgylcheddol sydd eu hangen ar gwrel dŵr cynnes er mwyn ffynnu.
9 Amlinellwch y gwahaniaethau rhwng 'olyniaeth' a 'chylchfäedd'.
10 Awgrymwch sut mae adborth cadarnhaol ac adborth negyddol yn gweithredu mewn un ecosystem arfordirol o'ch dewis.

Gweithgareddau trafod

1 Mewn grwpiau bach, archwiliwch fanteision ystyried bod ecosystemau yn cynnig gwasanaethau sy'n darparu nwyddau a manteision. Ystyriwch a fyddai rhoi gwerth ar wasanaethau ecosystem yn annog pobl i ecsbloetio'r gwasanaethau er mwyn cyflawni'r gwerth hwn.

2 Trafodwch sut mae amodau anfiotig yn dylanwadu ar gynnydd olyniaeth ecolegol mewn morfeydd heli a thwyni morol.

3 Amlinellwch sut mae riff cwrel yn gweithredu fel system agored (tudalen 2).

4 Trafodwch y rôl mae trawsgludo gwaddod yn ei chwarae o ran ffurfiant a datblygiad morfeydd heli, twyni tywod a mangrofau. Efallai gallech chi ystyried sut mae gwaddod yn cronni ym mhob un o'r ecosystemau, gan bwysleisio rôl llystyfiant yn y broses o gronni gwaddod. Cyfeiriwch yn ôl at yr adran am forydau, a llifoedd dŵr mewn morydau (yn enwedig ym Mhennod 3), i gynorthwyo eich trafodaeth.

5 Trafodwch y rôl gall ecosystemau arfordirol ei chwarae pan fydd gwaddod yn cronni yng nghyd-destun y gylchred garbon. Canolbwyntiwch ar bwysigrwydd lleoliadau fel morfeydd heli a mangrofau sy'n gweithredu fel suddfannau carbon, ac ystyriwch sut mae'r cynnydd yn lefel y môr yn effeithio ar y rôl hon.

FFOCWS Y GWAITH MAES

Mae morfeydd heli a thwyni tywod morol yn cynnig amrywiaeth o gyfleoedd ar gyfer yr ymchwiliad annibynnol Safon Uwch. Rhaid ystyried materion diogelwch wrth wneud unrhyw ymchwiliad, ond gydag ymchwiliadau arfordirol rhaid cofio'n arbennig am amser y llanwau a pha mor gyflym mae'r llanw'n codi. Mae llaid dwfn a sugndraeth lleoledig yn gallu bod yn beryglus hefyd.

A *Ymchwilio i'r newidiadau mewn llystyfiant ar hyd trawslun.* Mae'n bosibl gwneud hyn ar dwyni ac ar forfeydd heli, ac mae'n rhoi cyfle i chi ymchwilio i olyniaeth. Mae modd ymchwilio i amrywiaeth y planhigion, eu taldra a'u haddasiadau. Ar hyd trawslun twyni yn arbennig, mae'n ddefnyddiol ymchwilio i newidiadau mewn ffactorau fel dyfnder pridd, cynnwys organig, lefelau lleithder, gwerthoedd pH a buanedd y gwynt, a chysylltu'r rheini â newidiadau mewn llystyfiant.
Mae'n well gosod y newidiadau hyn yng nghyd-destun y ffaith bod y proffil yn newid ar draws y twyni. Mae'n anoddach cyflawni hyn ar forfa heli oherwydd mae newidiadau yn onglau'r llethrau fel arfer yn fach iawn ac yn anodd eu mesur gyda'r offer sy'n debygol o fod ar gael ar gyfer Safon Uwch.
Os yw safle'r twyni'n cael ei reoli, yna efallai byddai'n bosibl cymharu ardaloedd sydd wedi eu rheoli ag ardaloedd sydd heb eu rheoli, naill ai yn yr un system twyni neu rhwng dau leoliad twyni gwahanol.

B *Ymchwilio i daearyddiaeth ddynol (yn benodol, ystyr lleoedd a phortreadau) twyni neu forfeydd.* Mae rhai themâu daearyddiaeth synoptig diddorol y gallech chi eu hastudio yn annibynnol. Er enghraifft, yn debyg i arweddion arfordirol eraill, mae twyni a morfeydd heli yn gallu bod yn ffactorau dylanwadol iawn ar nodweddion lle. Mae portreadau anffurfiol o'r ddau i'w cael mewn celfyddyd, llenyddiaeth a cherddoriaeth, ac mae'n bosibl ymchwilio i'r rhain drwy wneud gwaith maes allan yn yr amgylchedd. Maes arall y gallech chi ei astudio yng nghyd-destun twyni a morfeydd yw arolygon o ganfyddiadau ymwelwyr a phobl leol.

Darllen pellach

Aagaard, T., Orford, J., Murray, A.S. (2007) 'Environmental controls on coastal dune formation; Skallingen Spit, Denmark', *Geomorphology*, 83(1–2), tt.29–47

Barbier, E.B., Hacker, S.D., Kennedy, C., Koch, E.W., Stier, A.C., Silliman, B.R. (2011) 'The value of estuarine and coastal ecosystem services', *Ecological Monographs*, 81(2), tt.169–93

Bridges E.M. (1998) *Classic Landform Guide: North Norfolk Coast.* Sheffield: Geographical Association

Field Studies Council (1997) *Sand Dune Plants Identification Chart*

Field Studies Council (1999) *Saltmarsh Plants Identification Chart*

Hogarth, P. (2007) *The Biology of Mangroves and Sea Grasses.* Rhydychen: Gwasg Prifysgol Rhydychen

Hesp, P. (2002) 'Foredunes and blowouts: initiation, geomorphology and dynamics', *Geomorphology*, 48(1–3), tt.245–68

Lee, S.Y., Primavera, J.H., Dahdouh-Guebas, F., McKee, K., Bosire, J.O., Cannicci, S., Diele, K., Fromard, F., Koedam, N., Marchand, C., Mendelssohn, I., Mukherjee, N., Record, S. (2014) 'Ecological role and services of tropical mangrove ecosystems: a reassessment', *Global Ecology and Biogeography*, 23(7), tt.726–43

Middleton, N. (2008) *The Global Casino* (4ydd argraffiad), Pennod 7, Llundain: Hodder Education

Perillo, G., Wolanski, E., Cahoon, D., Hopkinson, C. (2018) *Coastal Wetlands: An Integrated Ecosystem Approach* (2il argraffiad). Rhydychen: Elsevier

Skinner, M., Abbiss, P., Banks, P., Fyfe, H., Whittaker, I. (2016) *AQA A level Geography* (4ydd argraffiad) Pennod 6, Llundain: Hodder Education

Dynameg y system arfordirol – newid yn lefel y môr

Mae'r rhesymau dros unrhyw newid yn lefel y môr yn amrywio dros gyfnodau amser gwahanol, gan gynnwys y broblem argyfyngus sy'n bodoli heddiw, sef lefel y môr yn codi oherwydd cynhesu byd-eang. Mae cymunedau o amgylch y byd yn wynebu heriau sy'n deillio o'r cynnydd hwnnw.

Gan fod lefel y môr wedi codi a gostwng, mae'r newidiadau hyn wedi creu tirweddau a thirffurfiau sy'n wahanol i'w gilydd. Mae unrhyw newid yn lefel y môr amser maith yn ôl yn dal i ddylanwadu ar forffoleg y parth arfordirol heddiw, felly mae angen i ni gydnabod rôl prosesau'r gorffennol yn ogystal â phrosesau'r presennol. Bydd y bennod hon:

- yn ymchwilio i'r ffactorau sy'n achosi newid yn lefel y môr
- yn archwilio'r tirweddau a'r tirffurfiau sy'n gysylltiedig â gostyngiad neu gynnydd cymharol yn lefel y môr
- yn dadansoddi risgiau llifogydd arfordirol a dulliau o'u rheoli
- yn asesu'r dylanwad gall newid yn lefel y môr ei gael ar dirffurfiau arfordirol.

CYSYNIADAU ALLWEDDOL

Systemau Grwpiau o gydrannau sy'n perthyn i'w gilydd. Mewn daearyddiaeth ffisegol, mae systemau'n tueddu i fod yn 'agored' – hynny yw, mae ganddyn nhw fewnbynnau ac allbynnau. Lefel y môr yw un o'r cydrannau ac wrth i hyn newid, naill ai drwy godi neu ostwng, mae prosesau a thirffurfiau'r parth arfordirol yn newid. Er enghraifft, yn dilyn gostyngiad yn lefel y môr, fydd y prosesau morol wnaeth greu rhai tirffurfiau ddim yn effeithio arnyn nhw bellach, a bydd prosesau isawyrol yn dod yn fwy pwysig iddyn nhw.

Ecwilibriwm Cyflwr o gydbwysedd mewn system. Mae newid yn lefel y môr yn effeithio ar ecwilibriwm, ar ddarnau hir o forlin a hefyd ar dirffurfiau unigol. Pan gododd lefel y môr wrth i'r oes iâ ddiwethaf ddechrau dod i ben, roedd y newid yn lefel y môr yn eithaf graddol ac arweiniodd hyn at addasiadau yn y parth arfordirol. Fodd bynnag, mae'r cynnydd diweddar yn lefel y môr oherwydd cynhesu byd-eang yn dechrau achosi mwy o ansefydlogrwydd yn y parth arfordirol – er enghraifft, mwy o erydiad ar waelod clogwyni.

Adborth Ymateb awtomatig i newid mewn system. Er enghraifft, wrth i lefel cymharol y môr ostwng, gall llinell newydd o glogwyni ymddangos sydd dan ddylanwad erydiad morol. Gallai hyn achosi cynnydd yn swm y gwaddod, sy'n arwain at gynnydd yn effeithiolrwydd y sgrafelliad ar y clogwyni. Wrth i'r clogwyni dreulio ymhellach, mae hyn yn cynhyrchu mwy o waddod ac felly mae adborth cadarnhaol yn digwydd.

Trothwy 'Pwynt sy'n sbarduno newid' mewn system. Er enghraifft, wrth i lefel y môr godi o ganlyniad i gynhesu byd-eang, mae dyfnder y dŵr sy'n gorchuddio ecosystemau arfordirol fel morfeydd heli, mangrofau neu gwrelau yn cynyddu hefyd. Gall hyn amharu ar weithrediad yr ecosystemau ac achosi iddyn nhw ddirywio'n barhaol.

① Ffactorau sy'n achosi newid yn lefel y môr

▶ *Beth yw'r ffactorau sy'n achosi newid yn lefel y môr?*

Mae'r newid yn lefel y môr yn ffactor pwysig, nid yn unig ar gyfer y parth arfordirol ond ar gyfer y tir hefyd. Mae uchder lefel y môr yn penderfynu beth yw'r waelodfa, neu'r lefel isaf y gall afonydd erydu. Dydy afon ddim yn gallu erydu na thrawsgludo defnydd yn is na lefel y môr, ac mae graddiant yr afon yn dylanwadu ar yr egni sydd ganddi. Wrth i'r tir a'r môr symud mewn perthynas â'i gilydd, gall hynny achosi newid mawr yn arwynebedd y tir sy'n agored i brosesau isawyrol. Dros y 100 **Ma** diwethaf, mae cyfran y tir o gymharu â'r môr wedi newid yn sylweddol.

Newid cymharol yn lefel y môr

Yn aml iawn, mae'n amhosibl gwybod beth yn union sydd wedi achosi newid gweladwy yn lefel y môr. Yr hyn sy'n bwysig mewn gwirionedd yw'r **newid cymharol yn lefel y môr**. Mae *cynnydd* cymharol yn lefel y môr yn gallu digwydd oherwydd bod:

- lefel y môr yn codi ond mae arwyneb y tir yn ymsuddo, yn sefydlog neu'n codi ar gyfradd arafach na'r môr
- lefel y môr yn sefydlog ond mae arwyneb y tir yn ymsuddo
- lefel y môr yn gostwng ond mae arwyneb y tir yn ymsuddo ar gyfradd gyflymach.

Mae *gostyngiad* cymharol yn lefel y môr yn gallu digwydd oherwydd bod:

- lefel y môr yn gostwng ond mae arwyneb y tir yn codi, yn sefydlog neu'n ymsuddo ar gyfradd arafach na'r môr
- lefel y môr yn sefydlog ond mae arwyneb y tir yn codi
- lefel y môr yn codi ond mae arwyneb y tir yn codi ar gyfradd gyflymach.

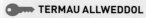

▲ **Ffigur 5.1** Y berthynas rhwng newidiadau isostatig ac ewstatig a newidiadau cymharol yn lefel y môr

Mae newid cadarnhaol yn lefel y môr yn achosi amodau **tresmasiad**. Bydd yr amodau hyn yn arwain at foddi ardaloedd arfordirol a/neu yn achosi i rai tirffurfiau fel traethau symud atraeth. Mae amodau **atchweliad** yn digwydd o ganlyniad i ostyngiad yn lefel y môr. Bydd tirffurfiau cyfodol yn datblygu wrth i'r morlin ymestyn allan o'i safle blaenorol, er enghraifft clogwyni gadawedig.

Gall newidiadau cymharol yn lefel y môr ddigwydd ar amrywiaeth o raddfeydd gofodol. Bydd newidiadau ewstatig yn achosi newid ar raddfa fyd-eang, ond mae newidiadau rhanbarthol a lleol yn digwydd pan fydd y tir naill ai wedi ymgodi neu wedi ymsuddo.

Newid ewstatig

Yr enw ar newidiadau yn lefel cyffredinol dŵr y môr yw newidiadau **ewstatig**. Mae'r newidiadau hyn yn fyd-eang gan fod yr holl gefnforoedd a'r moroedd yn gysylltiedig â'i gilydd. Mae cyfanswm cyfaint y dŵr byd-eang – dŵr hylifol, iâ ac anwedd dŵr atmosfferig – yn aros yr un fath bob amser.

Cydran	Arwynebedd arwyneb (miliwn km²)	Cyfaint y dŵr (mil km³)	%
Cefnforoedd a moroedd	361	1 370 000	93
Dyfroedd daearol (e.e. dŵr daear/llynnoedd/afonydd)	134	64 000	5
Iâ ar y tir	16	24 000	2
Yr atmosffer	510	13	0.001

▲ **Tabl 5.1** Amcangyfrif o gyfaint y prif gydrannau yn yr hydrosffer

Mae'n ddefnyddiol meddwl am yr **hydrosffer** fel system, a bod newid yng nghyfaint y dŵr mewn un gydran yn golygu bod newidiadau mewn cydrannau eraill hefyd. Yn y cyd-destun hwn, mae'n bwysig ystyried pa mor hir, ar gyfartaledd, mae'r dŵr yn aros yng ngwahanol is-rannau'r hydrosffer.

Bydd unrhyw newid yn y ffordd mae dŵr yn cael ei storio, neu ble, yn achosi newid ewstatig. O'r holl storfeydd dŵr, iâ ar y tir yw'r storfa bwysicaf o ran newid ewstatig. Er enghraifft, pe bai'r holl iâ ar y tir yn toddi, byddai lefel y môr yn codi tua 90 metr. O'r cyfanswm hwn, byddai iâ Antarctica yn cyfrannu 57 metr ac iâ Grønland yn cyfrannu 7 metr. Pe bai'r holl ddŵr atmosfferig yn disgyn o'r awyr, byddai lefel y môr yn codi tua 36 milimetr.

Yn lleol, gall dŵr atmosfferig wneud gwahaniaeth yn y tymor byr. Er enghraifft, gall Bae Bengal godi hyd at fetr yn ystod tymor y monsŵn pan fydd symiau mawr o law yn disgyn ar isgyfandir India, yn teithio i lawr afonydd fel Afon Ganga (Ganges) ac yn mynd i mewn i'r môr. Yna, mae'r dŵr ychwanegol hwn yn gwasgaru drwy'r cefnforoedd ac mae'r bae yn dychwelyd i'w lefel arferol.

TERMAU ALLWEDDOL

Ewstatig Newid byd-eang yn lefel y môr.

Yr hydrosffer Term sy'n cynnwys holl ddŵr y Ddaear – dŵr croyw a dŵr hallt – mewn unrhyw gyflwr: hylif, solid neu nwy.

Storfa ddŵr	Amser cyfartalog yn y storfa
Yr atmosffer	10 diwrnod
Afonydd	14 diwrnod
Llynnoedd	10 mlynedd
Iâ pegynol	15 000 o flynyddoedd
Cefnforoedd	3600 o flynyddoedd

▲ **Tabl 5.2** Yr amser cyfartalog mae dŵr yn aros mewn storfeydd penodol

Newid isostatig

Yr enw ar newidiadau yn lefel cyffredinol y tir yw newidiadau **isostatig**. Mae'r newidiadau hyn yn rhai lleol yn hytrach na rhai byd-eang fel newidiadau ewstatig. Pan fydd pwysau mawr yn cael ei ychwanegu at gramen y Ddaear, er enghraifft màs o iâ neu waddod, gallai'r gramen gael ei gwthio i lawr i mewn i'r fantell uchaf lled-dawdd. Mae delta Afon Mississippi wedi suddo tua 165 o fetrau yn ystod y 10 000 o flynyddoedd diwethaf gan fod gwaddodion mae'r afon wedi eu trawsgludo o'r dalgylch wedi'u dyddodi yno.

Mae suddo ar raddfa lai yn gallu digwydd o ganlyniad i weithgareddau dynol. Gall tynnu dŵr, olew a nwy o greigiau o dan y ddaear achosi ymsuddo eang. Yn rhanbarth Tōkyō, mae lefel y ddaear wedi gostwng tua 4.5 metr oherwydd echdynnu dŵr daear.

Dros gyfnodau hirach ac ardaloedd mwy, mae dyddodi gwaddodion mewn basnau cefnforoedd yn gwthio'r gramen gefnforol i lawr. Law yn llaw â hyn, rhaid cofio bod cyfaint y basn yn gostwng wrth i waddodion gronni. Ychwanegwch at hyn y posibiliadau o ran tynnu gwaddod o wely'r môr – naill ai drwy ymgodiad tectonig allan o'r dŵr neu drwy dansugno ar ffin plât distrywiol – ac rydych chi'n dechrau gwerthfawrogi pa mor gymhleth yw plotio newid yn lefel y môr.

Gall gweithgaredd tectonig achosi i dir godi neu ostwng. Yn achos digwyddiad tectonig sydyn, mae symudiad ar hyd ffawt yn gallu codi'r tir sawl metr. Ar hyd morlinau Alaska a California, mae grymoedd tectonig wedi codi darnau o'r arfordir. Ar raddfa fwy, ffurfiwyd mynyddoedd yr Himalaya a Llwyfandir Tibet yn dilyn y gwrthdrawiad rhwng platiau tectonig India ac Ewrasia. Wedi hyn, roedd y gramen gyfandirol yn y rhanbarth yn fwy trwchus ac roedd yr ardal gyfandirol yn llai. Gan fod mwy o le i'w lenwi yng nghyfaint basn y cefnfor, gostyngodd lefel y môr tua 18 metr yn ôl yr amcangyfrifon.

Mae basnau cefnforoedd yn newid eu siâp dros gyfnod daearegol. Mewn rhai mannau, mae llawr y cefnfor yn suddo, gan greu mwy o le yn y cefnfor i storio dŵr. Pan fydd llawr y môr yn lledaenu, mae cefnforoedd fel Cefnfor Iwerydd yn lledu, gan gynyddu eu cynhwysedd. Os yw systemau cefnenau canol cefnfor yn tyfu, mae hyn yn dylanwadu ar gyfaint basnau cefnforoedd. Heddiw, mae systemau cefnenau yn gorchuddio cyfaint sydd tua 12% o gyfanswm cyfaint y cefnforoedd i gyd (Ffigur 5.2).

Mae gwaith archwilio gan gwmnïau egni wedi datgelu llawer o wybodaeth ddaearegol sydd wedi gwella ein dealltwriaeth o newidiadau yn lefel y môr. Gan fod newidiadau'n digwydd dros gyfnodau arbennig o hir, mae manylion penodol yn brin, ond mae'n bosibl gweld y duedd gyffredinol o'r defnydd sy'n cael ei godi wrth ddrilio am hydrocarbonau (Ffigur 5.3).

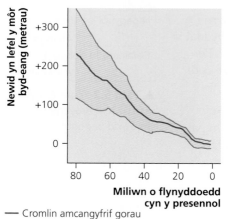

— Cromlin amcangyfrif gorau

▓ Amrediad tebygol y gwallau yn yr amcangyfrifon

▲ **Ffigur 5.2** Newid yn lefel y môr byd-eang yn dilyn newidiadau yng nghyfaint cefnenau canol cefnfor

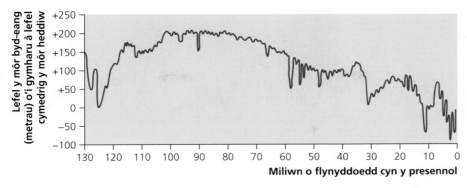

▲ **Ffigur 5.3** Newid yn lefel y môr yn ystod y 130 miliwn o flynyddoedd diwethaf

Mae tystiolaeth o waddodion morol, fel eu nodweddion litholegol ac organig, yn gallu awgrymu'r dyfnder y cafodd y defnydd ei osod i lawr yn gyntaf. Yn ogystal, mae'n bosibl plotio maint y creigiau a ffurfiwyd o dan amodau morol, sy'n rhoi syniad bras i ni o ran lleoliadau traethlinau'r gorffennol a phryd a ble mae'r rhain wedi newid. Mae defnyddio technegau seismig i ddatgelu'r ddaeareg o dan y ddaear hefyd wedi cyfrannu at ein gwybodaeth a'n dealltwriaeth o'r newidiadau tymor hir yn lefel y môr.

Newidiadau yn lefel y môr sy'n gysylltiedig â rhewlifiant

Dechreuodd y cyfnod daearegol mwyaf diweddar, y sef y cyfnod Cwaternaidd, tua 2 filiwn o flynyddoedd yn ôl. Mae cyfnodau daearegol wedi eu rhannu'n epocau. Mae dau epoc yn y cyfnod Cwaternaidd, sef y Pleistosen, ac yn dilyn hynny, yr Holosen.

Cyfnod daearegol	Epoc daearegol	Pryd y dechreuodd (blynyddoedd cyn y presennol)
Cwaternaidd	Holosen	11 700
	Pleistosen	2.6 miliwn
Trydyddol	Plïosen	5.3 miliwn
	Mïosen	23 miliwn

▲ **Tabl 5.3** Cyfnodau amser daearegol diweddar

Wrth astudio'r parth arfordirol presennol, mae'n bwysig cofio am yr amrywiadau o ran dyddiadau daearegol, ond rhaid peidio â rhoi gormod o sylw i hyn. Er enghraifft, mae rhai ymchwilwyr yn awgrymu bod y Pleistosen wedi dechrau tua 1.6 miliwn o flynyddoedd yn ôl, ac mae ymchwilwyr eraill yn tybio ei fod yn agosach at 3 miliwn. Mae'r gwahaniaethau'n codi oherwydd yr amrywiaeth o ran mathau o ddata, ffyrdd gwahanol o'u dehongli a'u lleoliad daearegol. Yn gyffredinol, mae mwy o bobl yn cytuno ar ddyddiad diwedd y Pleistosen.

Yr hyn sy'n glir yw bod y Pleistosen yn gyfnod o ansefydlogrwydd hinsoddol ar ôl tua 50 miliwn o flynyddoedd o oeri araf iawn a rhai amrywiadau bach. Roedd cyfnodau **rhewlifol** a **rhyngrewlifol** yn digwydd bob yn ail, ac roedd pob cyfnod o gynnydd neu ostyngiad yn lefel y môr yn effeithio ar y parth arfordirol (Ffigur 5.4).

🔑 **TERMAU ALLWEDDOL**

Rhewlifol Cyfnod pan oedd iâ yn cronni ac yn ehangu dros arwyneb y Ddaear.

Rhyngrewlifol Cyfnod o gynhesrwydd rhwng y cyfnodau rhewlifol, pan oedd y llenni iâ a'r rhewlifoedd yn encilio.

(a)

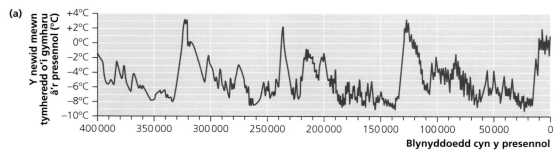

Y newid mewn tymheredd o'i gymharu â'r presennol (°C)

Blynyddoedd cyn y presennol

(b)

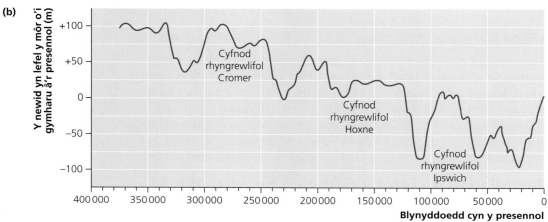

Y newid yn lefel y môr o'i gymharu â'r presennol (m)

Cyfnod rhyngrewlifol Cromer

Cyfnod rhyngrewlifol Hoxne

Cyfnod rhyngrewlifol Ipswich

Blynyddoedd cyn y presennol

▲ **Ffigur 5.4** Amrywiadau o ran tymheredd a lefel y môr yn ystod y 400 000 o flynyddoedd diwethaf

Roedd yr estyniad iâ mawr olaf ar ei anterth tua 18 000 o flynyddoedd Cyn y Presennol. Roedd llenni iâ enfawr yn ymestyn ar draws darnau eang o Hemisffer y Gogledd, gan orchuddio ardaloedd tirol a morol. Er enghraifft, roedd llen iâ Sgandinafia yn gorchuddio'r Môr Baltig, Môr Iwerddon a Môr y Gogledd (Ffigur 5.5).

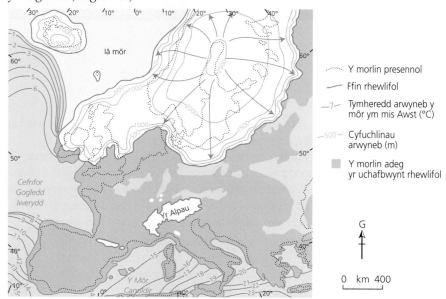

Y morlin presennol

Ffin rhewlifol

Tymheredd arwyneb y môr ym mis Awst (°C)

Cyfuchlinau arwyneb (m)

Y morlin adeg yr uchafbwynt rhewlifol

Iâ môr

Cefnfor Gogledd Iwerydd

Yr Alpau

Y Môr Canoldir

G

0   km 400

▲ **Ffigur 5.5** Ewrop yn ystod yr uchafbwynt rhewlifol diwethaf

Pan fydd iâ ar dir yn toddi, mae'r dŵr sy'n cael ei ryddhau yn llifo yn ôl i'r arfordir, gan achosi i lefel y môr godi. Yr enw ar y broses hon yw **ewstasi rhewlifol**.

Mae arbenigwyr yn cytuno ar y newid cyffredinol yn lefel y môr ers y cyfnod rhewlifol diwethaf, ond maen nhw'n anghytuno am y manylion.

🔑 **TERMAU ALLWEDDOL**

Ewstasi rhewlifol Lefel y môr yn symud i fyny ac i lawr wrth i'r llenni iâ a'r rhewlifoedd ehangu ac encilio.

Isostasi rhewlifol Y tir yn suddo oherwydd pwysau llenni iâ, a'r tir yn codi pan fydd iâ yn toddi a phwysau'n cael ei dynnu oddi arno.

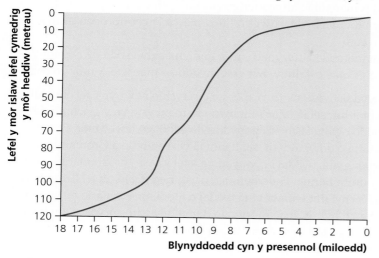

▲ **Ffigur 5.6** Y newid yn lefel y môr ers y rhewlifiant estynedig diwethaf

Mae'n bwysig cofio hyn: os bydd rhagor o iâ yn dechrau arnofio yn y môr neu os bydd rhywfaint o'r iâ hwn yn toddi, dydy hyn ddim yn effeithio ar lefel ewstatig y môr o gwbl. Mae'r dŵr yn cynnal pwysau'r iâ hwn yn barod felly mae'n cyfrannu at lefel y môr eisoes.

Wrth i iâ adeiladu ar y tir, mae'r gramen yn cael ei gwthio i lawr. Pan fydd yr iâ hwn yn toddi, mae pwysau'n cael ei dynnu oddi ar y tir ac mae'r tir yn codi. Yr enw ar y broses hon yw **isostasi rhewlifol**.

Yn gyffredinol, mae ewstasi rhewlifol ac isostasi rhewlifol yn digwydd ar gyfraddau gwahanol. Mae ewstasi rhewlifol yn digwydd yn eithaf cyflym o safbwynt daearegol, ond mae oediadau amser hir yn gysylltiedig ag isostasi rhewlifol (y codi a'r gostwng). Mae dadleuon academaidd yn parhau ynglŷn â thrwch llenni iâ, ond mae'r cyfraddau ymgodiad ôl-rewlifol yn rhanbarth y Môr Baltig yn dangos bod cynnydd o tua 300 metr wedi bod yn lefel y môr dros y 10 000 o flynyddoedd diwethaf. Mae addasiadau isostatig yn parhau wrth i'r tir barhau i 'adlamu' ar gyfradd o tua 10 mm y flwyddyn^{-1}. Ar draws gogledd Prydain doedd y llenni iâ ddim mor drwchus, ac o ganlyniad, mae'r cyfraddau ymgodiad gweddilliol yn is, hyd at 2 mm y flwyddyn^{-1}.

Wrth astudio tirffurfiau a thirweddau arfordirol, mae'n bwysig gwerthfawrogi bod mewnbynnau egni i'r parth arfordirol yn newid wrth i addasiadau cadarnhaol neu negyddol ddigwydd yn lefel cymharol y môr. Er enghraifft, wrth i lefel y môr ostwng yn ystod cyfnod rhewlifol, mae'r parth rhynglanwol yn symud yn is ac yn is gan olygu nad yw rhannau o'r morlin o dan ddylanwad prosesau morol bellach. Mae prosesau isawyrol yn dod yn fwy a mwy pwysig. Ond, wrth i gyfnod rhyngrewlifol fynd yn ei flaen ac wrth i lefel y môr godi, mae prosesau morol yn dechrau gweithredu ar hen draethlinau unwaith eto.

Dylanwad cynhesu byd-eang ar lefel y môr

Mae cynhesu byd-eang, sy'n digwydd oherwydd effaith tŷ gwydr ychwanegol, yn gyfrifol am rywfaint o newid ewstatig ar hyn o bryd.

1 Os bydd tymereddau atmosfferig cyfartalog yn codi ddigon, bydd yr iâ ar y tir yn toddi a bydd y dŵr yn llifo i mewn i'r cefnforoedd → mae lefel y môr yn codi.

2 Wrth i dymereddau arwyneb y môr godi, mae dwysedd dŵr y môr yn gostwng → mae cyfaint y dŵr yn cynyddu → mae lefel y môr yn codi.

Mae trosglwyddiad dŵr o'r tir i'r môr yn cynrychioli dŵr yn cael ei ryddhau o'i storfa tymor hir, sef iâ. Mae'r llif hwn yn un pwysig yn y gylchred ddŵr ac mae ganddo'r gallu i achosi cynnydd sylweddol yn lefel y môr. Pe bai'r ddwy brif storfa o ddŵr ar y tir, sef llenni iâ yr Antarctig a Grønland, yn toddi yn gyfan gwbl, byddai'r cynnydd yn lefel y môr yn ddramatig – sef 57 a 7 metr, yn y drefn honno. Fodd bynnag, o ystyried ffactorau fel lledredau'r ddau leoliad a chyfaint enfawr yr iâ fyddai'n toddi, mae senario fel hyn yn afrealistig. Serch hynny, mae rhesymau digon dilys dros bryderu am ba mor gyflym mae'r iâ yn toddi yn Antarctica a Grønland, yn ogystal â mannau eraill sydd â rhewlifoedd fel mynyddoedd yr Himalaya a'r Andes.

Mae'r cynnydd yn nhymereddau arwyneb y môr yn achosi ehangiad thermol y dŵr, gan fod moleciwlau dŵr yn ehangu wrth iddyn nhw gynhesu ac felly'n cymryd mwy o le. Y broses hon sy'n gyfrifol am y rhan fwyaf o'r cynnydd yn lefel y môr o ganlyniad i gynhesu byd-eang hyd yn hyn, sef tua 55%.

Mae'n bwysig gwerthfawrogi'r heriau sy'n wynebu'r bobl sy'n ymchwilio i'r newidiadau hyn. Mae gwyddonwyr yn cytuno bod y tymheredd byd-eang cyfartalog wedi cynyddu 0.7 °C dros y ganrif ddiwethaf. Maen nhw hefyd yn cytuno bod crynodiadau atmosfferig nwyon fel carbon deuocsid (CO_2) a methan (CH_4) wedi cynyddu, ac mae'r ddau nwy yn effeithiol am ddal pelydriad yn yr atmosffer. Wrth geisio mesur ac amcangyfrif y cynnydd yn lefel y môr, mae un sialens benodol yn cyflwyno anawsterau sef maint enfawr y cefnforoedd mewn tri dimensiwn. Diolch i'r gwaith ymchwil trylwyr sy'n digwydd o amgylch y byd, mae arbenigwyr yn parhau i gofnodi a chwestiynu'r symiau enfawr o ddata sy'n cael eu casglu drwy dechnegau newydd a soffistigedig. Mae trafodaethau academaidd yn mireinio'r dadleuon ac yn arwain at well dealltwriaeth o brosesau'r gorffennol a'r presennol, a hefyd yn golygu bod modd gwneud rhagolygon mwy awdurdodol.

Cofnodion y newid yn lefel y môr ers diwedd y bedwaredd ganrif ar bymtheg

Y brif ffynhonnell ddata hanesyddol ar gyfer unrhyw newid yn lefel y môr yw cofnodion mesuryddion llanw. Dyma gyfres wych o ddata sy'n ymestyn yn ôl dros y mwyafrif o'r ganrif flaenorol. Fodd bynnag, mae'n anodd cael gafael ar ffigurau byd-eang cywir gan fod y rhwydwaith samplu o fesuryddion yn rhy afreolaidd yn ofodol. Ffactor arall sy'n cymhlethu pethau yw'r symudiadau fertigol yn y tir lle mae'r mesuryddion wedi eu lleoli.

Ers 1993, mae mesuriadau byd-eang o lefel y môr rhwng lledredau 66° G a D wedi'u cymryd gan ddefnyddio offer manwl gywir ar systemau lloeren TOPEX/Poseidon a Jason-1 a Jason-2. Yn gyffredinol, mae'r data'n dangos cynnydd net clir yn lefel cymedrig y môr, a thuedd o gyflymiad yn y cynnydd.

Ffynhonnell y data	Cyfnod amser	Newid i'w weld yn lefel y môr
Mesuryddion llanw	1870–1935	0.71 +/- 0.40 mm y flwyddyn^{-1}
Mesuryddion llanw	1936–2001	1.84 +/- 0.19 mm y flwyddyn^{-1}
Lloerenni	1993–2003	3.1 +/- 0.7 mm y flwyddyn^{-1}

▲ **Tabl 5.4** Cyfraddau'r newid yn lefel y môr

Mae ymchwilwyr yn gwneud gwaith trylwyr i asesu pam mae cyfradd y cynnydd yn lefel y môr yn cyflymu. Mae'r **Panel Rhynglywodraethol ar Newid Hinsawdd** *(IPCC: Intergovernmental Panel on Climate Change)* wedi amcangyfrif cyfraniad nifer o ffynonellau posibl at y cynnydd yn lefel y môr.

Ffynhonnell	Amcangyfrif o'r cyfraniad (mm y flwyddyn^{-1}) a ffiniau ansicrwydd
Rhewlifoedd a chapiau iâ	0.77 +/- 0.22
Llen iâ Grønland	0.21 +/- 0.07
Llen iâ yr Antarctig	0.21 +/- 0.35
Ehangiad thermol dŵr y môr	1.60 +/- 0.70

▲ **Tabl 5.5** Amcangyfrif o gyfraniadau gwahanol ffynonellau at y newid sydd i'w weld yn lefel y môr

Mae amcangyfrif hyd a lled effeithiau ewstasi rhewlifol yn gymhleth, ond mae'r broses yn gwella wrth i dechnoleg ddarparu data mwy cywir a dibynadwy. Mae'n bwysig gwerthfawrogi'r ffaith bod angen ffiniau ansicrwydd, rhai cadarnhaol a negyddol, wrth ymchwilio i elfennau o'r amgylchedd ar raddfa'r llenni iâ pegynol neu ffenomenau byd-eang fel cynnydd yn lefel y môr. Dydy'r ffiniau hyn ddim yn lleihau'r duedd, sef cynnydd yn lefel y môr, mewn unrhyw ffordd.

Tueddiadau'r dyfodol o ran newid yn lefel y môr

Wrth ragfynegi unrhyw newid o ran ewstasi rhewlifol yn y dyfodol, rhaid derbyn na fydd unrhyw ragfynegiad yn fanwl gywir, ac mae rhagfynegiadau'r gorffennol yn cael eu newid yn aml iawn. Mae hyn yn digwydd yn rheolaidd ym maes gwyddoniaeth, ac nid yw'n golygu bod canfyddiadau'r ymchwilwyr yn annilys. Mae'r *IPCC* yn defnyddio nifer o senarios gwahanol wrth ystyried beth allai ddigwydd i allyriadau nwyon tŷ gwydr, ac mae'r senarios hyn yn effeithio ar y rhagfynegiadau am y newid yn lefel y môr (Ffigur 5.7).

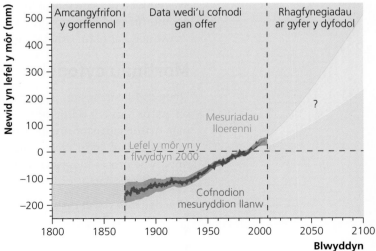

▲ **Ffigur 5.7** Mesuriadau lefel y môr a rhagfynegiadau

Yn dibynnu beth sy'n digwydd i allyriadau nwyon tŷ gwydr a ffactorau eraill – e.e. faint o nwyon sy'n cael eu tynnu drwy ddulliau naturiol – mae'r *IPCC* yn amcangyfrif y bydd lefel y môr byd-eang tua 0.2–0.6 metr yn uwch erbyn y flwyddyn 2100 na'r lefelau yn 1980–99. Fydd y newidiadau ddim yr un fath ar hyd pob arfordir. Fel rydyn ni wedi'i weld, mae newidiadau cymharol yn lefel y môr yn dibynnu ar fwy o ffactorau na'r hyn sy'n digwydd i lefel y môr yn unig – er enghraifft, addasiadau tectonig ac addasiadau isostatig parhaus. Wrth ystyried pa mor uchel fydd lefel y môr erbyn diwedd y ganrif, rhaid cofio bod hyn yn dibynnu ar y ffordd mae systemau naturiol yn ymateb i'r **gorfodiadau** anthropogenig a'r mathau eraill o orfodiadau, yn ogystal â phob math o benderfyniadau dynol. Mae mecanweithiau adborth yn y system Daear-atmosffer-cefnforoedd yn gymhleth iawn. Wrth fodelu'r ffactorau sbarduno a'r hyn allai ddigwydd i lefel y môr pe bai trothwyau penodol yn cael eu croesi, rhaid i unrhyw ragamcanion fod o fewn ystod o debygolrwyddau.

② Tirweddau a thirffurfiau nodweddiadol

▶ *Pa arweddion arfordirol sy'n datblygu pan fydd newid cymharol yn lefel y môr?*

Mae lefel y môr yn elfen reoli bwysig yn achos tirffurfiau a thirweddau arfordirol, yn bennaf gan fod lefel y môr yn dylanwadu ar lifoedd egni a defnyddiau drwy'r system arfordirol. Bydd newid yn lefel y môr yn achosi newidiadau i bob proses arfordirol. Weithiau, y cwbl y bydd yn ei wneud yw addasu'r prosesau, ond mewn amgylchiadau eraill bydd yn achosi newid llwyr i'r prosesau sy'n gweithredu ar y lan. Mae prosesau adborth a chyflwr unrhyw ran benodol o'r system arfordirol yn gallu cynrychioli addasiad sylweddol o ran ecwilibriwm. Mewn cyfnodau amser daearegol a geomorffolegol, mae newid yn lefel y môr yn eithaf ansefydlog, sy'n ychwanegu at natur ddynamig y parth arfordirol.

Morlinau cyfodol

Dydy dyddio achosion o gynnydd cymharol yn lefel y môr na'u gosod nhw yn eu trefn gywir ddim yn hawdd. Wrth i'r parth rhynglanwol symud yn is, mae tirffurfiau arfordirol fel clogwyni, llyfndiroedd glannau a thraethau yn cael eu gadael ar dir sych lle nad yw unrhyw brosesau morol yn eu cyrraedd nhw. Mae prosesau isawyrol yn dod yn fwy dylanwadol wrth i hen forlinau droi'n dirweddau arfordirol 'ffosil'.

Mae dau fath o hen dirffurf morol yn aml i'w gweld ar hyd morlin cyfodol:

● clogwyni ffosil
● cyfordraethau.

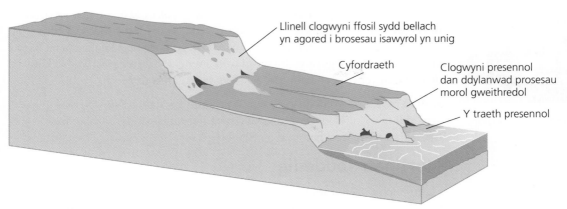

Llinell clogwyni ffosil sydd bellach yn agored i brosesau isawyrol yn unig

Cyfordraeth

Clogwyni presennol dan ddylanwad prosesau morol gweithredol

Y traeth presennol

▲ **Ffigur 5.8** Tirffurfiau a thirweddau ar hyd morlin cyfodol

Mae hen glogwyni morol yn dangos lle roedd llinell yr arfordir pan oedd lefel y môr yn uwch nag ydyw heddiw. Maen nhw'n arbennig o amlwg pan fydd eu daeareg yn gwrthsefyll prosesau isawyrol, fel creigiau igneaidd a metamorffig. Mewn rhai lleoliadau, mae'n bosibl gweld ogofâu môr a rhiciau tonnau y gorffennol.

Mae **cyfordraethau** yn ardaloedd ar lethr eithaf graddol sydd wedi eu gwneud o briddoedd tywodlyd, er bod **wynebyn** yn gorchuddio rhai ohonyn nhw. Wrth i oes iâ olaf y Pleistosen ddod i ben, roedd prosesau ffinrewlifol yn weithredol iawn yn y dirwedd. Er bod gostyngiad cymharol yn lefel y môr yn cynhyrchu cyfordraethau, efallai fod yr elfen 'cyfor' yn y gair 'cyfordraeth' (ystyr 'cyfor-' yw 'uwch') yn gamarweiniol mewn rhai enghreifftiau. Cafodd rhai llinellau clogwyni ffosil a chyfordraethau eu ffurfio yn y man lle maen nhw i'w gweld heddiw, o ganlyniad i brosesau morol oedd yn gweithredu yn ystod cyfnodau pan oedd lefel y môr yn uwch.

Mewn ardaloedd lle mae tirwedd serth yn gyffredin ar draws y mewndir, mae cyfordraethau yn cynnig tir gwastad sy'n lleoliadau pwysig ar gyfer gweithgareddau dynol. Yng Nghernyw, mae ffermwyr yn draddodiadol wedi ecsbloetio'r priddoedd tywodlyd, sy'n cynhesu'n gynnar yn y gwanwyn, i dyfu llysiau a blodau (yn enwedig cennin pedr). Yng ngogledd-orllewin yr Alban, ar y tir mawr ac ar ynysoedd niferus yr Hebrides Mewnol a'r Hebrides Allanol, mae pentrefi bach llinol i'w gweld yn ymestyn ar hyd traethlin sydd wedi ei godi. Mae lleoliadau unigryw wedi

Llinell clogwyni ffosil wedi'u gorchuddio â phridd a llystyfiant

Cyfordraeth

Llinell clogwyni gadawedig diweddar oherwydd adferiad isostatig sy'n parhau

▲ **Ffigur 5.9** Morlin cyfodol yng ngogledd-orllewin yr Alban

▲ **Ffigur 5.10** Tobermory, Ynys Mull, yr Hebrides Mewnol, yr Alban

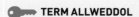

dod i'r amlwg, er enghraifft Tobermory ar Ynys Mull, sydd erbyn hyn yn denu nifer o dwristiaid sy'n dod i weld ei holl arweddion diddorol. Mae cyfordraethau hefyd yn cynnig tir perffaith ar gyfer meysydd golff, ac mae lleoliadau fel Islay yn adnabyddus am gynhyrchu wisgi wedi'i wneud o ddŵr sydd wedi trylifo drwy **fawn** ychydig yn hallt gan ei fod yn agos i'r arfordir.

Ar hyd morlinau gogledd-orllewin Ynysoedd Prydain a Norwy, mae arweddion cyfodol i'w gweld, ac wrth i adferiad isostatig barhau, mae tirffurfiau a thirweddau yn dal i ddatblygu.

Morlinau soddedig

O amgylch nifer o forlinau, mae'r cynnydd ôl-rewlifol yn lefel y môr wedi boddi llawer o'r tir arfordirol. Mae'r rhan fwyaf o forlinau'r byd yn eithaf ifanc, dim ond rhai miloedd o flynyddoedd oed. Mewn rhai rhanbarthau, mae amlinelliad y tir wedi newid yn sylweddol yn ystod yr Holosen.

Rhwng Ynysoedd Prydain a'r Iseldiroedd, mae rhanbarth boddedig yn gorwedd o dan yr arwyneb lle mae parth deheuol Môr y Gogledd. Ar ddiwedd y Pleistosen, roedd y rhanbarth hwn yn ardal o fryniau ar lethrau graddol, corstiroedd a dyffrynnoedd coediog gydag ecosystem ffyniannus. Daeth pobl i fyw yn yr ardal hon a oedd yn mudo i'r gogledd wrth i'r llenni iâ encilio. Wrth i lefel y môr godi, roedd arwynebedd y tir yn lleihau'n raddol, ac arweiniodd hyn at un o'r enghreifftiau cyntaf o ffoaduriaid amgylcheddol wrth i bobl gael eu gorfodi allan o'r ardal. Heddiw, mae'r rhan hon o Fôr y Gogledd yn eithaf bas – dim ond tua 20 metr o ddyfnder ydyw mewn rhai rhannau, ac mae nifer o leoliadau sy'n fwy bas lle mae cloddiau llaid a thywod yn symud. Mae treillongau yn codi esgyrn anifeiliaid a gweddillion offer carreg yn rheolaidd.

Morydau

Dyffrynnoedd afonydd boddedig yw mwyafrif y morydau o amgylch y byd. Mewn rhanbarthau lle doedd dim iâ, neu ddim llawer o iâ ar y tir, mae'r cynnydd cymharol yn lefel y môr wedi bod yn arwyddocaol gan nad yw adlamu isostatig wedi digwydd. Mae dau fath o foryd boddedig yn bodoli, sef riâu a ffiordau.

Arwedd	Ria	Ffiord
Siâp trawstoriadol	Siâp V gwastad	Siâp U cul
Dyfnder	Mae'n gallu bod yn eithaf dwfn ger yr aber (c.10 metr); basddyfroedd yn y mewndir ac mewn cilfachellau ochr	300–400 metr fel arfer; gall gyrraedd 1000 o fetrau
Ochrau'r foryd	Serth	Serth
Uchder ochrau'r foryd	<100 metr	Hyd at nifer o gannoedd o fetrau
Uwcholwg y foryd	Canghennog	Eithaf syth
Wedi'i ffurfio gan	Afon	Rhewlif

▲ **Tabl 5.6** Cymharu riâu a ffiordau

Riâu

Mae **riâu** i'w cael mewn llawer o ranbarthau ar draws y byd, fel de Ynysoedd Prydain, Llydaw, Galicia (Sbaen), arfordir dwyreiniol UDA a de Chile. Yn y rhanbarthau hyn, tua diwedd y Pleistosen ac i mewn i'r Holosen, roedd symiau mawr o ddŵr yn llifo oddi ar y tir wrth i'r llenni iâ doddi. Roedd yr afonydd yn egnïol iawn gan fod eu graddiannau'n adlewyrchu'r ffaith bod lefel y môr yn llawer is nag ydyw heddiw. Roedd y systemau afonydd helaeth yn **ganghennog** fel arfer gan eu bod yn casglu dŵr oddi ar y tir.

🔑 **TERMAU ALLWEDDOL**

Riâu Dyffrynnoedd afonydd boddedig.

Canghennog Rhwydwaith o sianeli afonydd a nentydd sy'n debyg i batrwm canghennau coeden o'r enw'r patrwm canghennog.

▲ **Ffigur 5.11** Ria Helford, Cernyw, yn edrych tuag at y môr

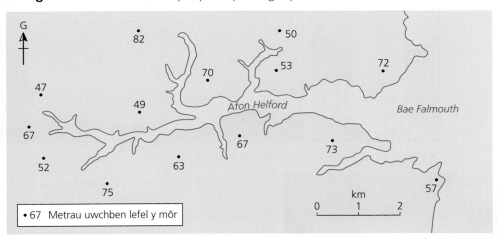

▲ **Ffigur 5.12** Uwcholwg o ria Helford, Cernyw

Pan fydd afon yn llifo drwy ranbarth â thirwedd isel, mae math gwahanol o foryd boddedig yn ffurfio. Mae'r rhain yn llydan a bas, a dydyn nhw ddim yn ganghennog fel arfer gan fod y glannau yn tueddu i fod yn baralel a syth. O ran trawstoriad, maen nhw'n llawer mwy llydan a gwastad. Mae morydau arfordir dwyreiniol Lloegr, fel moryd Afon Tafwys, a moryd Afon Potomac yng ngogledd-ddwyrain UDA yn enghreifftiau o hyn.

TERM ALLWEDDOL

Ffiord Cafn rhewlifol lle mae'r môr yn llifo ar hyd y gwaelod.

Ffiordau

Mewn rhanbarthau oedd wedi eu gorchuddio ag iâ, roedd y rhewlifoedd yn dilyn llinellau dyffrynnoedd afonydd oedd yn bodoli yno cyn hynny. Roedd yr 'afonydd iâ' hyn yn dyfnhau, yn lledu ac yn sythu'r dyffrynnoedd gafodd eu cerfio gan yr afonydd cyn hynny, gan greu cafnau rhewlifol. Yn debyg i riâu, datblygodd y **ffiordau** wrth i iâ ar y tir doddi ac wrth i lefel y môr godi. Maen nhw'n gyffredin ar hyd arfordiroedd y lledredau canol fel Norwy, dwyrain Grønland, gorllewin Canada a Chile.

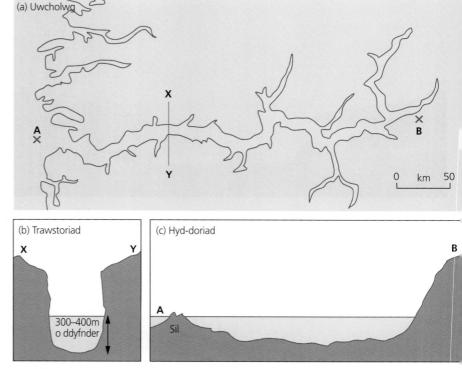

▲ **Ffigur 5.13** Uwcholwg, trawstoriad a hyd-doriad o ffiord

▲ **Ffigur 5.14** Y fynedfa i ffiord Milford Sound, Seland Newydd

Yn achos rhai ffiordau, mae sil amlwg i'w weld yn yr aber. Mae'n ymddangos bod gwahanol bethau'n achosi i'r arwedd hon ddatblygu. Cafodd rhai siliau eu creu gan ddyddodiad rhewlifol ac mae eraill wedi eu creu o graig solid. Gallan nhw ddatblygu lle mae dwysedd yr erydiad rhewlifol yn gostwng wrth i'r rhewlif ymledu ar draws yr ardal lle roedd y lan cyn hynny, neu lle mae'r rhewlif yn dechrau arnofio wrth iddo gwrdd â'r môr. Mae ffiordau yn gallu ymestyn hyd at 150 o gilometrau i'r mewndir, ac mae rhaeadrau ysblennydd yn tasgu i lawr ochrau rhai ohonyn nhw.

Mae **ffiardau** yn dirffurfiau sy'n nodweddiadol o ardaloedd tir isel lle roedd rhewlifoedd yn y gorffennol. Mae'r cilfachau hyn yn ddyfnach na riâu, a dydyn nhw ddim yr un fath â ffiordau o ran uwcholwg a phroffil. Un o'u nodweddion yw bod ganddyn nhw nifer mawr o ynysoedd, fel sydd i'w weld yn rhanbarth arfirdirol de-ddwyrain Sweden.

Mae riâu, ffiordau a ffiardau yn bwysig i weithgareddau dynol, ac yn gweithredu fel angorfeydd cysgodol. Mae'r rôl hon yn dal yn bwysig mewn rhai lleoliadau a gall yr arweddion hyn ddenu twristiaid. O ganlyniad i ddaeareg ffisegol y mannau arfirdirol boddedig hyn, mae gweithgareddau dynol a phortreadau wedi creu rhai mannau unigryw iawn. Mae llawer o leoliadau o'r fath yn cynnig angorfeydd cysgodol i longau, ac mae nifer o bentrefi pysgota wedi datblygu ar stribedi cul o dir gwastad ar hyd ffiordau, er enghraifft yn Norwy a de Chile. Yn ystod yr Ail Ryfel Byd, cafodd ffiordau Norwyaidd fel Sogne eu defnyddio fel canolfannau diogel ar gyfer llynges yr Almaen. Y rheswm dros hyn oedd bod ffiordau yn lleoliadau hawdd eu hamddiffyn gan fod eu lled a'u mynedfa yn gul. Llongau mordeithio sydd i'w gweld yno heddiw, nid llongau rhyfel, ac mae ffiordau Alaska, de Chile, Ynys y De yn Seland Newydd, a Norwy yn derbyn miloedd o ymwelwyr bob blwyddyn. Gan fod un rhan o Sognefjord yn cael ei ystyried yn fan mor arbennig, mae wedi cael ei enwi'n lleoliad Treftadaeth y Byd (gweler y Barriff Mawr, tudalen 106). Cyhyd ag y bydd y dŵr yn ddigon dwfn i adael i longau cefnforol mawr ddod i mewn, bydd y cilfachau boddedig hyn yn parhau'n borthladdoedd pwysig yn y system fyd-eang o lwybrau llongau. Mae tanceri olew yn mynd i mewn i riâu Bae Bantry, Iwerddon ac Aberdaugleddau, De Cymru yn ogystal â moryd Afon Tafwys sydd hefyd yn goridor ar gyfer mewnforio ac allforio amrywiaeth o nwyddau. Mae proses globaleiddio yn dibynnu ar rwydwaith o lwybrau cludo rhyngwladol ar y môr lle gall riâu, ffiordau a ffiardau ddod yn ganolfannau byd-eang (gweler Pennod 6).

> 🔑 **TERMAU ALLWEDDOL**
>
> **Ffiard** Cilfachau boddedig mewn ardal o dir isel lle roedd rhewlifoedd yn y gorffennol.
>
> **Dalmataidd** Morlin lle mae cadwyni o ynysoedd yn rhedeg yn baralel i'r tir mawr gyda baeau dwfn a thraethlinau serth.

Morlinau cydgordiol boddedig

Rydyn ni'n defnyddio'r term **Dalmataidd** i gyfeirio at unrhyw forlin sydd dan ddylanwad soddiad. Mae'r term yn deillio o ranbarth Dalmatia (Dalmacija) yn Croatia ar hyd Môr Adria, rhanbarth a gafodd ei foddi yn ystod yr Holosen. Gall morlinau cydgordiol (tudalen 52) greu cyfres o ddyffrynnoedd a chefnenau sy'n gorwedd yn baralel ar hyd yr arfordir. Yn aml iawn, mae adeiledd daearegol o anticlinau (y cefnenau) a synclinau (y dyffrynnoedd) bob yn ail yn cyd-fynd â hyn. Pan fydd lefel y môr yn codi ddigon i lifo dros y parth arfirdirol, mae'r cefnenau o dir uwch yn ymddangos fel ynysoedd (Ffigur 5.15).

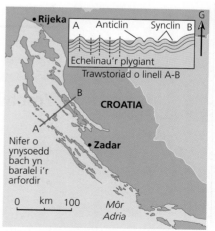

▲ **Ffigur 5.15** Tirwedd arfordirol Dalmatia (Dalmacija), Croatia

Dendrocroneg Y dull gwyddonol o ddyddio coed. Mae'n caniatáu i ni wybod yn union beth yw oed coeden drwy gyfrif nifer y cylchoedd tyfiant blynyddol. Mae patrwm cylchoedd blynyddol y goeden yn wahanol bob blwyddyn, yn dibynnu ar yr amodau tyfu ar y pryd.

Dadansoddi paill Y dull gwyddonol o ddadansoddi'r sborau a'r gronynnau paill microsgopig sy'n cael eu cadw mewn gwaddodion; mae hyn yn ein helpu i ddeall newidiadau amgylcheddol y gorffennol. Mae gronynnau paill yn eithriadol o wydn yn erbyn pydredd, yn enwedig o dan amodau anaerobig (heb ocsigen). Drwy ddadansoddi paill o wahanol haenau o waddodion, mae'n bosibl ymchwilio i nodweddion hinsawdd y gorffennol ac unrhyw newidiadau.

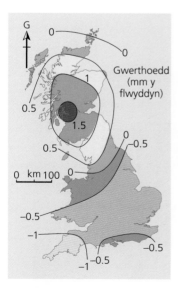

▲ **Ffigur 5.16** Cyfraddau addasiad isostatig blynyddol, Prydain

Morlinau soddedig

O amgylch y byd, mae amrywiaeth o dirffurfiau arfordirol a thirweddau cyfan, hyd yn oed, yn gorwedd o dan lefel y môr heddiw. Er enghraifft, oddi ar forlin Bae Vizcaya, gorllewin Ffrainc, mae systemau twyni tywod a thraethau i'w cael rhwng 100 a 200 metr o dan y dŵr. O amgylch morlin de-orllewin Lloegr, mae clogwyni'n gorwedd mewn 40–60 metr o ddŵr. Mae hen lyfndiroedd glannau i'w cael o amgylch gogledd Awstralia 200 metr o dan y dŵr.

Ar hyd llawer o arfordiroedd, mae coedwigoedd soddedig i'w cael yn y parth rhynglanwol ac alltraeth. Mae llawer o goedwigoedd o'r fath oddi ar arfordir Ynysoedd Prydain, yn bennaf o amgylch y morlinau deheuol. Maen nhw'n gorwedd ychydig fetrau o dan lefel y môr ac yn dod i'r golwg pan fydd y llanw'n arbennig o isel. Mae tystiolaeth o archwiliadau **dendrocroneg** a **dadansoddi paill** yn awgrymu bod y coed yn tyfu tua 6000–5000 o flynyddoedd yn ôl. Roedd yr hinsawdd wedi cynhesu ar ôl y cyfnod rhewlifol diwethaf, gan achosi cyfres o newidiadau dynamig i lystyfiant wrth i dymereddau godi ac wrth i briddoedd dyfnach ffurfio. Fodd bynnag, yn y pen draw, llifodd y dŵr i mewn i leoliadau fel aber Afon Dyfi yng Ngorllewin Cymru a lladdwyd y fforest gan ddŵr heli.

Mae arweddion soddedig fel hyn naill ai'n ffurfio o ganlyniad i gynnydd yn lefel y môr, ymsuddiant tectonig neu gyfuniad o'r ddau. Mae'n debygol y byddai'r fforestydd soddedig yn Ynysoedd Prydain wedi boddi adeg ewstasi rhewlifol yr Holosen ac yn sgil ymsuddiant isostatig hefyd. Wrth i ogledd Prydain godi gan fod pwysau'r iâ wedi dod i ffwrdd, mae'r creigiau cramennol yn crychu rywfaint sy'n achosi ymsuddiant yn y de a'r dwyrain (Ffigur 5.16).

③ Llifogydd arfordirol: risgiau a rheoli

▶ *Ym mha ffyrdd mae llifogydd arfordirol yn achosi risgiau, a sut dylid rheoli'r risgiau hyn?*

Gan fod lefel cymharol y môr yn debygol o godi drwy gydol y ganrif hon a thu hwnt, mae'r risg y bydd y môr yn llifo dros diroedd arfordirol yn dod yn fwy a mwy difrifol i gymunedau ar draws y byd.

Ymchwydd storm

Mae llawer o achosion o lifogydd ar yr arfordir yn gysylltiedig ag ymchwyddiadau storm (tudalennau 7–8). Yn ystod y ganrif hon, mae nifer o ddigwyddiadau egni uchel iawn wedi achosi marwolaethau a dinistr sylweddol:

* Gyda'i gilydd, roedd Corwynt Katrina (2005) a Chorwynt Sandy (2012) wedi achosi >1000 o farwolaethau oherwydd llifogydd arfordirol yn UDA, a chyfanswm y costau oedd rhwng UDA\$179 biliwn ac UDA\$250 biliwn.
* Teithiodd Seiclon Nargis (2008) ar draws de Myanmar, gan gynhyrchu ymchwydd storm ag uchder o 5 metr. Bu farw tua 130 000 o bobl.
* Yn dilyn Teiffŵn Haiyan (2013), roedd tua 800 o bobl Ynysoedd y Pilipinas wedi marw, ar goll neu wedi'u hanafu, a'r mwyafrif o ganlyniad i lifogydd arfordirol.

Mae Gogledd Ewrop wedi dioddef llifogydd arfordirol difrifol ers canrifoedd, yn enwedig o ganlyniad i ymchwyddiadau storm. Mewn ffynonellau canoloesol, mae cofnodion yn nodi bod sawl digwyddiad ymchwydd wedi taro'r rhanbarth (1099, 1421 ac 1446) a bod nifer mawr o bobl wedi marw yn dilyn y digwyddiadau hyn. Hyd yn oed ers i gynlluniau diogelu gael eu datblygu, gan gynnwys rhybuddion meteorolegol, mae ymchwyddiadau storm yn dal i greu dinistr, ac mewn rhai achosion yn lladd. Yn ystod digwyddiad yn 1953, bu farw 1836 o bobl yn yr Iseldiroedd, 307 ar hyd arfordir dwyreiniol Lloegr a thua 40 yng Ngwlad Belg. Y digwyddiad hwn wnaeth sbarduno pobl i newid eu hagwedd ac edrych ar ffyrdd newydd o ymdrin â risgiau ymchwyddiadau arfordirol. Arweiniodd hyn at waith peirianneg dramatig fel Cynllun Deltâu yr Iseldiroedd a Bared Afon Tafwys.

ASTUDIAETH ACHOS GYFOES: YMCHWYDD STORM MÔR Y GOGLEDD 2013

Yn gynnar ym mis Rhagfyr 2013, datblygodd Storm Xaver oddi ar arfordir Grønland. Wrth iddi groesi Cefnfor Gogledd Iwerydd gostyngodd ei gwasgedd atmosfferig, gan achosi i wyntoedd uchel gylchdroi o amgylch canol y storm. Ar 4 a 5 Rhagfyr, croesodd Xaver ar draws gogledd Prydain, ac erbyn 6 Rhagfyr roedd yn hyrddio dros dde Norwy a Sweden. Ar hyd arfordir dwyreiniol Lloegr, cafodd gwyntoedd o tua 60 km/awr eu cofnodi, ac wrth i'r storm symud tua'r dwyrain, roedd gwyntoedd a oedd yn cylchdroi'n wrthglocwedd o amgylch canol y storm yn chwythu o'r gogledd i'r de, i lawr ar draws Môr y Gogledd (Ffigur 5.17).

Cododd lefelau'r penllanw yn llawer uwch na'r cyfartaledd ar gyfer lleoliadau o amgylch Môr y Gogledd a hyd yn oed ar hyd y Sianel.

Lleoliad	Amser y penllanw	Uchder y llanw uchel (metrau)	Ymchwydd (metrau)
Aberdeen	5/12/13 15:00	3.0	0.66
North Shields	5/12/13 16:15	4.04	1.25
Immingham	5/12/13 19:15	5.31	1.70

▲ **Tabl 5.7** Maint y llanw a'r ymchwydd storm ar hyd arfordir dwyreiniol Prydain wrth i Storm Xaver basio ar draws Môr y Gogledd

Roedd lefelau penllanw eithriadol o uchel hefyd i'w gweld o amgylch yr arfordir gorllewinol, er enghraifft yn Lerpwl ac yn Ullapool.

Llifogydd arfordirol a'u heffeithiau

Roedd tua 2800 o gartrefi/busnesau wedi dioddef llifogydd, ac amcangyfrifwyd bod 6.8 km^2 o dir amaethyddol wedi mynd o dan ddŵr hefyd. Cafodd tua 18 000 o bobl eu symud o ardaloedd risg cyn i'r ymchwydd ddigwydd, a chodwyd tua 2800 km o amddiffynfeydd llifogydd i ddiogelu 800 000 o gartrefi/busnesau. Yn ôl yr amcangyfrifon, cyfanswm y colledion yswiriant yn y Deyrnas Unedig oherwydd difrod y llifogydd oedd £100 miliwn. Roedd nifer o ffyrdd arfordirol dan ddŵr ac roedd difrod i reilffyrdd hefyd.

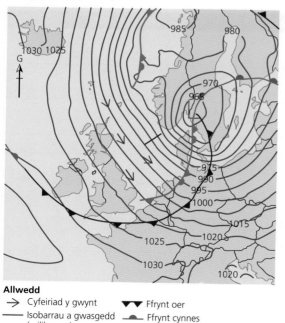

Allwedd
→ Cyfeiriad y gwynt
— Isobarrau a gwasgedd (milibarrau)
▼▼ Ffrynt oer
▬▲ Ffrynt cynnes
▲▲ Ffrynt achludol

◄ **Ffigur 5.17** Gwasgedd atmosfferig ar yr arwyneb ar gyfer Storm Xaver, Rhagfyr 2013

Roedd isadeiledd y doc ym mhorthladd Immingham wedi'i ddifrodi'n ddifrifol yn dilyn y llifogydd. Gwelwyd colledion o tua £115 miliwn oherwydd difrod a cholli busnes. Immingham yw porthladd mwyaf Prydain o ran nifer y tunelli o nwyddau sy'n mynd drwyddo – tua 55 miliwn o dunelli metrig bob blwyddyn. Mae'r porthladd yn strategol bwysig oherwydd mae'n derbyn symiau sylweddol o ddefnydd biomas a glo ar gyfer y gorsafoedd pŵer, yn ogystal ag olew, bwyd anifeiliaid, grawn, pren, halen ffordd a chynwysyddion. Yn ôl yr amcangyfrifon, roedd yr ymchwydd yn Immingham yn cynrychioli lefel o lifogydd sy'n debygol o ddigwydd unwaith yn unig mewn 750 o flynyddoedd.

Gan fod swm yr egni gwynt a'r egni tonnau a ddaeth i mewn i'r systemau arfordirol mor fawr, roedd yr effaith ar dirffurfiau ar hyd y parth arfordirol yn sylweddol. Roedd mwy o erydiad yn digwydd ar glogwyni, yn enwedig rhai wedi'u ffurfio o ddyddodion rhewlifol meddal ar hyd rhannau o forlin East Anglia. Roedd y systemau twyni tywod wedi dioddef erydiad sylweddol ar hyd yr ochrau oedd yn wynebu'r môr, a chafodd egin-dwyni, blaen-dwyni

▲ **Ffigur 5.18** Bylchau mewn amddiffynfeydd arfordirol yn dilyn ymchwydd storm Rhagfyr 2013, ger Salthouse, gogledd Norfolk

a rhai twyni melyn eu diraddio. Llwyddodd dŵr y môr i greu bylchau mewn barrau graean a thirgloddiau a llifo drostyn nhw. Yna cafodd y lagynau y tu ôl iddyn nhw eu llenwi â dŵr y môr, gan lenwi'r gwlyptiroedd fel y gwelyau cyrs a'r morfeydd pori â gwaddodion.

DADANSODDI A DEHONGLI

Astudiwch Tabl 5.8, sy'n cynnwys data yn cymharu dau ddigwyddiad ymchwydd storm ar arfordir dwyreiniol Lloegr.

Effaith	Ionawr 1953	Rhagfyr 2013
Nifer y bylchau mawr drwy'r amddiffynfeydd môr	120	4
Nifer y cartrefi/busnesau wedi'u heffeithio gan lifogydd	24 000	1400
Maint y tir amaethyddol wedi'i effeithio gan lifogydd (ha)	65 000	6800
Nifer y marwolaethau	307	0
Nifer y bobl wedi'u symud o'r ardal	32 000	18 000
Isadeiledd oedd yn methu gweithio am o leiaf 24 awr	2 orsaf bŵer 12 o weithfeydd nwy 160 km o ffyrdd 320 km o reilffyrdd	Dim gorsafoedd pŵer na gwasanaethau nwy mawr wedi'u heffeithio Porthladd Immingham – effeithiau difrifol
Nifer y rhybuddion llifogydd wedi'u cyhoeddi	0	64 difrifol >160 000 o negeseuon rhybudd wedi eu hanfon yn uniongyrchol i gartrefi a busnesau

▲ **Tabl 5.8** Cymharu ymchwyddiadau storm ar yr arfordir dwyreiniol

(a) Gan ddefnyddio Tabl 5.8, cymharwch y ddau ddigwyddiad o ran eu heffaith ar bobl.

CYNGOR

Bob tro y bydd cwestiwn yn dweud 'cymharwch', mae'n bwysig cymharu yn eich ateb. Y ffordd orau o wneud hyn yw trafod y ddau ddigwyddiad yng nghyd-destun un effaith benodol, yn hytrach nag ysgrifennu dau gyfrif ar wahân, un ar gyfer pob digwyddiad. Mae gwahaniaethu rhwng effeithiau uniongyrchol ac effeithiau anuniongyrchol hefyd yn dechneg ddefnyddiol. Dwy enghraifft o effeithiau uniongyrchol yw marwolaethau a symud pobl o'r ardal. Un enghraifft o effaith anuniongyrchol yw oedi o ran cyflenwadau bwyd gan fod cysylltiadau trafnidiaeth wedi cael eu difrodi. Mae'r data'n dangos yn glir bod digwyddiad 1953 wedi arwain at gyfres fwy arwyddocaol o effeithiau ar bobl nag ymchwydd storm 2013. Un gymhariaeth amlwg iawn yw nifer y bobl a fu farw – lladdwyd ychydig dros 300 yn 1953, ond ni fu neb farw yn 2013. Rydyn ni hefyd yn gweld gwahaniaeth mawr yn lefel yr effeithiau wrth edrych ar nifer y cartrefi/busnesau wnaeth ddioddef llifogydd a nifer y bobl gafodd eu symud o'r ardal.

(b) Awgrymwch pam mae'r effeithiau ar yr isadeiledd mor wahanol rhwng y ddau ddigwyddiad.

CYNGOR

Mae'r data'n dangos bod cyfleusterau pŵer a thrafnidiaeth wedi'u difrodi yn 1953, ond yn 2013 dim ond Porthladd Immingham wnaeth ddioddef. Un rheswm posibl yw bod yr isadeiledd wedi ei greu i fod yn fwy gwydn – hynny yw, yn gallu gwrthsefyll digwyddiadau eithafol fel llifogydd yn well. Efallai fod y ffyrdd a'r rheilffyrdd wedi eu hamddiffyn yn well yn 2013 drwy ddraeniad ac o bosibl gan eu bod wedi eu lleoli ar argloddiau uwchben lefel y llifogydd. Yn 1953, cafodd ardal llawer mwy o'r arfordir dwyreiniol ei boddi oherwydd bod llawer mwy o fylchau drwy'r amddiffynfeydd môr. Byddai hyn wedi achosi i lawer mwy o ddarnau o ffyrdd, er enghraifft, fynd o dan y dŵr. Yn 1953 mae'n debyg bod nifer uwch o orsafoedd pŵer a gweithfeydd nwy yn bodoli, a phob un yn eithaf bach o ran maint, felly mae'n debyg y byddai mwy o'r isadeiledd egni wedi bod dan risg. Erbyn 2013, roedd cynhyrchu egni yn digwydd mewn llai o weithfeydd ond rhai mwy o faint, naill ai ddim wedi'u lleoli mewn parth peryglus neu'n debygol o fod wedi eu hamddiffyn yn well. Roedd y gwahaniaeth mawr rhwng y ddau ddigwyddiad o ran rhoi rhybuddion llifogydd yn golygu bod amser ar gael yn 2013 i osod amddiffynfeydd llifogydd dros dro.

Un o ganlyniadau'r rhan fwyaf o ddigwyddiadau peryglus yw bod pobl yn gwerthuso'r digwyddiad er mwyn canfod ffyrdd o liniaru'r risgiau ac addasu er mwyn delio â digwyddiadau egni uchel. Roedd effeithiau ymchwydd 1953 mor ddifrifol, rhoddwyd mesurau yn eu lle i leihau'r risgiau yn y dyfodol yn sgil ymchwyddiadau storm.

(c) Dadansoddwch gryfderau a gwendidau cymharu data ar draws cyfnod o sawl degawd.

CYNGOR

Mae cymharu patrymau gofodol dros amser yn digwydd yn aml wrth wneud ymchwiliadau daearegol. Yn anochel mae'n rhaid gofyn, 'Ydy hwn yn cymharu tebyg â'i debyg?' o ran y data. Un enghraifft gyffredin ym maes daearyddiaeth yw cymharu data sy'n cyfeirio at unedau gofodol fel siroedd, trefi neu wardiau o fewn tref. Rhaid bod yn ofalus i sicrhau bod cymariaethau fel hyn yn delio ag unedau sydd â'r un ffiniau. Mae data'n cael eu casglu mewn ffyrdd gwahanol dros amser. Mae'r dewis o gwestiynau mewn arolwg, er enghraifft y Cyfrifiad, a sut maen nhw wedi eu geirio, yn gallu effeithio ar natur y data. Gall y ffyrdd o fesur rhywbeth amrywio, er enghraifft pwy sy'n cyfrif fel person di-waith.

Er gwaethaf y gwendidau posibl hyn, mae'n werthfawr gallu gwneud cymariaethau dros gyfnod o amser. Mae hyn yn gallu tynnu sylw at dueddiadau, ac os bydd tuedd yn cael ei gwireddu, mae'n bwysig gofyn rhagor o gwestiynau am y rhesymau pam y digwyddodd y duedd fel y gwnaeth. Mae newidiadau yn lefel y môr, er enghraifft, yn codi cwestiynau ynglŷn â pham mae hyn yn digwydd, beth gallwn ni ei wneud am y peth, a pha effeithiau mae'r newidiadau yn debygol o'u cael ar ein morlinau ac ar y cymunedau sy'n byw yn y parth arfordirol.

Lefel y môr yn codi – geoperygl sy'n ymgripio

Mae'n debyg mai'r cynnydd yn lefel y môr fydd un o ganlyniadau mwyaf dramatig cynhesu byd-eang wrth i'r ganrif hon symud yn ei blaen. Dydy'r perygl posibl ddim yn ymwneud â digwyddiadau dramatig sydyn fel daeargrynfeydd neu tswnamïau. Y perygl yw'r ffaith bod y cynnydd yn 'ymgripio' – hynny yw, cynnydd sydd bron yn amhosibl ei weld (cyn lleied ag ychydig filimetrau'r flwyddyn), ond a fydd dros amser yn arwain at newid arwyddocaol iawn yn yr amodau arferol. Felly, gallai'r goblygiadau fod yn ddifrifol i forlinau isel, yn enwedig mewn lleoliadau lle mae'r tir yn ymsuddo.

Mae'r *IPCC* wedi cyhoeddi'r asesiadau canlynol am leoliadau arfordirol:

- lefel y môr – bydd hwn yn codi rhwng 28 cm a 98 cm erbyn 2100; y cynnydd mwyaf tebygol yw 55 cm erbyn 2100
- llifogydd mewn deltâu – mae arwynebedd y tir ym mhrif ddeltâu y byd sydd mewn perygl o lifogydd arfordirol yn debygol o gynyddu 50%.

Mae gwyddonwyr yr *IPCC* wedi cyhoeddi'r ddau asesiad uchod â 'lefel uchel o hyder', sef y lefel maen nhw'n ei roi pan fydd yr asesiad o'r data'n awgrymu bod gan y dystiolaeth 'lefel uchel o sicrwydd'.

Mae'r risgiau sy'n codi oherwydd y cynnydd cymharol yn lefel y môr yn effeithio ar leoliadau ar draws y byd. Ond wrth ystyried yr effeithiau ar bobl benodol, a'r gallu i reoli'r risgiau hyn, mae rhaniad amlwg yn bodoli yn dibynnu ar ba mor agored i niwed yw'r cymunedau sydd wedi'u heffeithio. I bob pwrpas, mae'r rhaniad hwn yn ymwneud ag economi – mae cymuned yn llai agored i niwed os oes digon o adnoddau fel arian ar gael iddi.

Fodd bynnag, gan y bydd y perygl hwn yn dod yn fwy a mwy amlwg dros gyfnod eithaf hir o amser, mae'r asesiad risg yn wahanol iawn o un lleoliad i'r llall ac yn dibynnu ar yr adnoddau sydd gan bobl. Yn achos ffermwr tlawd sy'n byw ar ynys isel yn nelta Ganga-Brahmaputra yng ngogledd Bae Bengal, bydd ei flaenoriaethau o ran cyfrifoldebau angenrheidiol yn rhai tymor byr. Iddo ef, mae darparu bwyd yn ddyddiol, llwyddo i anfon y plant i'r ysgol, a phryderu am y tymor seiclonau nesaf yn flaenoriaethau llawer uwch na'r cynnydd graddol yn lefel y môr. Mae llawer o berchenogion cartrefi ar farynysoedd ar hyd arfordir dwyreiniol UDA yn deall pa mor beryglus yw'r cynnydd yn lefel y môr, ond o ran gwneud penderfyniadau, maen nhw'n fwy tebygol o ganolbwyntio ar ddiogelu eu heiddo rhag y tymor corwyntoedd neu'r llifogydd nesaf. Ychydig iawn o wleidyddion lleol, rhanbarthol neu genedlaethol sy'n ystyried goblygiadau tymor hir y cynnydd yn lefel y môr o safbwynt darparu adnoddau i'w ddatrys, er bod hyn yn dechrau newid. Mae'r difrod difrifol yn dilyn stormydd egni uchel wedi dangos y risgiau mae ardaloedd arfordirol yn eu hwynebu, ac mae mesurau ar waith os oes adnoddau ar gael – hynny yw, mewn lleoliadau mwy cyfoethog yn bennaf (gweler Pennod 7).

Mae anheddiadau arfordirol o bob maint – o bentrefi i'r mega-ddinasoedd – yn agored i niwed, yn enwedig y rhai sydd wedi eu lleoli:

- ar lannau lagynau a morydau
- mewn deltâu

- ar forfeydd wedi'u draenio
- ar ynysoedd bach sy'n gorwedd yn agos at lefel y môr.

I ddechrau, bydd boddi'n digwydd yn achlysurol, ond yn amlach. Yna, dros amser bydd safleoedd y marc penllanw a'r marc distyll yn symud tuag at y tir, bydd ardaloedd is y parth rhynglanwol wedi'u soddi'n barhaol, a bydd tir oedd yn 'sych' cyn hynny yn cael ei golli. Mae morydau a lagynau yn debygol o ehangu a bydd lagynau newydd yn ffurfio. Yn y gorffennol, roedd y system arfordirol yn tueddu i weithredu mewn ffyrdd oedd yn adfer ecwilibriwm – e.e. gwaddod yn cronni ac yn adfer y tir i'w lefelau blaenorol yn dilyn digwyddiad egni uchel a arweiniodd at lifogydd.

Mater sy'n bryder mawr wrth reoli'r cynnydd yn lefel y môr yw'r ffaith bod y cyflenwad gwaddod i mewn i'r system arfordirol wedi gostwng mewn llawer o leoliadau arfordirol. Mewn sawl man, gweithgareddau dynol sydd wedi achosi'r gostyngiad hwn. Mae adeiladu argaeau mewndirol yn gallu tarfu ar lwybrau gwaddodion. Mae'r cronfeydd dŵr sy'n datblygu i fyny'r afon o'r argae yn amgylcheddau egni isel, sy'n golygu bod llwyth yr afon sy'n dod i mewn i'r gronfa yn setlo, gan gynnwys llawer o'r llwyth mewn daliant. Mae delta Afon Nîl yn gartref i tua 40 miliwn o bobl, a'r dwysedd poblogaeth cyfartalog yw 1000 am bob km^2. Dyma lle mae gweithgarwch amaethyddol yr Aifft ar ei uchaf, ac mae mewnbynnau gwaddod yr ardal wedi dirywio'n sylweddol ers i Argae Uchel Aswan gael ei adeiladu. Mae hyn wedi arwain at gynnydd mewn erydiad difrifol ar hyd y dyfrffyrdd sy'n croesi'r delta ac ar hyd y morlin.

Mewn gwirionedd, mae'n annhebygol y bydd y cynnydd yn lefel y môr yn achosi llawer o farwolaethau yn uniongyrchol. Wrth i'r ganrif hon symud yn ei blaen ac wrth i'r uchder penllanw cyfartalog gynyddu oherwydd y cynnydd yn lefel y môr, bydd y risgiau i bobl sy'n byw ar hyd yr arfordir yn cynyddu, yn enwedig pan fydd llanw uchel a storm yn digwydd yr un pryd. Elfen arall sy'n ddinistriol, mewn ffordd wahanol i farwolaeth, yw colli cartrefi a busnesau. Hyd yn oed mewn mannau lle mae yswiriant ar gael – hynny yw, mewn gwledydd mwy cyfoethog – mae'n aml yn amhosibl i lawer o berchenogion eiddo brynu yswiriant mewn ardaloedd lle mae erydiad arfordirol a llifogydd wedi digwydd. Wrth i gymunedau arfordirol newid yn ffisegol, mae'r ffordd mae pobl yn meddwl am y lleoedd hyn yn debygol o newid hefyd. Mae'n bosibl y bydd cymunedau oedd ar un cyfnod yn lleoedd atyniadol i fyw yn dod yn llai apelgar gan eu bod yn fwy agored i niwed gan lifogydd a difrod gan stormydd. Yn y pen draw, efallai bydd pobl yn gadael y cymunedau hyn yn gyfan gwbl ac yn symud i fyw ymhellach i mewn i'r tir.

Yn ychwanegol at lifogydd ac erydiad, mae cynnydd yn lefel y môr yn achosi i ddŵr heli fynd i mewn i'r **dyfrhaenau**, gan lygru'r cyflenwadau dŵr croyw. Gan fod gweithgareddau domestig, diwydiannol ac amaethyddol i gyd yn dibynnu ar ddŵr croyw, mae'r broblem gudd hon yn ddifrifol. Ac nid gweithgareddau dynol yw'r unig bethau sy'n dioddef. Mae ecosystemau hefyd dan risg oherwydd effeithiau'r cynnydd yn lefel y môr. Bydd dŵr heli yn lladd planhigion sydd ddim yn haloffytig. Yn ogystal â hyn, bydd morfeydd heli, mangrofau a chymunedau cwrel yn dioddef gan fod dŵr dyfnach yn eu

TERM ALLWEDDOL

Dyfrhaen Craig athraidd sy'n dal dŵr, er enghraifft sialc.

gorchuddio am gyfnodau hirach, a bydd llifogydd a soddiad yn dinistrio ecosystemau yn y pen draw. Mae'r fforestydd soddedig gafodd eu boddi oherwydd y cynnydd ôl-rewlifol yn lefel y môr yn rhoi syniad i ni o'r hyn sy'n debygol o ddigwydd i nifer o ecosystemau arfordirol erbyn diwedd y ganrif hon. Pan fydd ecosystemau sydd ddim yn naturiol – fel amaethyddiaeth ddwys neu'r amgylchedd adeiledig – rhwng yr ecosystem naturiol a'r tir, bydd hyd yn oed y rhywogaethau hynny sy'n gallu mudo (fel pryfed sydd ddim yn hedfan, anifeiliaid a phlanhigion gwyllt) yn sownd yno. Mae gwarchodfeydd natur wedi'u lleoli mewn llawer o barthau arfordirol o amgylch y byd, ac mae hyn yn pwysleisio pwysigrwydd y cynnydd yn lefel y môr i'r biosffer. Does dim tystiolaeth eto i awgrymu pa mor wydn fydd yr ecosystemau hyn yn erbyn bygythiadau'r cynnydd yn lefel y môr. Efallai na fyddwn ni'n gwybod hynny'n iawn nes bydd trothwy critigol ar gyfer goroesi wedi'i groesi.

Y cynnydd yn lefel y môr a lleoliadau datblygedig

Mae llawer o ganolfannau dinesig mewn gwledydd sydd ag economi datblygedig dan fygythiad oherwydd y cynnydd yn lefel y môr. Ymhlith y dinasoedd global elît – hynny yw, dinasoedd sy'n arwain gweithgareddau fel trafodion busnes, cyfnewid gwybodaeth, profiadau diwylliannol a llywodraethu gwleidyddol – mae nifer ohonyn nhw dan fygythiad oherwydd y cynnydd yn lefel y môr: Efrog Newydd, Llundain, Tōkyō, Los Angeles ac Amsterdam. Yn ogystal, mae dinasoedd fel Venezia (Fenis) a Miami yn wynebu heriau difrifol i'r nodweddion hynny sy'n eu diffinio nhw fel lleoedd nodedig. Mae gan wledydd sydd ag economïau datblygedig adnoddau sy'n caniatáu iddyn nhw adnabod, ymchwilio, cynllunio a buddsoddi mewn mesurau i ddelio â'r risgiau llifogydd sy'n deillio o'r cynnydd yn lefel y môr.

LLEOLIAD ENGHREIFFTIOL: ADNABOD A RHEOLI'R RISG O LIFOGYDD, LLUNDAIN

Mae gwreiddiau Llundain a'i datblygiad dros nifer o ganrifoedd wedi digwydd i raddau helaeth oherwydd ei lleoliad ar hyd glannau moryd Afon Tafwys. Mae'r risg o lifogydd wedi lleihau ers i strwythurau gael eu hadeiladu, er enghraifft Arglawdd Afon Tafwys wnaeth godi lefel y glannau. Heddiw, mae tua 1.25 miliwn o bobl yn byw a/neu'n gweithio ar y gorlifdir. Fodd bynnag, mae'r ffaith bod lefel y môr yn codi yn golygu bod angen gwneud gwaith rheoli sylweddol i leihau'r risg y bydd dŵr y môr yn dod dros y tir yn dilyn ymchwydd storm.

Dyma rai o'r risgiau penodol o lifogydd yn Llundain:

- Llywodraeth – Llundain yw prif ganolfan gweithgareddau'r llywodraeth yn genedlaethol ac ar gyfer y brifddinas. Mae llawer o swyddfeydd allweddol y llywodraeth i'w cael ar y gorlifdir y naill ochr a'r llall i'r foryd, er enghraifft Tŷ'r Cyffredin, ardal Whitehall ac Awdurdod Llundain Fwyaf, yn ogystal â bwrdeistrefi fel Tower Hamlets a Newham. Mewn adroddiad yn 2007, roedd Asiantaeth yr Amgylchedd yn amcangyfrif y byddai'r golled o ran amser staff yn y gwasanaeth sifil yn costio tua £10 miliwn y dydd pe bai llifogydd yn digwydd.

- Busnes – Mae Llundain yn un o'r grŵp bach o ganolfannau global sy'n arwain y byd busnes. Mae'n ganolfan ariannol ryngwladol sy'n cysylltu Efrog Newydd â Tōkyō yn y gylchred fasnachu 24 awr. Mae ardal Docklands wedi denu llawer o wasanaethau fel banciau a chwmnïau yswiriant, ac mae'r ardal hon ar y gorlifdir. Yn ôl amcangyfrifon, mae Llundain yn cyfrannu tua £250 biliwn y flwyddyn i economi'r Deyrnas Unedig. Byddai llifogydd yn amharu'n fawr iawn ar allu Llundain i ddenu twristiaid o bob rhan o'r byd. Mae 8 gorsaf bŵer dan risg; byddai cau'r gorsafoedd hyn yn amharu'n ddifrifol iawn ar gyflenwadau pŵer.

■ Isadeiledd – mae mwy na biliwn o deithiau'n digwydd bob blwyddyn ar drenau tanddaearol Llundain (yr *Underground*). Mae llawer o'r system yng nghanol Llundain ond efallai mai'r broblem fwyaf arwyddocaol fyddai'r effaith ar gysylltedd o fewn y system. Byddai hyn yn amharu ar allu pobl i deithio i'r gwaith, i'r ysgol a'r coleg. Mae 39 o orsafoedd yr *Underground* dan risg uchel o lifogydd ac mae 16 o ysbytai mawr ar y gorlifdir.

■ *Thames Gateway* – y project adfywio mwyaf yn Ewrop, sydd â tharged o adeiladu 200 000 o gartrefi newydd erbyn 2020. Mae'r rhan fwyaf o'r ardal ar y gorlifdir.

Rheoli risgiau llifogydd Llundain

Cafodd y glannau ar hyd y foryd eu codi un ar ôl y llall, yn enwedig yn ystod ail hanner y bedwaredd ganrif ar bymtheg. Yn dilyn y dinistr a ddaeth yn sgil ymchwydd 1953, arweiniodd gwaith ymchwil a chynllunio yn y pen draw at adeiladu Bared Afon Tafwys (*Thames Barrier*), a ddaeth yn weithredol yn 1982. Dyma gynllun sydd wedi defnyddio peirianneg galed i adeiladu gatiau enfawr sy'n gallu codi i greu rhwystr ffisegol i'r dŵr sy'n dod i fyny Afon Tafwys. Pan gafodd ei agor, roedd y peirianwyr yn disgwyl i Fared Afon Tafwys bara hyd nes 2030, ac erbyn mis Chwefror 2018, roedd wedi cael ei gau 182 o weithiau. Dydy cau'r gatiau ddim yn digwydd oherwydd risg llifogydd o'r môr bob tro – mae'r gatiau hefyd yn amddiffyn Llundain rhag llifogydd afon. Erbyn hyn, mae disgwyl i'r Bared bara'n hirach na'r amcangyfrif gwreiddiol er bod lefel y môr yn codi.

Nid y Bared yw'r unig ddull o reoli'r risg o lifogydd. Mae mesurau ychwanegol i'w cael ar hyd arfordiroedd Caint ac Essex lle mae ardaloedd o dir fferm yn cael eu defnyddio i storio llifddwr o'r môr, yn ogystal â rhwystrau ffisegol bach sydd yno dros dro.

▲ **Ffigur 5.19** Bared Afon Tafwys wrth edrych i fyny'r afon, gyda rhanbarth ariannol Canary Wharf yn y pellter

Y cynnydd yn lefel y môr a lleoliadau sy'n datblygu

Mae cysylltiad annatod rhwng cynhesu byd-eang, ei effeithiau – e.e. cynnydd yn lefel y môr – a'r ffaith bod cyfoeth ac adnoddau'r byd heb eu dosbarthu'n gyfartal. Er y bydd pob gwlad yn dioddef o effeithiau cynhesu byd-eang, y bobl fwyaf tlawd fydd yn dioddef fwyaf – fel sy'n digwydd bob tro. Y bobl sydd â'r nifer lleiaf o adnoddau sydd fwyaf agored i niwed. Wrth i'r ganrif hon symud yn ei blaen, mae'n debyg y bydd rhai lleoliadau mewn gwledydd incwm isel sy'n datblygu yn mynd yn amhosibl byw ynddyn nhw, a bydd cymunedau'n gorfod gadael fel ffoaduriaid amgylcheddol. Hyd yn oed yn yr economïau incwm canol newydd, mae rhannau sylweddol o'r gymdeithas dan risg eithriadol oherwydd y cynnydd yn lefel y môr. Er enghraifft, mae un adroddiad gan y Cenhedloedd Unedig yn amcangyfrif y bydd 40 miliwn o bobl India dan risg o'r cynnydd yn lefel y môr erbyn 2050. Mae dinas Shanghai, sy'n ganolfan global bwysig, dan fygythiad oherwydd y cynnydd yn lefel y môr.

Grŵp o tua 1200 o ynysoedd atol cwrel yw'r Maldives, wedi'u lleoli i'r de-orllewin o dde India.

Y cyfleoedd i'r bobl sy'n byw yno

Ers canrifoedd, mae'r ynysoedd wedi cynnig cyfleoedd i'r bobl sy'n byw yno, sef ffermio'r 10% o arwynebedd y tir sy'n addas ar gyfer amaeth, pysgota a chyfnewid nwyddau gyda masnachwyr sy'n croesi Cefnfor India.

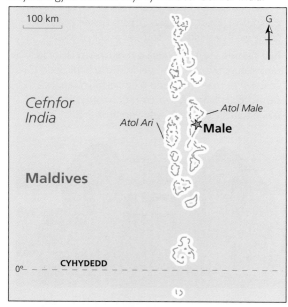

▲ **Ffigur 5.20** Prif glwstwr o ynysoedd y Maldives

Erbyn diwedd yr ugeinfed ganrif, roedd y Maldives yn cyfrannu at globaleiddio fwy a mwy drwy ddenu twristiaid, cynhyrchu dillad a physgota ar gyfer allforio (tiwna sgipjac yn bennaf). Oherwydd yr hinsawdd drofannol, a'r ffaith bod y dŵr arfordirol cynnes yn wych ar gyfer gweithgareddau fel archwilio tirweddau tanddwr ac ecosystemau'r riffiau cwrel, mae'r Maldives wedi datblygu yn gyrchfan gwyliau poblogaidd i bobl o wledydd cyfoethog. Mae twristiaeth y Maldives wedi'i anelu at ochr gyfoethog y farchnad ac yn canolbwyntio ar ddatblygu cyrchfannau gwyliau moethus.

Y risgiau i'r bobl sy'n byw yno

Mae daearyddiaeth ffisegol y Maldives yn cynnig cyfleoedd a risgiau. Cyfanswm arwynebedd arwyneb y tir yw 300 km², wedi ei amgylchynu gan forlin 644 km o hyd. Dim ond 2.4 metr uwchben lefel y môr yw'r pwynt uchaf, sy'n golygu bod y Maldives yn un parth arfordirol eang. Er nad oes neb yn byw ar y mwyafrif o'r archipelago, mae'r cynnydd yn lefel y môr yn risg gwirioneddol ac uniongyrchol. Mae llifogydd ac erydiad gan y tonnau yn digwydd yn amlach, ac mae hyn yn achosi bygythiadau mewn nifer o wahanol ffyrdd:

- Erydiad y riffiau cwrel gan eu bod yn agored i fwy o egni tonnau
- Dŵr y môr yn mynd i mewn i'r dyfrhaenau dŵr croyw
- Tir yn cael ei golli i'r môr, sy'n golygu bod yr ardal gyfyngedig sydd ar gael ar gyfer ffermio yn mynd yn llai fyth
- Colli ardaloedd o gwrel, sy'n golygu nad yw'r pysgod yn mynd i fridio cymaint gan fod riffiau'n gweithredu fel meithrinfeydd ar gyfer wyau, larfâu a physgod ifanc
- Bygythiad i goed cnau coco gan fod yr halen yn nŵr y môr yn llygru'r pridd lle maen nhw'n tyfu.

Mae'r trigolion eu hunain dan fygythiad uniongyrchol wrth i lefel y môr godi, ond mae eu heconomi dan fygythiad hefyd. I ddenu twristiaid, mae'r Maldives yn dibynnu ar y portread anffurfiol sy'n bodoli ohoni, sef ei bod hi'n ynys baradwysaidd. Mae colli riffiau cwrel (mae rhai achosion difrifol o gannu cwrel wedi bod), yn ogystal â cholli delweddau eiconig fel traethau sy'n rhesi o goed palmwydd a chnau coco, yn arwain at ostyngiad sydyn iawn yn nifer yr ymwelwyr. Mae llai o dwristiaid yn golygu bod gwestai a bwytai yn colli incwm yn uniongyrchol, ond mae'n golygu y bydd staff y meysydd cefnogi – fel busnesau cyflenwi bwyd a staff y meysydd awyr – yn colli incwm hefyd. Mae diweithdra'n codi a gall hynny achosi i lifoedd mawr o bobl allfudo. Oedolion ifanc sydd fwyaf tebygol o symud i ffwrdd, felly bydd yr ynysoedd yn colli elfen hanfodol o'r gweithlu a bydd teuluoedd a chymunedau yn dioddef hefyd.

Rheoli risgiau

Mae gwydnwch y Maldives yn erbyn risgiau'r cynnydd yn lefel y môr yn cael ei brofi go iawn. Mae'r wlad yn brin o adnoddau economaidd a thechnolegol, ond mae wedi dechrau paratoi ac addasu erbyn hyn. Un dull maen nhw wedi'i ddefnyddio yw 'adennill tir', er enghraifft adeiladu Hulhumale – ynys artiffisial newydd wedi ei lleoli o amgylch atol oedd yn bodoli'n barod, a'i hadeiladu o gwrel a gwaddod wedi ei lusgo o wely'r môr. Ar y tir hwn maen nhw'n adeiladu dinas – wedi'i henwi gan rai yn 'City of Hope' – sydd wedi ei diogelu rhag y môr gan wal fôr ag uchder o 3 metr. Erbyn 2023 pan fydd y project wedi'i gwblhau, bydd poblogaeth o tua 130 000 o bobl yn gallu byw ar yr ynys.

I'w helpu i wrthsefyll y bygythiad, mae llywodraethau tramor wedi rhoi rhoddion ariannol i'r Maldives. Mae Japan wedi talu UDA$60 miliwn am wal fôr sylweddol o amgylch y brifddinas Male. Mae'r wal hon yn system peirianneg galed sy'n cynnwys tetrapodau concrit, sef strwythurau concrit â phedair coes enfawr sy'n plethu i'w gilydd. Mae asiantaethau rhyngwladol fel *Mangroves for the Future* yn helpu gyda phrojectau ar rai o'r atolau, er enghraifft datblygu meithrinfeydd ar gyfer coed mangrof ifanc cyn eu plannu i gryfhau'r amddiffyniad yn erbyn egni tonnau ac ymchwyddiadau storm. Drwy lanhau sbwriel dynol a malurion eraill allan o'r lagynau, y nod yw creu amgylchedd sydd mor iach â phosibl fel bod y llystyfiant naturiol yn gallu gwrthsefyll y straen sy'n gysylltiedig â'r cynnydd yn lefel y môr.

Efallai byddai'n ymddangos bod y risgiau sy'n wynebu'r Maldives wedi gorfodi pobl i gytuno ar ddull i fynd ati i ddiogelu'r ynysoedd. Fodd bynnag, mae gwrthdaro wedi digwydd, yn rhannol oherwydd y sefyllfa wleidyddol ansefydlog yn y wlad, ond hefyd oherwydd y gwaith sy'n digwydd i ddatblygu'r cyrchfannau gwyliau. Mae cynlluniau ar y gweill i adeiladu datblygiadau twristiaeth ar ragor o atolau, ac mae rhai pobl yn ystyried hyn yn fygythiad difrifol i'r ecosystemau cwrel a morol. Gan fod cymaint o sylw wedi bod ar amddiffyn y prif ynysoedd fel Male a Hulhumale, mae atolau mwy ynysig wedi cael llai o sylw.

Gwerthuso'r mater

▶ Asesu dylanwad y newid yn lefel y môr ar ddatblygiad tirffurfiau a thirweddau arfordirol.

Cyd-destunau posibl a meini prawf ar gyfer asesu

Gall y newid cymharol yn lefel y môr fod naill ai'n dresmasiad neu'n atchweliad. Dylai unrhyw drafodaeth am ddylanwad y newid yn lefel y môr gynnwys y ddau newid yma, a dangos yn glir pa fath o newid – lefel y môr yn codi neu'n gostwng – sy'n cael ei ystyried. I gael trafodaeth gynhwysfawr, rhaid trafod y ddau fath o newid, oherwydd drwy beidio â thrafod un neu'r llall, dydy'r gwerthusiad ddim yn gyflawn.

Mae newid yn lefel y môr yn digwydd dros nifer o gyfnodau amser gwahanol. Mae'n bwysig cydnabod bod newidiadau tymor hir, tymor canolig a thymor byr yn bodoli oherwydd gallai pob un o'r rhain ddylanwadu ar dirffurfiau a thirweddau arfordirol mewn ffyrdd gwahanol. Mae'n bwysig ystyried amser fel syniad allweddol wrth ateb 'pam' a 'sut' mae tirffurfiau a thirweddau wedi esblygu.

Yn ogystal â chyfnodau amser gwahanol, cyd-destun pwysig arall i'w ystyried yw maint. Mae'r cwestiwn ei hun yn tynnu sylw at hyn i ryw raddau drwy sôn am dirffurfiau a thirweddau – dwy o elfennau'r parth arfordirol â maint gwahanol. Enghraifft o dirffurf unigol yw cyfordraeth, ac enghraifft o dirwedd yw morlin soddedig fel ffiordau Norwy neu Chile. Mae maint gofodol yn elfen bwysig o unrhyw ddadansoddiad oherwydd, drwy newid y maint, mae'n bosibl y bydd prosesau gwahanol yn dod i'r amlwg sy'n ddylanwadol mewn ffyrdd gwahanol.

Asesu dylanwad y cynnydd yn lefel y môr

Mae'r morlinau presennol wedi profi lefelau môr eithaf sefydlog ers tua 6000 o flynyddoedd. Dyma pryd daeth yr ewstasi rhewlifol i ben ar ddiwedd yr oes iâ ddiwethaf. Gan fod lefel y môr yn newid ar draws y byd i gyd, mae pob morlin o amgylch y byd yn foddedig i ryw raddau. Roedd lefel y môr tua 120 metr yn is na'r lefel presennol pan oedd yr oes iâ ddiwethaf ar ei hanterth, tua 18 000 o flynyddoedd yn ôl. Mae'r tresmasiad Fflandraidd (y term sy'n cyfeirio at y cynnydd yn lefel y môr ar ôl yr oes iâ ddiwethaf) wedi bod yn gyfrifol am nifer o dirffurfiau a thirweddau.

Gan fod cynnydd absoliwt wedi bod yn lefel y môr ers yr oes iâ ddiwethaf ar raddfa fyd-eang – hynny yw, newid ewstatig – mae amodau tresmasiad wedi effeithio ar nifer o forlinau. Felly, mae soddiad yn brofiad cyffredin, ac i raddau helaeth, dyma sydd wedi bod yn gyfrifol am siâp y cyfandiroedd heddiw. Wrth i lenni iâ o faint cyfandirol encilio, daeth amlinelliad y Cefnfor Arctig i edrych fel y mae i'w weld heddiw – er enghraifft morlinau Alaska, gogledd Canada a Siberia.

Ar raddfa ranbarthol, y cynnydd ôl-rewlifol yn lefel y môr sy'n gyfrifol am ffurfio morlin Dalmataidd. O ganlyniad i'r adeiledd daearegol cydgordiol, mae cefnenau sy'n baralel i'r morlin wedi cael eu dadorchuddio i adael ynysoedd estynedig, ac mae llifogydd wedi llenwi'r dyffrynnoedd rhwng y cefnenau. Dyma sut cafodd rhan o arfordir Croatia ei ffurfio. Fodd bynnag, mae grymoedd tectonig hefyd wedi cyfrannu at ddatblygiad y dirwedd arfordirol benodol hon drwy ddylanwadu ar adeiledd daearegol anticlinau (plygu i fyny) a synclinau (plygu i lawr). Yn ogystal, byddai hindreuliad ac erydiad cyn-rewlifol wedi helpu i ffurfio'r cefnenau a'r dyffrynnoedd.

Yn y mannau lle roedd rhewlifoedd – oedd yn dilyn trywydd hen ddyffrynnoedd afonydd – yn cwrdd â'r môr, roedd llif y rhew hwn yn gwneud y dyffrynnoedd hynny yn fwy llydan, dwfn a syth. Unwaith roedd yr iâ wedi toddi a lefel y môr wedi codi, cafodd adrannau isaf y cafnau rhewlifol eu boddi i ffurfio ffiordau. Mae'r cynnydd yn lefel y môr wedi bod yn ddylanwad mawr ar yr arweddion arfordirol hyn, ond mae rhan o'u datblygiad yn deillio o'r dirwedd cyn-rewlifol. Roedd afonydd yn tueddu i dorri i mewn i'r graig ar hyd y llinellau lle roedd y graig yn eithaf gwan, ac felly mae ffiordau heddiw, i ryw raddau, yn adlewyrchu'r dirwedd fel yr oedd cyn y Pleistosen – yr epoc daearegol pan oedd yr iâ yn ehangu ac yn encilio bob yn ail.

Mewn ardaloedd heb rewlifoedd, mae dyffrynnoedd oedd wedi eu cerfio gan afonydd wedi cael eu boddi oherwydd y cynnydd yn lefel y môr. Mae riâu de-orllewin Lloegr ac Iwerddon, yn debyg i'r ffiordau, yn adlewyrchu prosesau cyn-rewlifol yn ogystal â chynnydd yn lefel y môr.

Ar raddfa tirffurfiau unigol, mae traethau graean bras i'w cael ar hyd morlinau nifer o ranbarthau yn y lledredau canol. Er bod gwaddod arfordirol yn gallu dod o nifer o ffynonellau gwahanol, mae gwaith ymchwil wedi dangos mai'r cynnydd ôl-rewlifol yn lefel y môr oedd yn gyfrifol am yrru'r traethau atraeth. Roedd rhai ardaloedd wedi dod i'r golwg yn dilyn y gostyngiad yn lefel y môr wrth i iâ ffurfio ar y tir, a chafodd yr ardaloedd hyn eu gorchuddio unwaith eto gan y môr. Mae'r traethau graean bras hyn yn amrywio o ran maint – o dirffurfiau eithaf bach i arwedd eang Traeth Chesil (tudalen 72).

Er ei bod o dan ddŵr yn barhaus heddiw, mae tirwedd gwely'r môr i'w chael yn y parth alltraeth ar hyd nifer o forlinau. Un gamddealltwriaeth gyffredin yw bod gwely'r môr yn arwedd eithaf gwastad sy'n ymestyn i ffwrdd oddi wrth draeth neu glogwyn. Pan oedd lefel cymharol y môr yn llawer is nag y mae heddiw, roedd y tir yn ymestyn yn llawer pellach na'i safle presennol. Ar draws yr ardal hon, roedd hindreuliad a phrosesau erydu'n digwydd, roedd afonydd yn llifo ac roedd gwaddod yn cael ei ffurfio, ei symud a'i ddyddodi. Wrth i lefel y môr godi, aeth y dirwedd hon o'r golwg ond mae'n dal i fodoli. Mae deall hyn yn bwysig gan fod y dirwedd o dan y dŵr yn gallu dylanwadu'n fawr ar lifoedd dŵr a gwaddod yn y parth arfordirol. Mae canionau sy'n estyn allan i'r Cefnfor Tawel oddi ar arfordir California yn sianelu llifoedd egnïol o ddŵr a gwaddod sy'n elfennau allweddol o gelloedd gwaddod lleol a rhanbarthol.

Asesu dylanwad gostyngiad yn lefel y môr

Rydyn ni'n gwybod bod lefel y môr wedi codi a gostwng dros gyfnod daearegol. Fodd bynnag, wrth i amser fynd heibio yn ystod y cyfnod amser hir hwn, mae tirffurfiau a thirweddau arfordirol naill ai'n diflannu'n gyfan gwbl, neu mae digwyddiadau a phrosesau yn eu newid nhw cymaint, maen nhw i bob pwrpas yn diflannu fel arweddion y gallwn ni eu hadnabod. Ond, mae'r gostyngiad cymharol yn lefel y môr sydd wedi digwydd mewn rhai lleoliadau wedi ffurfio rhai tirffurfiau a thirweddau unigryw. Mae adferiad isostatig rhai lleoliadau oedd o dan drwch sylweddol o iâ yn ystod y Pleistosen wedi bod yn fwy na'r cynnydd yn sgil ewstasi rhewlifol. Mae morlinau cyfodol i'w gweld ar hyd arfordiroedd gogledd-orllewin yr Alban, Sgandinafia a lledredau uwch Gogledd America. Mae arweddion oedd ar un cyfnod o dan ddylanwad y môr (e.e. clogwyni, ogofâu, rhiciau, cyfordraethau a hyd yn oed staciau a stympiau) wedi cael eu codi i ffwrdd oddi wrth effeithiau'r tonnau. Mae'r arweddion ffosil hyn wedi dod i fodolaeth diolch i'r newid yn lefel y môr. Ond, gan eu bod nhw bellach y tu hwnt i ddylanwad yr arfordir, mae erydu isawyrol, hindreuliad a màs-symudiadau yn gweithredu arnyn nhw. Wrth i amser fynd heibio, bydd eu harweddion morol yn cael eu newid yn raddol. Mae clogwyni'n debygol o fynd yn llai serth wrth i ddefnydd ddechrau cronni ar y gwaelod gan nad yw gweithred y tonnau yn ei symud i ffwrdd bellach. Bydd prosesau sy'n ffurfio pridd yn dechrau effeithio ar gyfordraethau, a bydd pobl yn gallu dechrau defnyddio'r ardaloedd hyn ar gyfer amaethyddiaeth, er bod y priddoedd yn dywodlyd.

Mae gan rai o'r arweddion boddedig – fel ffiordau – gyfordraethau o amgylch eu traethlinau hefyd sy'n dangos bod rhai morlinau wedi eu cynhyrchu gan gynnydd a gostyngiad yn lefel cymharol y môr. Mae tirweddau fel hyn yn dangos nad yw'r hyn rydyn ni'n ei weld heddiw yn gynnyrch prosesau presennol yn unig, na chynnyrch un gyfres o amgylchiadau yn y gorffennol chwaith. Yn debyg i dirweddau sydd wedi eu creu, i bob pwrpas, gan bobl (anheddiadau, er enghraifft), mae tirweddau ffisegol a nifer o dirffurfiau hefyd wedi'u ffurfio o ganlyniad i lawer o ddylanwadau.

Asesu dylanwad ffactorau eraill

Gan fod y cynnydd ewstatig diweddar yn dilyn y rhewlifiant estynedig diwethaf mor fawr, a gan fod yr adferiad isostatig mewn rhanbarthau fel gogledd Canada a Sgandinafia yn sylweddol hefyd, mae dylanwad y newid cymharol yn lefel y môr ar dirffurfiau a thirweddau arfordirol wedi bod yn bwysig iawn. Ond, mae'n bwysig

cydnabod bod y parth arfordirol yn gweithredu fel system, a bod nifer o ffactorau'n gweithredu ynddi.

O ystyried ein bod ni'n sôn am gyfnodau amser eithriadol o fawr, mae'n gallu bod yn anodd gwerthfawrogi rôl digwyddiadau tectonig yn y gorffennol daearegol. Fodd bynnag, mae'r digwyddiadau hyn yn hanfodol gan eu bod yn darparu'r cyd-destun daearegol wrth drafod datblygiad tirffurfiau a thirweddau unigol. Yr hyn sy'n gyfrifol am siâp clogwyni sialc de Lloegr a gogledd Ffrainc, i raddau helaeth, yw'r amodau oedd yno pan ffurfiwyd y sialc yn ystod y cyfnod Cretasig, tua 66 i 145 miliwn o flynyddoedd yn ôl. Roedd môr isdrofannol cynnes yn lledaenu ar draws y rhanbarth hwn ar y pryd, ac mae sgerbydau'r organebau morol (ffytoplancton) oedd yn byw yno, sydd wedi eu gwneud o galsiwm carbonad, yn llenwi'r mwyafrif o'r graig sialc. Gan fod sialc yn fandyllog, mae'n gadael i ddŵr drylifo drwyddo ac felly nid yw'n cael ei dreulio cymaint gan ddŵr yn llifo dros ei arwyneb fel sy'n digwydd i glai anathraidd, er enghraifft. Pan fu gwrthdrawiad rhwng Platiau Affrica ac Ewrasia, cafodd symiau enfawr o egni eu rhyddhau yn ystod yr **orogeni** Alpaidd, tua 2 i 65 miliwn o flynyddoedd yn ôl. Hyd yn oed dros fil o gilometrau i ffwrdd, cafodd strata'r creigiau eu plygu a'u torri, a gallwn ni weld dylanwad hynny yn y tirffurfiau arfordirol y naill ochr a'r llall i'r Sianel.

Mae tirwedd ysblennydd y ffiordau ar forlinau Norwy a Chile wedi ffurfio o ganlyniad i soddiad ond hefyd o ganlyniad i gryfder croesrym y ddaeareg sy'n creu wynebau uchel y creigiau serth. Un ffactor allweddol yn natblygiad y ffiord yw'r ffaith bod rhai creigiau igneaidd a metamorffig yn gallu cynnal wynebau rhydd sydd bron yn fertigol. Mae riâu de-orllewin Prydain hefyd wedi eu creu yn rhannol oherwydd y ddaeareg adeg eu ffurfio. Roedd y prosesau hindreulio ac erydu wnaeth greu'r rhwydweithiau afonydd canghennog wedi rhyngweithio â'r ddaeareg hon i greu tirwedd llai dramatig. Hyd yn oed pe bai iâ wedi gorchuddio'r lleoliadau hyn, ni fyddai cafnau rhewlifol dwfn wedi cael eu ffurfio. Yn lle hynny, byddai'r dirwedd yn fryniog fel sydd i'w gweld mewn ardaloedd eang o ogledd Ewrop ac America.

Mae dylanwad gweithgareddau dynol yn effeithio ar dirffurfiau a thirweddau arfordirol yn amlach nag erioed. Er bod y cynnydd ôl-rewlifol yn lefel y môr wedi bod yn ffactor allweddol yn natblygiad traethau graean bras, fel y rhai ar hyd morlin Bae Ceredigion, mae ymyriadau dynol ar ffurf tynnu gwaddod ac adeiladu argorau yn gallu bod yn arwyddocaol yn lleol.

Dod i gasgliad sy'n seiliedig ar dystiolaeth

Beth yw maint dylanwad y newid yn lefel y môr ar dirffurfiau a thirweddau arfordirol? O ganlyniad i ddigwyddiadau'r cyfnod Cwaternaidd, sef y cyfnod daearegol mwyaf diweddar, mae dylanwad y newid yn lefel y môr – y codi a'r gostwng – yn sylweddol iawn. Mae'n anodd osgoi'r dylanwadau

hyn o amgylch nifer o forlinau, yn enwedig yn y lledredau canol fel gogledd-orllewin Ewrop. Mae dylanwad soddiad a chyfodiad yn amrywio o ran maint – o dirffurfiau unigol yr holl ffordd i dirweddau cyfan.

Fodd bynnag, mae pob digwyddiad a phroses ar draws cyfnod amser daearegol yn chwarae ei ran, fel ffurfio'r union greigiau sy'n sail i'r morlin. Yn ogystal, mae prosesau'r presennol yn newid arweddion. Mae gweithred y tonnau yn gweithredu ar lethrau oedd ar un cyfnod wedi'u lleoli bellter o'r lan; mae morydau fel riâu yn derbyn gwaddod o'r afonydd sy'n llifo i mewn iddyn nhw. Mewn rhai lleoliadau, mae gweithgareddau dynol yn chwarae rhan, er enghraifft gweithredoedd sy'n tynnu gwaddod neu ymdrechion i amddiffyn yr arfordir. Tirffurfiau a thirweddau arfordirol yw cynnyrch y rhyngweithio rhwng nifer o ffactorau ar draws amrediad eang o raddfeydd gofodol ac amseryddol.

 TERM ALLWEDDOL

Orogeni Y cyfnod amser a hefyd y mecanweithiau sy'n ffurfio cadwyni mynyddoedd fel yr Himalaya a'r Andes.

Crynodeb o'r bennod

✔ Mae lefel cymharol y môr yn syniad pwysig oherwydd mae'n disgrifio'r cynnydd neu'r gostyngiad yn lefel cymedrig y môr o'i gymharu â'r tir. Mae newidiadau cymharol naill ai'n dresmasiad (boddi'r tir) neu'n atchweliad (mwy o dir yn dod i'r golwg).

✔ Mae dau fath o newid cymharol i'w cael: mae newidiadau ewstatig yn lefel y môr yn rhai byd-eang, ac mae newidiadau isostatig yn lefel y tir yn tueddu i fod yn rhanbarthol neu'n lleol. Gall newidiadau ewstatig ac isostatig ddigwydd yn sgil gorfodiadau naturiol fel gostyngiad yn lefel y môr yn ystod oes iâ neu dir yn codi oherwydd tectoneg. Gall ffactorau dynol arwain at newidiadau ewstatig ac isostatig – e.e. cynnydd yn lefel y môr oherwydd cynhesu byd-eang neu ymsuddiant y tir yn sgil echdynnu dŵr daear. Mae'r newidiadau ewstatig ac isostatig sy'n gysylltiedig â diwedd y cyfnod rhewlifol diwethaf wedi

bod yn arwyddocaol iawn o ran datblygiad tirffurfiau a thirweddau arfordirol. Mae gostyngiad cymharol yn lefel y môr yn cynhyrchu arweddion fel llinellau clogwyni ffosil a chyfordraethau, ac mae cynnydd cymharol yn lefel y môr yn cynhyrchu arweddion fel morydau (riâu a ffiordau) a morlin Dalmataidd.

✔ Mae cynhesu byd-eang yn cael effaith arwyddocaol ar y newid yn lefel y môr – e.e. iâ ar y tir yn toddi ac ehangiad thermol dŵr. Mewn nifer o leoedd o amgylch y byd, mae bygythiad llifogydd arfordirol yn risg sylweddol sy'n cynyddu oherwydd ymchwyddiadau storm a'r cynnydd cymharol yn lefel y môr. Mae'r cynnydd cymharol yn lefel y môr yn debygol o effeithio ar filiynau o bobl wrth i'r ganrif hon symud yn ei blaen, a phobl dlawd fydd yn cael trafferth i ymdopi gan eu bod yn fwy agored i niwed.

Cwestiynau adolygu

1 Diffiniwch y termau 'ewstatig' ac 'isostatig'.

2 Esboniwch sut mae newid yn yr hydrosffer yn gallu effeithio ar lefel y môr.

3 Amlinellwch sut mae gweithgareddau dynol yn gallu achosi ymsuddiant ar hyd yr arfordir.

4 Esboniwch sut mae cynhesu byd-eang yn arwain at gynnydd cymharol yn lefel y môr.

5 Esboniwch sut mae tirffurfiau'n ffurfio o ganlyniad i amodau atchweliad.

6 Esboniwch y rôl mae amodau tresmasiad yn ei chwarae wrth ffurfio traethau a chlogwyni 'llethr-dros-wal'.

7 Disgrifiwch ac esboniwch yr amgylchiadau sy'n arwain at ddatblygiad ymchwydd storm.

8 Amlinellwch ffyrdd posibl o reoli effeithiau'r cynnydd yn lefel y môr.

Gweithgareddau trafod

1 Mewn parau, trafodwch bwysigrwydd natur 'ffosil' llawer o'r gwaddod graean bras sydd i'w gael yn y parth arfordirol. Beth yw'r goblygiadau o ran y ffyrdd gall pobl werthfawrogi a rheoli'r gwaddod hwn?

2 Astudiwch Ffigur 5.21.

Disgrifiwch ac awgrymwch resymau dros y newid cymharol yn lefel y môr rhwng Amser 1 ac Amser 2. Lluniwch ddiagram tebyg i'ch helpu i ddisgrifio ac awgrymu rhesymau dros y newid cymharol yn lefel y môr pan fydd newid ewstatig yn fwy na newid isostatig. Trafodwch effeithiau posibl y sefyllfa hon ar forlin â chlogwyni, system twyni tywod, a moryd â morfeydd heli eang.

3 Ymchwiliwch i'r rhagfynegiadau presennol am y cynnydd yn lefel y môr ar gyfer gweddill y ganrif hon. Mae gwefan yr *IPCC* (www.ipcc.ch) yn cyhoeddi adroddiadau am yr amcangyfrifon gwyddonol diweddaraf. Trafodwch sut gallai'r amrywiol lefelau o gynnydd yn lefel y môr effeithio ar elfennau o'r parth arfordirol fel symudiad gwaddod, ecwilibriwm tirffurfiau tywod a graean bras, ac ecwilibriwm proffiliau clogwyni. Defnyddiwch fanylion map Arolwg Ordnans graddfa 1:25 000 i osod eich trafodaeth yng nghyd-destun y byd go iawn. Brasluniwch sut byddai morlin yn edrych yn dibynnu ar yr amcangyfrifon isaf, canolig ac uchaf o ran y cynnydd yn lefel y môr.

4 Gan ddefnyddio mapiau atlas a *Google Earth*, nodwch dri morlin mewn gwledydd ar wahanol bwyntiau ar hyd y continwwm datblygiad sydd dan risg arbennig yn sgil y cynnydd presennol yn lefel y môr. Cymharwch eich rhestr â rhestri pobl eraill, ac awgrymwch fesurau priodol fyddai'n gallu helpu'r cymunedau hyn i baratoi ac addasu er mwyn ymdopi â lefel cymharol y môr sy'n uwch.

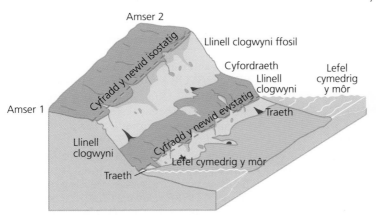

▲ **Ffigur 5.21** Y berthynas rhwng newid isostatig a newid ewstatig

FFOCWS Y GWAITH MAES

A *Archwilio traeth graean bras i asesu pa mor weithredol yw'r prosesau presennol. Os yw drifft y glannau yn weithredol, yna bydden ni'n disgwyl gweld gwahaniaeth ym maint a siâp y gwaddod yng nghyfeiriad y drifft.* Gallai maint y gwahaniaeth yn y gwaddod ddangos pa brosesau presennol sy'n weithredol neu awgrymu bod y gwaddod, i bob pwrpas, yn arwedd greiriol.

B *Datblygiad tirffurfiau fel clogwyni ffosil a chyfordraethau.* Un man cychwyn defnyddiol yw'r gyfres o fapiau Arolwg Ordnans graddfa 1:25 000, sydd â chyfwng cyfuchlinol o 5 metr yn unig. Drwy luniadu trawstoriadau o linellau trawslun sy'n rhedeg i'r mewndir o'r marc penllanw mewn lleoliadau ar hyd darn o arfordir, gallai hynny ddatgelu toriadau amlwg yn y llethr fel sydd i'w weld yn Ffigur 5.8. Mae'n bosibl gwneud gwaith maes i archwilio hyn, os oes modd cael mynediad at leoliad.

C *Ymchwilio i ddylanwad digwyddiadau'r gorffennol, fel newid isostatig, drwy fesur lefelau pH a gwead y pridd ar hyd trawslun.* Mae priddoedd tywodlyd yn arwydd o gyfordraethau, a lle mae dilyniant o safleoedd ar uchderau gwahanol (fel sydd i'w weld yn Ffigur 5.8) mae'n bosibl gwneud

cymariaethau. Yn y darlun, byddai'n bosibl cymryd samplau yn yr ardal o dan y llinell clogwyni gadawedig diweddar, ar y cyfordraeth, ac ar y tir gwastad yn union o dan y llinell clogwyni ffosil.

CH *Cyfweld samplau o bobl er mwyn ymchwilio i ganfyddiadau pobl am y risg sy'n gysylltiedig â lefel y môr yn codi.* Byddai'n bosibl defnyddio arolwg/holiadur i asesu faint mae pobl yn ei wybod am risgiau lleol, a sut a pham mae gan wahanol grwpiau ganfyddiadau gwahanol i'w gilydd am y risgiau. Gallai hyn gael ei wneud ochr yn ochr ag astudiaeth o nodweddion lle penodol a sut gallai'r nodweddion hyn fod yn newid. Mae'n werthfawr casglu data am gefndir y bobl yn y sampl, er enghraifft ers faint o amser roedden nhw wedi byw yno. Byddai'n bosibl cynnal cyfweliadau â chynghorwyr, cynllunwyr, asiantaethau lleol ac Asiantaeth yr Amgylchedd.

D *Arolwg lleol, manwl o anheddiad bach sydd dan fygythiad llifogydd.* Byddai'n bosibl defnyddio map sylfaen sy'n dangos strydoedd ac adeiladau unigol i blotio unrhyw addasiadau mae unigolion a'r gymuned wedi eu gwneud – er enghraifft, codi stepen y drws blaen yn uwch, addasu drysau i allu ffitio rhwystrau llifogydd dros dro, a rhoi gatiau llifogydd mwy ar draws y mynedfeydd o'r môr.

Darllen pellach

Bird, E. (1993) *Submerging Coasts.* Chichester: Wiley

Church, J.A., Woodworth, P.L., Aarup, T., Wilson, W.S. (goln.) (2010) *Understanding Sea-Level Rise and Variability.* Chichester: Wiley-Blackwell

Classic Landform Guides, wedi'u cyhoeddi gan y Gymdeithas Ddaearyddol ar gyfer lleoedd fel arfordir Gŵyr, arfordir gogledd Dyfnaint ac arfordir gorllewin Dorset

Asiantaeth Amgylchedd y DU – environment-agency.gov.uk

IPCC – www.ipcc.ch/pdf/assessment-report/ar5/wg2/WGIIAR5-Chap5_FINAL.pdf

Masselink, G., Russell, P. (2013) 'Impacts of climate change on coastal erosion', *Marine Climate Change Information Partnership, Science Review 2013*, tt.71–86

Nicholls, R.J., Hanson, S.E., Lowe, J.A., Warrick, R.A., Xianfu, L., Long, A.J. (2014) 'Sea-level scenarios for evaluating coastal impacts', *WIREs Climate Change*, 5, tt.129–50

Penning-Rowsell, E.C., Haigh, N., Lavery, S., McFadden, L. (2013) 'A threatened world city: the benefits of protecting London from the sea', *Natural Hazards*, 66, tt.1383–1404

PENNOD 6

Pwysigrwydd arfordiroedd ar gyfer gweithgareddau dynol

Gan fod y parth arfordirol yn gorwedd rhwng y môr a'r tir, mae'n ardal sy'n denu rhai gweithgareddau dynol ond sy'n rhwystro a hyd yn oed yn gwrthyrru rhai eraill. Mae dŵr y môr yn symud i mewn ac allan gyda'r llanw, felly dydy ardaloedd rhynglanwol ddim yn tueddu i fod yn addas ar gyfer defnyddio'r tir yn barhaol – er enghraifft pobl yn ymgartrefu, diwydiant ac amaethyddiaeth. Ond, mae pobl yn cael eu denu i'r arfordir i ddefnyddio'r tir sydd uwchben y marc penllanw. Mae'n bosibl ecsbloetio'r adnoddau yn y parth arfordirol i gael bwyd, i greu egni, at ddibenion twristiaeth a gweithgareddau hamdden, ac i adeiladu arno. Gan fod gwledydd wedi cyfnewid nwyddau a phobl ar draws y cefnforoedd, mae rhai lleoliadau arfordirol wedi dod yn adnabyddus fel mannau economaidd, cymdeithasol a gwleidyddol. Bydd y bennod hon:

- yn archwilio twf y boblogaeth a'r aneddiadau mewn parthau arfordirol
- yn ymchwilio i adnoddau yn y parth arfordirol
- yn dadansoddi pwysigrwydd y parth arfordirol ym mhroses globaleiddio
- yn asesu gwerth y parth arfordirol ar gyfer gweithgareddau dynol.

CYSYNIADAU ALLWEDDOL

Globaleiddio Y cysylltiadau niferus rhwng cenhedloedd, grwpiau o bobl, busnesau ac unigolion sy'n creu system y byd modern. Yr elfen allweddol yw integreiddiad gweithgareddau dynol ar draws y byd. Yn hyn o beth, dydy'r arfordir ddim yn rhwystr bellach fel yr oedd ar un adeg wrth i nwyddau a phobl groesi un cefnfor i'r llall drwy borthladdoedd. Mae'r twf mewn gweithgareddau economaidd byd-eang wedi bod yn rheswm pwysig dros ddatblygiad cymaint o aneddiadau mawr mewn lleoliadau arfordirol.

Cyd-ddibyniaeth Mae hyn yn bodoli pan fydd gan gymdeithasau dynol gysylltiadau â'i gilydd o safbwynt economaidd, cymdeithasol a gwleidyddol. Erbyn hyn, mae cyd-ddibyniaeth yn fyd-eang ac yn rhan o broses globaleiddio. Mae'r parth arfordirol yn chwarae rôl bwysig yn hyn o beth, er enghraifft wrth ecsbloetio adnoddau arfordirol fel olew a nwy. Mae'r rhan fwyaf o gymdeithasau dynol wedi dod yn ddibynnol iawn ar yr economi tanwydd ffosil, sy'n ecsbloetio adnoddau olew a nwy hygyrch ac yna'n eu masnachu'n fyd-eang.

Anghydraddoldeb Adnoddau a chyfleoedd heb eu dosbarthu'n gyfartal. Mae nodweddion y parth arfordirol yn amrywio o le i le – mae gan rai lleoliadau gyfoeth o adnoddau, fel pysgod neu draethau tywod i dwristiaid, ond mae adnoddau yn brin mewn lleoliadau eraill. Er bod rhai morlinau yn cynnig cyfle i adeiladu porthladd, does dim angorfeydd diogel ar hyd morlinau eraill. Mae globaleiddio a chyd-ddibyniaeth yn codi pryderon y bydd rhai ardaloedd yn 'ennill' ac ardaloedd eraill yn 'colli' o ran pŵer economaidd, cymdeithasol a gwleidyddol. Y parth arfordirol yw'r man lle mae'n bosibl gweld y manteision a'r anfanteision.

Cynaliadwyedd Y diffiniad mwyaf sylfaenol o hyn yw ei fod yn cyfeirio at y syniad o ddefnyddio rhywbeth, a pharhau i'w ddefnyddio mewn ffyrdd sy'n parchu anghenion cenedlaethau'r dyfodol. Un nod allweddol yw sicrhau cywirdeb, cynhyrchedd ac iechyd systemau amgylcheddol ac economaidd. Y bwriad yw cael cydbwysedd rhwng y galw a'r cyflenwad heb niweidio'r amgylchedd ffisegol ac economaidd. Mae defnyddio adnoddau arfordirol fel stociau pysgod ar gyfer bwyd neu riffiau cwrel ar gyfer twristiaeth yn codi cwestiynau am gynaliadwyedd, ac mae'r gwaith sy'n digwydd i reoli'r adnoddau hyn yn ceisio ateb y cwestiynau hynny.

Twf poblogaethau ac aneddiadau

▶ *Sut mae gweithgareddau dynol wedi datblygu ar hyd morlinau?*

Mae ardaloedd arfordirol wedi bod yn bwysig i ddosbarthiad y boblogaeth ers canrifoedd. Mae rhai o'r eitemau archaeolegol cynharaf sy'n profi bodolaeth aneddiadau dynol wedi'u canfod mewn lleoliadau arfordirol. Roedd y cymdeithasau cynnar o amgylch y byd yn ecsbloetio'r bwyd oedd ar gael i'w gasglu ar yr arfordir, er enghraifft pysgod cregyn, pysgod ac adar gwyllt yn ogystal â phlanhigion. Dros y canrifoedd, mae'r cysylltiad wedi cryfhau rhwng dwysedd y boblogaeth a pha mor agos yw'r lleoliad i'r môr. Mae poblogaethau arfordirol yn tyfu'n gyflymach na'r cyfartaledd cenedlaethol ym mhob gwlad sydd â morlin, fwy neu lai.

O'r 7.5 biliwn o bobl sydd yn y byd, mae tua hanner yn byw o fewn 200 cilometr i arfordir, sef ardal sy'n cynrychioli tua 10% o arwyneb tirol y Ddaear. O'r cyfandiroedd lle mae pobl yn byw, dim ond yn Affrica mae mwy o bobl yn byw yn y mewndir nag yn y parth arfordirol. Ymhlith gwledydd Asia, mae tua 1.6 biliwn o bobl yn byw o fewn 100 cilometr i'r môr. Mae dros hanner poblogaeth China yn byw yn y rhanbarthau arfordirol, ac ar gyfartaledd, dwysedd y boblogaeth ar hyd llawer o'r arfordir yw 600 o bobl i bob cilometr sgwâr. Erbyn 2025, y disgwyl yw y bydd tua 75% o drigolion UDA yn byw mewn ardaloedd arfordirol, sydd, gyda'i gilydd, yn ardal sy'n cynrychioli tua 17% o arwynebedd y tir (heb gynnwys Alaska a Hawaii). Yn ôl yr amcangyfrifon, mae 200 miliwn o bobl Ewrop (allan o tua 680 miliwn) yn byw o fewn 50 cilometr i'r arfordir.

Fodd bynnag, mae rhai morlinau'n llawer mwy atyniadol fel lle i fyw nag eraill, yn dibynnu ar eu lleoliad lledredol. Yn y morlinau lledred uchel, fel gogledd Rwsia a de Chile, mae'r boblogaeth yn denau ac yn wasgaredig. Yn gyffredinol, mae'r boblogaeth yn fwy dwys ar hyd morlinau'r lledredau canol ac isel. Y gwastadeddau, deltâu a'r morydau arfordirol isel a ffrwythlon yw'r arfordiroedd sy'n denu'r poblogaethau mwyaf dwys. Mae deltâu Afon Nil ac Afon Chang Jiang (Yangtze), a moryd Afon Río de la Plata, wedi denu miliynau o bobl.

Pwysigrwydd graddfa wrth ddisgrifio poblogaethau arfordirol

Ar y raddfa fyd-eang, mae'r mewndiroedd cyfandirol yn denau eu poblogaeth o'u cymharu â lleoliadau arfordirol. Drwy edrych ar raddfa fel arfordir deheuol Lloegr ar ei hyd, mae'r darlun cyffredinol yn dangos dwysedd poblogaeth eithaf uchel ar hyd yr arfordir. Ond, drwy chwyddo i mewn ac ymchwilio i raddfa lai, gall y darlun newid. Yn lleol, dim ond nifer eithaf bach o bobl sy'n byw ar hyd rhai darnau o'r arfordir. Yn achos morlin creigiog sydd â chlogwyni serth a mynediad cyfyngedig at y môr, dydy'r lleoliad ddim yn cynnig llawer o gyfleoedd o ran sefydlu anheddiad nac o ran gweithgarwch economaidd. Er enghraifft, ar hyd morlin Dorset rhwng

Weymouth yn y gorllewin a Swanage yn y dwyrain, mae dwysedd y boblogaeth yn eithaf isel o'i gymharu ag arfordir deheuol Lloegr ar ei hyd.

Pobl sy'n byw yn agos at lefel y môr

Mae'r ystadegau am nifer y bobl sy'n byw'n agos at yr arfordir yn dangos yn amlwg faint o atyniad yw'r arfordir i weithgareddau dynol. Ond, un elfen sy'n bwysicach fyth yw ystyried gweithgareddau dynol mewn lleoliadau arfordirol isel. Wrth i effeithiau newid hinsawdd ddod yn fwy amlwg, mae'r cynnydd yn lefel y môr yn golygu bod dyfodol ansicr i weithgareddau dynol sy'n agos at lefel y môr.

Mae tua 5% o boblogaeth y byd, sef tua 375 miliwn o bobl, yn byw o fewn 5 metr i lefel y môr. Fodd bynnag, mae hyn yn amrywio'n fawr o wlad i wlad.

Gwlad	% y boblogaeth sy'n byw <5 metr uwchben lefel y môr	Cyfanswm y boblogaeth (miliynau)	Nifer y bobl sy'n byw <5 metr uwchben lefel y môr (miliynau)
Awstralia	5	24.1	1.2
Bahrain	34	1.4	0.5
Bangladesh	9	163.0	14.7
Gwlad Belg	11	11.4	1.3
Benin	12	10.9	1.3
China	7	1400.0	98.0
Côte d'Ivoire	4	23.7	0.9
Denmarc	16	5.7	0.9
Yr Aifft	22	95.7	21.1
Indonesia	7	261.1	18.3
Yr Eidal	6	60.6	3.6
Japan	13	127.0	16.5
Yr Iseldiroedd	59	17.0	10.0
Sénégal	10	15.4	1.5
Tunisia	8	11.4	0.9
Y Deyrnas Unedig	5	65.6	3.3
Viet Nam	37	92.7	34.3
Y Byd	5	7500.0	375.0

▲ Tabl 6.1 Canran y boblogaeth sy'n byw <5 metr uwchben lefel y môr mewn gwledydd penodol, 2017

Mae'r Iseldiroedd yn sefyll allan gan fod llawer mwy na hanner ei phoblogaeth yn byw yn agos at, neu'n is na lefel y môr. Mae'n bwysig gwerthfawrogi'r gwahaniaeth rhwng y canran o boblogaeth gwlad a nifer y bobl. Mae canran y trigolion sy'n byw yn agos at lefel y môr yn Bahrain (34%) a Viet Nam (37%) yn debyg iawn i'w gilydd. Ond, mae'r canrannau hyn yn cynrychioli nifer gwahanol iawn o bobl. Yn Bahrain, mae 34% yn cynrychioli hanner miliwn o bobl; yn Viet Nam mae 37% yn cynrychioli ychydig dros 34 miliwn o bobl.

Fel pob problem arall sy'n wynebu gwledydd y byd, mae pobl yn fwy agored i niwed os oes ganddyn nhw lai o adnoddau i ymateb i'r broblem a pharatoi ar ei chyfer. Mae'n debyg y bydd y cynnydd yn lefel y môr yn cael mwy o effaith ar wledydd mwy tlawd gan fod angen adnoddau economaidd a thechnolegol i liniaru'r risgiau a gwrthsefyll problem. Mae'r anghydraddoldebau i'w gweld yn amlwg rhwng gwledydd gwahanol, ond maen nhw i'w gweld o fewn gwledydd unigol hefyd gan mai pobl gyfoethog sy'n gallu ymdopi orau â newidiadau fel arfer.

Datblygiad trefol arfordirol

Os edrychwn ni ar leoliad y rhanbarthau metropolitan neu'r **cytrefi** mawr o amgylch y byd, mae'n amlwg bod lleoliadau arfordirol yn denu pobl.

Mae'r rhan fwyaf o'r canolfannau trefol wedi'u lleoli ar yr arfordir, neu'n agos iawn at yr arfordir. O'r 20 cytref fwyaf yn UDA, mae 14 yn rhai arfordirol (Ffigur 6.1). Mae cyfanswm o 456 o ddinasoedd dynodedig swyddogol yn China, ac mae 305 o'r rhain yn y parth arfordirol. Yn America Ladin a'r Caribî, mae 57 allan o'r 77 o ddinasoedd mawr wedi eu lleoli ar yr arfordir.

Mae datblygu **isadeiledd** yn mynd law yn llaw â thwf poblogaethau arfordirol. Mae nifer o ddinasoedd arfordirol wedi tyfu o amgylch porthladd. Wrth i nifer y nwyddau sy'n cael eu hallforio a'u mewnforio dyfu, mae nifer o brosesau adborth yn digwydd sy'n annog effaith luosydd ac, felly, mwy o dwf (Ffigur 6.2).

▲ **Ffigur 6.1** Datblygiadau ar lan y dŵr, Boston, Massachusetts

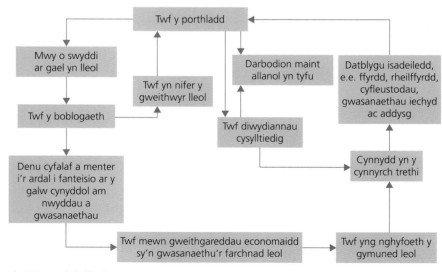

▲ **Ffigur 6.2** Twf porthladdoedd

Mae twf porthladd yn gallu arwain at ffyniant economaidd gan ei fod yn creu swyddi. Nid yn unig mae swyddi i'w cael yn y dociau eu hunain ac yn y diwydiannau sy'n gwasanaethu'r llongau (fel cwmnïau glanhau a thrwsio), ond mae diwydiannau gweithgynhyrchu eraill yn cymryd mantais o'r porthladd hefyd. Mae diwydiannau sy'n delio â nwyddau mawr a thrwm, sy'n lleihau o ran pwysau wrth gael eu prosesu, yn tueddu i ddewis cludo eu defnyddiau ar longau gan fod hynny'n arbed costau cludo. Mae'r cwmnïau hyn i'w cael mewn sawl sector diwydiannol fel haearn a dur, purfeydd olew a phrosesu bwyd (er enghraifft, melinau blawd).

Wrth i'r boblogaeth dyfu, mae'r galw'n cynyddu am nwyddau a gwasanaethau i'r bobl hyn, gan gynnwys bwyd sy'n ysgogi amaethyddiaeth yn y rhanbarth. I gefnogi datblygiad gwasanaethau a'r sectorau preswyl a diwydiannol, rhaid gwella'r isadeiledd. Wrth i hyn ddigwydd, mae refeniw trethi lleol a chenedlaethol yn tyfu, sy'n golygu bod mwy o arian ar gael i'w fuddsoddi mewn pethau fel ysgolion, cyfleusterau meddygol, ffyrdd a systemau carthffosiaeth.

Ond, mae'r datblygiadau ffisegol sy'n gysylltiedig â phorthladd yn gallu cynyddu'r pwysau ar amgylcheddau ac ecosystemau arfordirol.

Cafodd porthladdoedd afon, fel Lerpwl a Rotterdam, eu lleoli i mewn i'r tir o'r môr agored ar hyd y morydau. Tyfodd porthladdoedd môr ar hyd darnau hir o arfordir agored, er enghraifft Los Angeles. Cyn gynted ag y bydd cei a phontydd sylfaenol wedi eu hadeiladu, mae system y foryd wedi newid. Erbyn yr ail ganrif ar bymtheg, roedd waliau pren yn ffurfio traethlin artiffisial ar hyd glannau rhan isaf Afon Tafwys. Pan adeiladwyd Pont Llundain yn wreiddiol, roedd nifer mawr o lanfeydd carreg a bric yn rhan o'r dyluniad, ac o ganlyniad bu gostyngiad yn llif y dŵr. Effeithiodd hyn ar brosesau'r foryd, er enghraifft trawsgludiad a dyddodiad gwaddodion.

Erbyn canol y ddeunawfed ganrif, roedd porthladdoedd yn adeiladu dociau rhwng y llifddorau a'r tir. Roedd hyn yn golygu nad oedd y llanw yn effeithio ar longau oedd wedi eu clymu ac yn golygu bod modd adeiladu waliau i gadw nwyddau cargo yn ddiogel mewn warysau. Roedd y doc a'r holl elfennau cysylltiedig – cysylltiadau rheilffordd a ffyrdd, diwydiant a thai – yn llenwi ardaloedd mawr o'r gorlifdir. Wrth i Borthladd Llundain ehangu i'r dwyrain, adeiladwyd dros yr ardaloedd y naill ochr a'r llall i Afon Tafwys, fel y tir morfa ar orynys Isle of Dogs. Effeithiodd hyn nid yn unig ar y gylchred hydrolegol, ond ar y prosesau afonol ac arfordirol hefyd. Cafodd llif y dŵr ei gyfyngu rhwng glannau artiffisial a sianeli mordwyo oedd wedi'u creu drwy garthu gwaddodion. Yn y cyfamser, roedd y glanfeydd a'r tonfuriau yn newid drifft y gwaddod ar hyd y glannau.

Arfordiroedd sy'n newid a lleoedd sy'n newid

Weithiau, mae prosesau ffisegol yn ffactor pwysig sy'n cyfrannu at unrhyw newid o ran nodweddion a statws lle. Yng ngogledd-orllewin Lloegr, Caer oedd y prif borthladd tan ddechrau'r ddeunawfed ganrif. Ond, wrth i foryd Afon Dyfrdwy ddechrau llenwi â silt gan fod yr afon yn cludo llwyth mawr o waddod mewn amgylchedd o egni tonnau isel, doedd y llongau ddim yn gallu llywio'n ddiogel i fyny'r foryd i borthladd y ddinas.

Yn y cyfamser, tua 25 o gilometrau i ffwrdd, roedd pentref pysgota bach ar lan ddwyreiniol yr Afon Mersi yn dechrau datblygu fel porthladd. Lerpwl oedd enw'r pentref hwn. Un fantais fawr yn achos Lerpwl oedd y ffaith bod siâp moryd Afon Mersi, y dŵr dyfnach a'r ceryntau cyflym yn golygu nad oedd gwaddod yn tueddu i gronni yn y darn hwn o'r arfordir. Wrth i'r llongau fynd yn fwy o faint, roedd ffyniant Caer a Lerpwl yn newid yn gyflym. Erbyn yr 1970au, dechreuodd Lerpwl ei hun golli cyfleoedd masnach morol wrth i'r llongau dyfu hyd yn oed yn fwy. Heddiw, mae gweithgareddau porthladd Lerpwl yn digwydd yn bennaf ger aber yr afon, ac mae'r dociau oedd ymhellach i fyny'r afon wedi cau.

 ## Adnoddau yn y parth arfordirol

▶ *Pa adnoddau mae'r parth arfordirol yn eu cynnig ar gyfer gweithgareddau dynol?*

Mae gan y parth arfordirol amrywiaeth eang o adnoddau sydd wedi dod yn werthfawr i bobl. Mae adnoddau arfordirol wedi cael eu defnyddio mewn ffyrdd gwahanol dros amser, ac maen nhw'n dal i fod yn ffactorau dynamig yng nghyd-destun y rhyngweithio rhwng pobl a'r arfordir.

Beth yw adnodd?

Does dim un diffiniad pendant o 'adnodd', ond yn gyffredinol mae'n rhywbeth sy'n bodloni anghenion a dyheadau dynol. Dydy rhywbeth ddim yn adnodd hyd nes y bydd y gymdeithas ddynol yn ei ddiffinio fel adnodd. Mae rhai adnoddau'n datblygu i fod yn arwyddocaol iawn, ond wedyn maen nhw'n mynd yn llai pwysig pan fydd rhywbeth arall yn dod yn eu lle.

Un ffordd o wahaniaethu yw'r gwahaniaeth sylfaenol rhwng adnoddau naturiol ac adnoddau dynol. Mae sylweddau, organebau a nodweddion yr amgylchedd ffisegol, fel gwynt a gofod, i gyd yn adnoddau naturiol. Yr enw ar yr elfennau hyn fel grŵp yw 'cyfalaf naturiol' (tudalen 88). Mae'r rhain yn werthfawr gan fod pobl yn meddwl eu bod nhw'n ddefnyddiol i fodloni dyheadau ac anghenion. Mewn parthau arfordirol, mae gwerth cyfalaf naturiol yn cael ei gydnabod fwy a mwy drwy ddefnyddio gwasanaethau ecosystem (tudalen 88). Mae gallu system twyni tywod neu forfa heli i helpu i atal llifogydd hefyd yn cael ei werthfawrogi'n amlach; mae mangrofau a riffiau cwrel bellach yn cael eu hystyried yn fannau bridio a meithrin pwysig i bysgod. Ar y llaw arall, adnoddau dynol (cyfalaf dynol) yw nodweddion y boblogaeth ddynol fel nifer y bobl, eu galluoedd a'u sgiliau.

Un ffordd werthfawr o feddwl am adnoddau yw asesu pa mor **adnewyddadwy** neu **anadnewyddadwy** yw adnodd penodol. Enw arall am adnoddau adnewyddadwy yw adnoddau llif, ac enw arall am rai anadnewyddadwy yw adnoddau stoc.

Un o nodweddion adnoddau stoc yw mai dim ond mewn gofod cyfyngedig maen nhw'n tueddu i fod ar gael. Er enghraifft, dim ond mewn lleoliadau

TERMAU ALLWEDDOL

Adnodd adnewyddadwy Adnodd sy'n gallu ailgyflenwi o fewn graddfa amser sy'n berthnasol i fodau dynol.

Adnodd anadnewyddadwy Adnodd nad yw'n gallu ailgyflenwi o fewn graddfa amser sy'n berthnasol i fodau dynol.

daearyddol penodol mae'n bosibl dod o hyd i fwynau fel copr ac aur. Mae adnoddau stoc eraill, fel tywod a graean, wedi eu gwasgaru dros ardaloedd gofodol mawr. Fodd bynnag, dydy rhai adnoddau ddim yn perthyn yn daclus i un categori penodol. Er enghraifft, mae cronfeydd nwy ac olew yn tueddu i fod wedi'u lleoli mewn rhanbarthau penodol fel ardaloedd morol Gwlff México a Môr y Gogledd. Yn y rhanbarthau hyn, gall meysydd olew/nwy unigol ymestyn dros bellteroedd sylweddol. Dyma enghraifft arall o bwysigrwydd ystyried graddfa wrth wneud dadansoddiad.

Cynaliadwyedd adnoddau

Mae rhoi adnodd mewn categori penodol fel 'adnewyddadwy' braidd yn rhy syml. Yn sgil y datblygiadau technolegol dros y degawdau diwethaf, ac wrth ragweld mwy o ddatblygiadau dros y blynyddoedd nesaf, efallai byddai'n fwy priodol i ni feddwl yn nhermau 'continwwm adnoddau' (Ffigur 6.3).

▲ **Ffigur 6.3** Continwwm cynaliadwyedd adnoddau

Nid technoleg yw'r unig ffactor sy'n dylanwadu ar sut mae adnodd yn cael ei ddefnyddio a pha mor adnewyddadwy yw'r adnodd. Mae canfyddiadau ac agweddau pobl yn chwarae rhan bwysig iawn hefyd. Gan fod pobl yn dechrau pryderu fwy a mwy am y straen sydd ar rai adnoddau, mae unigolion, grwpiau a chymdeithasau yn canolbwyntio ar reoli'r adnoddau hyn. I bob pwrpas, mae dulliau rheoli fel hyn yn ceisio sicrhau bod adnodd llif (er enghraifft, stociau pysgod) yn cael ei ddefnyddio mewn ffordd sy'n rhoi cyfle iddo ei adnewyddu ei hun. O ran adnoddau stoc, y nod yw sicrhau nad yw'r cyflenwadau'n dod i ben yn gyfan gwbl drwy ddefnyddio ffyrdd gwell o gael gafael arnyn nhw – er enghraifft, datblygiadau o ran technolegau cloddio a drilio, ac ailgylchu.

Adnoddau'r parth arfordirol: y tir o'r môr

Mae'r galw am fwy o dir a mynediad at y môr wedi arwain at ymyrraeth ddynol sylweddol mewn systemau arfordirol naturiol. Yn ystod y 200 mlynedd diwethaf yn enwedig, mae'r pwysau ar forydau ac iseldiroedd ar yr arfordir wedi cynyddu. Mewn rhai lleoliadau arfordirol, ychydig iawn o dir heb ei ddatblygu sydd ar ôl, ac o ganlyniad mae datblygwyr yn troi at ardaloedd rhynglanwol fel mannau sydd â photensial o ran adeiladu. Gan ddefnyddio dulliau peirianyddol, mae'n bosibl trin fflatiau llanw, twyni tywod a morfeydd heli i ddarparu tir sych. Byddai adeiladu arglawdd yn atal y môr rhag dod i mewn, ac yna mae'n bosibl gadael i'r tir ddraenio a chyfnerthu'r gwaddodion sydd yn y golwg er mwyn i'r gwaith adeiladu ddechrau. Mae Southampton a Sinagpore wedi troi ardaloedd estynedig o'r parth rhynglanwol yn dir sych (Ffigurau 6.4 a 6.5).

Mae poblogaeth Singapore wedi tyfu gryn dipyn dros yr hanner canrif diwethaf. Ochr yn ochr â'r twf economaidd sylweddol, mae'r galw am dir adeiladu wedi bod yn ddi-dor (Tabl 6.2).

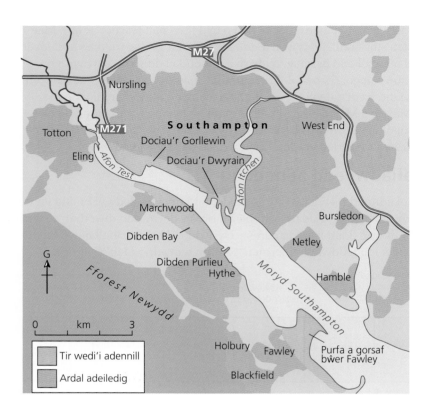

▲ **Ffigur 6.4** Adennill tir rhynglanwol o fewn ac o amgylch Southampton

Blwyddyn	1970	1980	1990	2000	2010	2017
Cyfanswm y boblogaeth (miloedd)	2074	2414	3047	4028	5077	5612
Dwysedd y boblogaeth (pobl/km²)	3538	3907	4814	5900	7146	7796

▲ **Tabl 6.2** Cyfanswm y boblogaeth a dwysedd y boblogaeth yn Singapore, 1970–2017

Mae projectau adennill tir ar raddfa fawr wedi ychwanegu tua 50 km² o dir at arwynebedd Singapore, ac mae'r broses yn parhau. Mae rhyfaint o'r gwaith datblygu wedi adennill tir oedd o dan ddŵr 20 metr o ddyfnder (Ffigur 6.5).

Adennill tir yn yr Iseldiroedd

Tua 10 000 o flynyddoedd yn ôl, roedd llawer o'r wlad rydyn ni'n ei hadnabod heddiw fel yr Iseldiroedd yn ardal o forfeydd, cilfachau llanw, fflatiau llanw a thwyni tywod. Mewn rhai lleoliadau, roedd mawn yn cronni. Roedd y trigolion cynnar wedi adeiladu tomenni lle roedd y mawn wedi cronni uwchlaw'r lefel gorlifo. Yn ystod cyfnod y Rhufeiniaid, adeiladwyd sarnau, camlesi a sawl harbwr. Daw'r cofnod cyntaf o waith adeiladu morgloddiau o'r ddegfed ganrif. Dros y canrifoedd dilynol, roedd y tir yn cael ei adennill a'i foddi bob yn ail, ac o edrych ar y darlun cyfan, cafodd mwy o dir ei golli i'r môr nag a gafodd ei adennill.

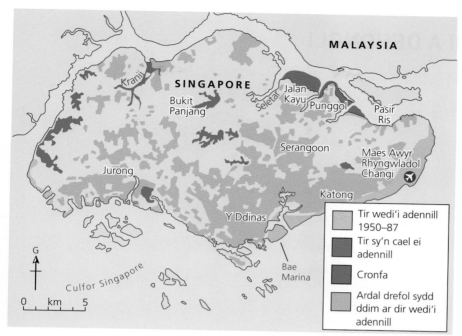

▲ **Ffigur 6.5** Adennill tir arfordirol yn Singapore

Yn ystod yr ugeinfed ganrif, defnyddiwyd technoleg ar raddfa fawr i adennill tir. O ganlyniad i gynlluniau fel draenio rhan o'r Zuider Zee, cafodd bae caeedig IJsselmeer ei greu a'r **polderau** sych sydd ganddo (Ffigur 6.6).

Bwriad Project Deltâu de-orllewin yr Iseldiroedd oedd diogelu'r ardal rhag llifogydd arfordirol a darparu mwy o amddiffynfeydd i lawer o leoliadau ar dir sy'n is na lefel y môr (Ffigur 6.7).

> **⚷ TERM ALLWEDDOL**
>
> **Polderau** Ardaloedd gwastad o dir wedi'u hadennill o'r môr; mae'r tir yn is na lefel y môr fel arfer.

▲ **Ffigur 6.6** Tirwedd polderau ger Lelystad, yr Iseldiroedd

▲ **Ffigur 6.7** Y Project Deltâu – gatiau argae yn aber Afon Rhein

DADANSODDI A DEHONGLI

Astudiwch Ffigur 6.8, sy'n dangos y prif gyfnodau o adennill tir yn yr Iseldiroedd.

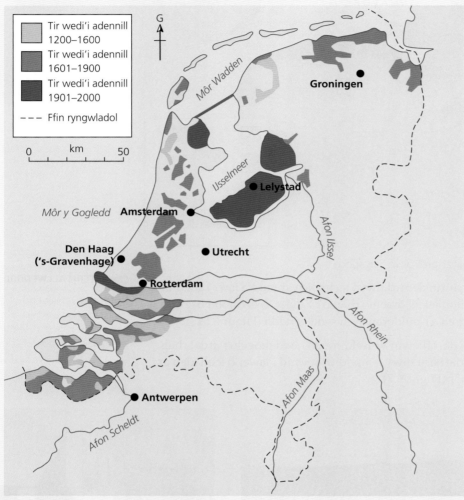

▲ **Ffigur 6.8** Adennill tir yn yr Iseldiroedd, 1200–2000

(a) Gan gyfeirio at Ffigur 6.8, disgrifiwch batrwm y tir wedi'i adennill rhwng 1200 ac 1600.

CYNGOR

Wrth ddisgrifio unrhyw batrwm, mae'n ddefnyddiol ystyried y dosbarthiad cyffredinol yn gyntaf. Mae'r map yn dangos bod yr ymdrechion adennill tir rhwng 1200 ac 1600 wedi canolbwyntio ar ardaloedd yn ne-orllewin yr Iseldiroedd. Yn benodol, cafodd tir ei adennill yn aberoedd afonydd Maas, Rhein, Scheldt a IJssel. Roedd dwy ardal lle cafodd tir ei adennill yn y gogledd hefyd. Mae'n bwysig defnyddio manylion penodol o'r adnodd, fel enwau a lleoliadau, pan fydd y cwestiwn yn nodi'n glir 'Gan gyfeirio at ...'

(b) Gan gyfeirio at Ffigur 6.8, cymharwch batrwm y tir wedi'i adennill yn ystod y cyfnod 1601–1900 â'r patrwm yn ystod y cyfnod 1901–2000.

CYNGOR

Mae'r gair gorchymyn 'cymharwch' yn gofyn i chi roi ateb sy'n cynnwys cymhariaeth glir. Yma, rhaid gwneud cymhariaeth rhwng y ffaith bod yr ardaloedd adennill yn llai o ran maint ond yn fwy gwasgaredig yn y cyfnod cyntaf, a'r ffaith bod nifer y projectau adennill yn llai yn yr ail gyfnod ond bod y projectau hynny yn fwy o ran maint. Rhwng 1601 ac 1900, roedd llinell o brojectau adennill tir yn rhedeg yn baralel i arfordir Môr y Gogledd, yn ymestyn hyd at 20 cilomet i'r mewndir. Yn ystod y bedwaredd ganrif ar bymtheg, roedd tair ardal fawr o dir wedi'u hadennill yn yr IJsselmeer yng ngogledd yr Iseldiroedd, a phedwaredd ardal ar hyd Afon IJssel rhwng Rotterdam a Môr y Gogledd.

(c) Esboniwch pam mae'r gwaith o adennill tir arfordirol yn aml yn weithgaredd dadleuol.

CYNGOR

Mae hwn yn gwestiwn eithaf penagored sy'n eich gwahodd chi i ystyried safbwyntiau posibl yr amrywiol gyfranogwyr (rhanddeiliaid) sy'n ymwneud â phroject adennill tir. Efallai byddai diagram corryn yn eich helpu chi i lunio eich ateb ac i dynnu sylw at amrywiaeth y cyfranogwyr sy'n cael eu heffeithio gan adennill tir arfordirol. Yn aml iawn, ffactorau economaidd a phwysedd poblogaeth sy'n gyrru projectau adennill tir. Mae creu mwy o dir i'w ddefnyddio – er enghraifft, ar gyfer y diwydiant gweithgynhyrchu, cyfleusterau porthladd, meysydd awyr, swyddfeydd a chartrefi – wedi bod yn bwysig mewn lleoedd fel Southampton, Singapore a Hong Kong. Efallai bydd y meysydd hyn i gyd yn cystadlu am le, ond mae'n fwy tebygol y bydd y gwrthdaro mwyaf rhwng pobl sydd o blaid y projectau adennill tir a phobl sydd yn eu herbyn. Mae'n debyg y bydd yr ail grŵp o gyfranogwyr yn cytuno â'i gilydd bod angen diogelu'r amgylchedd naturiol. Mae cwestiynau sy'n codi pryderon am golli'r 'synnwyr o le' mewn mannau heb eu datblygu yn gwestiynau pwysig. Yr hyn sydd angen i chi ei wneud yn gyffredinol yw pwysleisio'r gystadleuaeth am y tir a chydnabod bod gan gyfranogwyr agweddau gwahanol i'w gilydd.

Adnoddau egni – hydrocarbonau

Ers i sofraniaeth gael ei hymestyn i hyd at 200 morfilltir oddi wrth y lan, mae cynnydd enfawr wedi bod yn yr ymdrechion i ecsbloetio adnoddau hydrocarbon, sef olew a nwy. Roedd gwledydd yn cynnig hawliau archwilio, i'w rhentu neu i'w prynu, mewn blociau yn y parth oedd yn ymestyn hyd at ymyl y sgafell gyfandirol. Heddiw, mae lleoliadau fel Gwlff México, Y Gwlff (Gwlff Persia), Geneufor Biaffra yng Ngorllewin Affrica a Môr y Gogledd yn cyfrannu'n helaeth at gynhyrchiad olew a nwy. Mae cymaint o alw am hydrocarbonau, does dim llawer o ardaloedd ar ôl i'w harchwilio a fyddai'n gallu dal cronfeydd o olew a nwy. Ac wrth i dechnoleg ddatblygu, mae'n bosibl drilio mewn dŵr dyfnach a mwy garw.

Mae cyfleusterau atraeth ac alltraeth yn datblygu i wasanaethu'r diwydiant egni. Mae gwaith adeiladu yn digwydd i sefydlu canolfannau trosglwyddo hydrocarbonau, tanciau storio, pibelli a phurfeydd. I ddefnyddio tanceri enfawr *(VLCC: Very Large Crude Carriers)*, mae'n rhaid bodloni gofynion ffisegol penodol – er enghraifft dŵr 30 metr o ddyfnder neu fwy, a dim llai na 2 gilomet o ddŵr agored i droi ynddo.

Yn anochel, mae ecsbloetio hydrocarbonau yn arwain at effeithiau cadarnhaol ac effeithiau negyddol. Un o'r manteision yw ei fod yn cynhyrchu cyfoeth drwy greu swyddi, ac mae'n ychwanegu gwerth at ddefnyddiau crai – er enghraifft drwy weithgynhyrchu cemegion o'r olew, a'r refeniw trethi sy'n cael ei gynhyrchu. Mae'r refeniw trethi yn galluogi llywodraethau lleol, rhanbarthol a chenedlaethol i fuddsoddi mewn isadeiledd, gan wella safon byw pobl. Ond mae anfanteision yn codi pan fydd olew'n arllwys i'r amgylchedd ar lefelau sy'n niweidio ecosystemau ac yn amharu ar y gweoedd a'r cadwyni bwyd. Mae dociau a phurfeydd yn tueddu i fod yn strwythurau mawr iawn sy'n amharu ar olwg y tirlun ac sy'n gallu achosi llygredd golau sylweddol yn y nos. Gan fod cwmnïau hydrocarbon yn tueddu i dod â llawer iawn o arian i'r gymuned leol, mae'r economi lleol yn newid yn llwyr ac mae hyn yn arwain at rwygiadau cymdeithasol-economaidd. Pan fydd y sector hydrocarbon yn mynd drwy gyfnod anodd, er enghraifft pan fydd prisiau olew'n disgyn, mae hyn yn gallu achosi caledi mewn cymunedau lleol wrth i bobl golli eu swyddi ac wrth i'r gwariant a'r buddsoddi ddod i ben. Digwyddodd hyn yng ngogledd-ddwyrain yr Alban gan fod y diwydiannau nwy ac olew ym Môr y Gogledd mor gyfnewidiol.

Arllwysiadau olew

Mae olew'n gallu gollwng i'r amgylchedd am nifer o resymau. Bydd arllwysiadau dramatig yn digwydd pan fydd tanceri yn dryllio, neu yn dilyn damweiniau ar lwyfannau cynhyrchu neu wrth ddrilio, ond o'r holl arllwysiadau olew, dim ond 5% sy'n digwydd am y rhesymau hyn. Mae'r rhan fwyaf o'r arllwysiadau'n digwydd yn ystod gwaith arferol o ddydd i ddydd, er enghraifft pan fydd olew'n cael ei drosglwyddo rhwng tancer a therfynfa. Ond, mae digwyddiadau eithriadol yn gallu achosi effeithiau difrifol iawn pan fyddan nhw'n digwydd.

ASTUDIAETH ACHOS GYFOES: *DEEPWATER HORIZON*

Ym mis Ebrill 2010, ffrwydrodd llwyfan olew *Deepwater Horizon*, oedd yn sefyll 40 milltir oddi ar arfordir Louisiana mewn dŵr 1500 metr o ddyfnder. Bu farw 11 o weithwyr a chafodd 17 o weithwyr eraill eu hanafu. Methodd y ddyfais 'chwythu allan', oedd wedi ei dyfeisio i atal olew a nwy dan wasgedd uchel rhag ffrwydro i fyny'r beipen ddrilio (Ffigur 6.9).

Aeth 87 diwrnod heibio cyn i ben y ffynnon gael ei selio unwaith eto, gan atal olew rhag arllwys yn ddi-baid i mewn i Gwlff México. Mae arbenigwyr yn anghytuno ynglŷn â faint o olew wnaeth arllwys i'r môr; mae Llywodraeth UDA yn amcangyfrif mai'r cyfanswm oedd 4.9 miliwn baril (780 000 m³), ond mae amrediad o 10% o ansicrwydd +/- mewn perthynas â'r ffigur hwnnw. Ond, does dim modd gwadu mai'r digwyddiad hwn oedd yr arllwysiad olew mwyaf erioed. Ar y cyfnod gwaethaf, cafodd tua 180 000 km² o'r Gwlff ei effeithio ac roedd ychydig dros 1600 km o'r traethlin wedi ei lygru.

▲ **Ffigur 6.9** Llwyfan olew *Deepwater Horizon* ar ôl ffrwydrad 2010

Mae'r hyn sy'n digwydd i olew pan mae'n arllwys i mewn i ddŵr heli yn gymhleth. Mae'n dibynnu'n rhannol ar y math o olew, ar y môr ac ar yr amodau atmosfferig. Yn gyffredinol, mae datblygiad clwt olew yn digwydd mewn tri cham:

1 Y gwasgaru cychwynnol dan ddylanwad disgyrchiant (0–5 munud)
2 **Llorfudiant** gludiog (hyd at 40 awr)
3 Tensiwn ar yr arwyneb yn lledaenu (hyd at 150 o ddyddiau).

Mae prosesau anweddu, hydoddiant, emylsiad, ocsidiad ac awyriad yn digwydd, ac yn y pen draw, pan fydd yr olew'n gostwng i grynodiadau isel, mae'n cael ei fioddiraddio gan ficrobau.

Mae effeithiau uniongyrchol a sydyn yn gallu bod yn ddramatig yn weledol ac yn ecolegol. Bydd unrhyw effaith ar un **lefel droffig** yn effeithio ar yr ecosystem gyfan. Mae marwolaethau niferus ymhlith rhai rhywogaethau yn arwain at golli bioamrywiaeth. O ran gallu'r gwahanol rywogaethau i wrthsefyll yr olew, mae hyn yn dibynnu ar nodweddion fel sut maen nhw'n bwydo. Gall arllwysiadau olew effeithio'n ddifrifol ar adar plymio fel mulfrain a gwylogod.

Arllwysiadau olew ar riffiau cwrel

Gan fod cwrel yn organeb sefydlog, mae arllwysiadau olew yn arbennig o fygythiol iddi. Mae rhai o'r rhanbarthau mwyaf prysur o safbwynt echdynnu, prosesu a chludo olew yn digwydd bod yn rhanbarthau sydd â llawer o riffiau. Mae'r Gwlff (Gwlff Persia), y Môr Coch a Chamlas Panamá yn lleoliadau lle mae olew a chwrel yn dod i gysylltiad â'i gilydd. Yn 1986, pan arllwysodd 50 000 o dunelli metrig o olew crai i'r môr yn ddamweiniol o burfa Isla Payardi, Panamá, cafodd riffiau cwrel, gwelyau morwellt a mangrofau eu llygru. Roedd yr effeithiau uniongyrchol yn amlwg – hynny yw, lefelau uchel o farwolaeth ymhlith llawer o rywogaethau, er enghraifft y cregyn deuglawr oedd yn byw yng nghanol gwreiddiau'r mangrof a'r cwrel ei hun. Casglodd yr olew ynghyd a daeth yn rhan o'r gwaddod oedd yn cael ei ddal yn yr ecosystem mangrof. Yn raddol, cafodd yr olew hwn ei ryddhau yn y blynyddoedd yn dilyn yr arllwysiad, gan lygru'r ecosystemau lleol. Roedd gwaddod yn profi mwy o effeithiau gweithred y tonnau gan nad oedd y riffiau a'r gwelyau morwellt, oedd wedi'u niweidio, yn gallu cysgodi'r gwaddod cymaint ag o'r blaen. O edrych ar astudiaethau tymor hir, mae'n ymddangos bod ecosystemau yn gallu cymryd dros chwarter canrif i adfywio yn dilyn arllwysiad olew.

Atal arllwysiadau olew a ffyrdd o ddelio â nhw

Mae'r dulliau o ymdopi ag arllwysiadau olew wedi gorfod gwella'n sylweddol gan fod maint tanceri wedi cynyddu ers yr 1960au. Yn 1967, yn dilyn llongddrylliad tancer y *Torrey Canyon* ar riff Seven Stones ger Land's End, Cernyw, cafodd 120 000 tunnell fetrig o olew crai ei ollwng i'r môr. Yn 1978, roedd llongddrylliad arall – y tro hwn, tancer *Amoco Cadiz* oddi ar arfordir Llydaw, a arweiniodd at ollwng 230 000 tunnell fetrig o olew crai.

Mae technegau atal wedi'u datblygu ers hynny – er enghraifft gwelliannau i ddyluniad llongau a'r dulliau o drin olew. I baratoi ar gyfer arllwysiadau, mae angen asesu beth yw'r risg a beth fyddai'r effaith debygol ar y parth arfordirol, yn enwedig y lleoliadau ger gweithfeydd olew ac ar hyd llwybrau cludo prysur.

TERMAU ALLWEDDOL

Llorfudiant *(advection)* Trosglwyddiad defnydd neu wres yn llorweddol mewn amgylchedd hylifol naturiol. Dyma sut mae cyflymder dŵr y môr yn symud olew.

Lefel droffig Dyma'r lefel lle gall egni ar ffurf bwyd drosglwyddo o un organeb i organeb arall yn rhan o'r gadwyn fwyd.

Mae gwaith yn digwydd i asesu a mapio pa mor hir mae olew'n para ar wahanol fathau o lannau (er enghraifft craig, tywod, morfa) a pha mor sensitif yw ecosystemau i lygredd olew. Mae'r gallu i ymateb i arllwysiadau olew yn dibynnu ar adnoddau'r awdurdodau perthnasol. Wrth gwrs, mae lefel yr adnoddau'n hollbwysig, yn enwedig o ran darparu peiriannau a gweithwyr. Mae amrywiaeth o dechnegau'n bodoli i lanhau ar ôl arllwysiad olew. Ar y dŵr, mae trawstiau sy'n arnofio yn cael eu defnyddio i ddal yr olew arwyneb a'i atal rhag lledaenu. Wedyn, bydd yr olew hwn yn cael ei bwmpio i mewn i danceri. Mae llongau sydd wedi eu hadeiladu'n bwrpasol yn gallu codi'r olew oddi ar yr arwyneb os nad yw wedi lledaenu'n rhy bell. Mae gwasgarwyr cemegol yn gallu bod yn effeithiol ond gallan nhw fod yn fwy gwenwynig na'r olew ei hun. Y syniad yw lleihau crynodiad yr olew i'w helpu i anweddu a galluogi i facteria sy'n bwyta'r olew ei ddiraddio'n fiolegol.

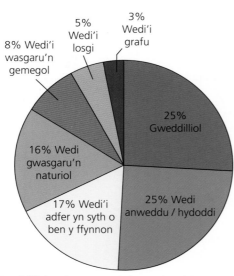

8% Wedi'i wasgaru'n gemegol

5% Wedi'i losgi

3% Wedi'i grafu

25% Gweddilliol

16% Wedi gwasgaru'n naturiol

17% Wedi'i adfer yn syth o ben y ffynnon

25% Wedi anweddu / hydoddi

Gweddilliol = olew yn y cefnfor, wedi golchi i'r lan a'i gasglu, neu mewn tywod a gwaddodion
Wedi gwasgaru'n naturiol = olew yn cael ei ddiraddio'n naturiol ar hyn o bryd, e.e. gan facteria

▲ **Ffigur 6.10** I ble mae'r olew o *Deepwater Horizon* wedi mynd

Unwaith mae'r olew yn ymddangos ar y lan, rhaid blaenoriaethu tynnu'r olew oddi yno'n ffisegol a chael gwared ar gyrff adar ac anifeiliaid marw. Mae'n bosibl casglu olew arwyneb drwy grafu. Yn achos arllwysiad yr *Amoco Cadiz*, roedd 35 0000 o bersonél milwrol Ffrainc yn casglu dyddodion fel hyn am fis. Ond, mae'r glanhau'n mynd yn anodd iawn unwaith mae'r olew wedi treiddio i mewn i waddodion arfordirol. Yn aml, dydy tynnu'r olew i gyd ddim yn ymarferol ac mae gwneud hyn yn gallu ansefydlogi ecwilibriwm y cyllidebau gwaddod. Mae'n bosibl defnyddio technegau fel cyflwyno bacteria sy'n bwyta olew a/neu ddyfrhau neu awyru'r gwaddod er mwyn cyflymu ymddatodiad yr olew.

Yn achos *Deepwater Horizon*, un cwestiwn sy'n dal i fod yn destun gwaith ymchwil yw i ble aeth yr olew i gyd (Ffigur 6.10)? Does gan bob olew crai (heb ei brosesu) ddim yr un adeiladwaith cemegol. Mae'r olew crai ysgafn a arllwysodd o *Deepwater Horizon* yn hydoddi'n gyflymach mewn dŵr nag olew crai trymach, ac mae'n anweddu ac yn cael ei dreulio'n fwy effeithiol gan facteria.

Adnoddau egni adnewyddadwy

Tanwyddau ffosil (glo, olew a nwy) sy'n dal i ateb y galw byd-eang am egni i gyd, fwy neu lai – rhwng 75% ac 80% o'r galw. Wrth i'r boblogaeth gynyddu ac wrth i safonau byw godi, bydd y galw am egni yn cynyddu hefyd. I ateb y galw cynyddol hwn, ac i ymdopi â phroblem argyfyngus newid hinsawdd anthropogenig sy'n gysylltiedig â llosgi tanwyddau ffosil, bydd rhaid troi yn amlach at ffynonellau egni adnewyddadwy. Yn y parth arfordirol, mae amrywiaeth o adnoddau egni adnewyddadwy i'w cael.

Egni llanw

Wrth i'r llanw godi a gostwng, mae hyn yn creu llif o ddŵr mae'n bosibl ei ddefnyddio i yrru peiriannau sy'n cynhyrchu egni. Mae melinau dŵr, sy'n dibynnu ar y llanw i droi olwynion dŵr i yrru'r felin, wedi bodoli ers canrifoedd. O amgylch y byd, mae gwaith ymchwil yn digwydd i'r posibilrwydd o ddefnyddio egni llanw i gynhyrchu trydan, ac mae rhai cynlluniau wedi dechrau yn barod.

Mae'r ddaearyddiaeth ffisegol leol, fel siâp y morlin a'r amrediad llanw, yn ffactor pwysig wrth ddewis lleoliad y gorsafoedd pŵer llanw. Mae'n bosibl rhagweld a dibynnu ar y llanw ac mae'n rheolaidd. Mae'r rhan fwyaf o forlinau'n cael dau lanw uchel a dau lanw isel bob 24 awr (tudalen 14). Er bod nifer o safleoedd addas yn bodoli, mae angen i unrhyw safle penodol fod yn ddigon agos i leoliad lle mae'r galw am drydan yn ddigon uchel i gyfiawnhau cost uchel y gwaith datblygu. (Mae cyfyngiad economaidd i'r pellter y gall trydan gael ei drosglwyddo.)

Cynllun Llyn Shiwa yn Ne Korea yw'r ffatri pŵer llanw mwyaf yn y byd, ac mae'n gallu cynhyrchu hyd at 254 megawat (MW). Yn Llydaw, Ffrainc, mae ffatri Rance yn gallu cynhyrchu hyd at 240 MW ond does dim cynllun gweithredol arall sy'n gallu cynnig mwy na 20 MW o bŵer.

▲ **Ffigur 6.11** Tyrbin llanw, wedi'i adeiladu i'w ddefnyddio ym mhroject MeyGen, yr Alban

Mae cynlluniau Shiwa a Rance yn defnyddio **bared**. Mae'r gatiau yn y bared yn agor wrth i'r llanw godi. Adeg y penllanw, mae'r gatiau'n cau gan greu lagŵn. Wrth i'r llanw ostwng, mae'r dŵr sydd wedi'i storio yn cael ei ryddhau, yn pasio drwy'r tyrbinau ac yn llifo yn ôl allan i'r môr. Mae nifer o gynlluniau tebyg wedi cael eu cynnig ar gyfer y DU, er enghraifft yn Abertawe a Chaerdydd, ac ar draws Afon Hafren. Hyd yn hyn, mae problemau yn ymwneud â chyllid a'r effaith ar yr amgylchedd wedi oedi unrhyw adeiladu. Bydd cynllun o'r fath yn newid llifoedd dŵr, gan achosi i waelod y foryd gael ei sgwrio mewn rhai mannau, yn ogystal â gostyngiad o ran gallu'r dŵr i gymysgu'n fertigol. Yn ei dro, bydd hyn yn golygu y bydd llai o ddŵr heli yn treiddio i mewn i'r foryd, ac o ganlyniad bydd y dŵr yn **lled hallt**. I fyny'r afon o'r bared, efallai bydd halogyddion yn dechrau cronni gan nad yw effaith y llanw yn cael gwared arnyn nhw. Felly, mae'n bosibl y bydd ansawdd y dŵr yn gwaethygu gan arwain at **ewtroffigedd**.

Efallai bydd rhai cynefinoedd penodol yn cael eu colli, fel fflatiau rhynglanwol a morfeydd heli, a byddai hynny'n effeithio ar y rhywogaethau sy'n dibynnu ar rythm y llanw ar draws yr arweddion hyn (tudalennau 92–4).

Yn y DU, mae project llif llanwol MeyGen ym Moryd Pentland, gogledd-ddwyrain yr Alban, wedi dechrau cynhyrchu trydan. Yn ôl y cynlluniau, capasiti'r safle erbyn diwedd Cam 1 fydd 86 MW, a phan fydd y cynllun wedi ei gwblhau, y gobaith yw y bydd yn gallu cynhyrchu hyd at 398 MW. Mae'r cynllun yn defnyddio tyrbinau ar wely'r môr – wedi eu gyrru dan ddylanwad llafnau rotor sydd â diamedr o 16 metr – i fanteisio ar y ceryntau cyflym yn yr ardal (5 metr yr eiliad).

Egni tonnau

Mae'r egni potensial wrth i ddŵr godi a gostwng pan fydd ton yn pasio yn anferth ac yn llawer mwy na'r egni potensial ym mhŵer llanw. Ond, mae'r union egni hwnnw hefyd yn rhwystr mawr i'r broses o ecsbloetio'r llif dŵr hwn fel adnodd. Mae angen egni tonnau uchel, fel sydd i'w gael oddi ar arfordir gogledd-orllewin y DU, er mwyn i'r peiriant fod yn effeithiol. Ond, mae llawer o'r dyfeisiau sydd wedi'u treialu hyd yn hyn wedi methu â goroesi yn y moroedd garw hyn. I wneud y peiriant yn fwy gwydn, mae angen iddo fod yn llawer mwy o ran maint a phwysau, ac mae hynny'n golygu y bydd y trosglwyddiad o symudiad i drydan yn llai effeithlon.

🔑 TERMAU ALLWEDDOL

Bared Strwythur tebyg i argae sy'n cael ei adeiladu ar draws rhan o'r arfordir (moryd fel arfer).

Lled hallt Dŵr sy'n llai halwynog na dŵr heli ond yn fwy hallt na dŵr croyw. Mae'r dŵr hwn yn aml i'w gael mewn amgylcheddau egni isel fel lagynau arfordirol – hynny yw, rhwng tafod neu far a'r tir.

Ewtroffigedd Y broses lle mae cyfoethogi maetholion mewn dŵr yn arwain at gynnydd yng nghynhyrchiad cynradd algâu a gostyngiad yn y lefelau ocsigen gan arwain at amodau anaerobig. Mae organebau'n dibynnu ar ocsigen felly dydyn nhw ddim yn gallu goroesi.

Mae amrywiaeth o ddyfeisiau yn cael eu treialu o amgylch y byd. Mae rhai ohonyn nhw'n arnofio ar yr arwyneb fel silindrau hir neu fel bwiau, a bydd y tonnau sy'n pasio yn symud y peiriannau i fyny ac i lawr. Bydd hyn yn gyrru systemau hydrolig sy'n troi generaduron, gan gynhyrchu trydan. Mae dyfeisiau eraill yn cynnwys fflapiau enfawr wedi'u hangori mewn dŵr eithaf bas. Pan fydd y fflapiau'n symud yn ôl ac ymlaen wrth i'r tonnau basio, mae systemau hydrolig yn troi generaduron.

Dydy'r dechnoleg ddim yn talu ei ffordd yn economaidd eto, ond yn debyg i bob proses o gynhyrchu pŵer, mae hynny'n newid yn dibynnu ar gostau egni byd-eang a lleol.

Gwynt alltraeth

Ym Mhrydain, mae egni gwynt wedi cael ei ecsbloetio ers miloedd o flynyddoedd. Ers yr 1980au, gan fod technoleg wedi datblygu, mae defnyddio gwynt i gynhyrchu trydan 'gwyrdd' wedi derbyn llawer mwy o sylw. Yn 2016, roedd pŵer gwynt yn gyfrifol am tua 3% o bŵer byd-eang.

Gan fod buanedd y gwynt yn y parth arfordirol yn tueddu i fod yn gyflymach nag ydyw yn y mewndir, mae lleoliadau arfordirol (e.e. ar ben clogwyni ac alltraeth) yn lleoliadau da ar gyfer tyrbinau gwynt. Mae cynnydd bach ym muanedd y gwynt yn cynhyrchu cynnydd mawr yn yr allbwn egni: er enghraifft, gall gwynt 15 milltir yr awr gynhyrchu dwywaith cymaint o egni â'r un tyrbin pan fydd yn derbyn gwynt 12 milltir yr awr. O ganlyniad i waith ymchwil parhaus i dechnoleg tyrbinau gwynt, mae dyluniad tyrbinau yn fwy effeithlon nag erioed, gan arwain at well trosglwyddiad egni (llif y gwynt → trydan) a llai o gostau. Mae hyn yn arbennig o wir am ffermydd gwynt alltraeth lle mae'n bosibl gosod a gweithredu llafnau rotor mawr iawn.

Un o'r ffermydd gwynt alltraeth mwyaf yn y byd yw project *London Array*. Mae gan y fferm 175 o dyrbinau sy'n dringo 80 metr oddi ar arwyneb y môr. Dechreuodd y gwaith adeiladu yn 2009 a chafodd ei gwblhau yn 2012.

▲ Ffigur 6.12 Fferm wynt *London Array*

Mae'n gorchuddio arwynebedd o 100 km², ac wedi'i leoli 20 km o'r lan ym moryd allanol Afon Tafwys. Mae ei gapasiti cynhyrchu, sef 630 MW, yn ddigon i gyflenwi pŵer i bron 0.5 miliwn o gartrefi y flwyddyn, gan ostwng allyriadau CO_2 o tua 925 000 o dunelli metrig y flwyddyn (Ffigur 6.12).

Dydy pawb ddim yn hoff o egni gwynt ac mae'n fater sydd wedi arwain at ddadlau sylweddol am natur lleoliadau arfordirol. Mae rhai pobl yn gwrthwynebu'r effaith ar yr olygfa o'r môr a oedd yn arfer ymestyn yn ddi-dor at y gorwel, a'r awyr eang yn glir uwch ei ben. Fodd bynnag, mae llawer o bobl yn dadlau bod ffermydd gwynt alltraeth yn llai amlwg na'r rhai ar ben clogwyni ac mewn lleoliadau agored ychydig i'r mewndir. Mae'r pryderon amgylcheddol am ffermydd alltraeth yn ymwneud â sŵn, ymyrraeth electromagnetig sy'n effeithio ar wasanaethau radio a theledu, yr effaith ar fywyd gwyllt (er enghraifft y llafnau sy'n troi yn taro adar) a'r effaith ar yr olygfa. Drwy addasu'r dyluniad mae rhai o'r anfanteision hyn wedi gwella ychydig, ond mae pobl yn anghytuno o hyd am bresenoldeb tyrbinau gwynt yn y dirwedd arfordirol.

Twristiaeth a hamdden

Mae twristiaeth a hamdden yn dibynnu ar adnoddau fel hinsawdd, tirwedd a dŵr. Dros y 200 mlynedd diwethaf, mae twristiaeth a hamdden wedi ecsbloetio adnoddau arfordirol ac wedi'u troi nhw'n weithgareddau cymdeithasol ac economaidd pwysig. Erbyn hyn, mae incwm gwario, symudedd personol a gwyliau â chyflog yn fwy cyffredin, felly mae mwy a mwy o bobl yn mynd i lan y môr i fwynhau ei hadnoddau.

Erbyn diwedd y bedwaredd ganrif ar bymtheg, roedd gwyliau glan môr yn rhan naturiol o'r flwyddyn i lawer o bobl mewn gwledydd incwm uchel. Newidiodd trochi yn y môr o fod yn weithgaredd ffasiynol, therapiwtig i bobl gyfoethog yn unig, i fod yn weithgaredd twristiaeth dorfol. Mae pob sector o'r gymdeithas yn ei fwynhau erbyn hyn, ac mae rhai pobl yn gallu ecsbloetio'r adnoddau arfordirol i dwristiaid ar unrhyw gyfandir – hyd yn oed Antarctica.

Troi lleoedd arfordirol yn gyrchfannau twristiaeth

Yn debyg i unrhyw weithgaredd economaidd, mae angen adnoddau er mwyn i dwristiaeth a hamdden allu gweithredu. Dyma'r 'defnyddiau crai' ffisegol:

- tirwedd, e.e. clogwyni serth, tir isel, llethr o raddiant alltraeth
- defnyddiau'r traeth, e.e. tywod, cerigos
- dŵr, e.e. llifoedd dŵr ger y lan (ceryntau terfol/ceryntau ysgafn), tymheredd, ansawdd
- hinsawdd, e.e. Mediteranaidd, tymheredd claear, Arctig
- ecosystem, e.e. moryd, twyni tywod, riff cwrel.

Mae cyfuniadau gwahanol o adnoddau ffisegol yn denu gwahanol fathau o dwristiaeth. Er enghraifft, mae gweithgareddau ar y traeth ac yn y dŵr yn ffynnu pan fydd gan leoliad bob un o'r canlynol: mynediad hawdd at y lan, traeth tywod, a hinsawdd sydd â thymor poeth a sych. Ymhlith yr enghreifftiau adnabyddus o leoliadau fel hyn mae cyrchfannau gwyliau de California, dwyrain Awstralia a morlinau'r Môr Canoldir.

Yn ogystal ag adnoddau ffisegol, mae twristiaeth hefyd yn galw am adnoddau dynol, er enghraifft:

- atyniadau diwylliannol, e.e. theatrau, bwytai, clybiau nos
- adnoddau treftadaeth, e.e. pensaernïaeth, glanfeydd (piers), hen reilffyrdd.

Mae safleoedd diwylliannol neu dreftadaeth yn datblygu ar rai adnoddau ffisegol (Ffigur 6.13). Er enghraifft, mae darnau mawr o arfordir Cymru a Lloegr yn eiddo i'r Ymddiriedolaeth Genedlaethol (Northumberland, gogledd-ddwyrain Lloegr) neu wedi eu henwi'n barciau cenedlaethol (Sir Benfro, de-orllewin Cymru).

▲ **Ffigur 6.13** Adnoddau ffisegol a threftadaeth sy'n cael eu defnyddio ar gyfer twristiaeth, Castell Bamburgh, arfordir Northumberland

Tywod a graean

Mae'r parth arfordirol yn cynnwys dyddodion eang o agregau. Mae'r diwydiant adeiladu a nifer o gynlluniau rheoli arfordirol yn gwneud defnydd eang iawn o'r defnyddiau hyn.

Ar draws y byd, mae'r galw am dywodydd a graean wedi bod yn codi, ac mewn rhai rhanbarthau mae cyfradd defnyddio'r dyddodion hyn yn cyflymu. Mae'r Cenhedloedd Unedig wedi bod yn cofrestru pa mor gyflym mae trefoli yn digwydd ymhlith poblogaeth y byd. Er bod tua 54% o bobl yn byw mewn trefi neu ddinasoedd erbyn hyn, mae'r ffigurau'n awgrymu y bydd tua dwy ran o dair o boblogaeth debygol y byd (sef 9.8 biliwn) yn byw mewn trefi a dinasoedd erbyn 2050. Wrth i ardaloedd trefol ehangu, mae hyn yn rhoi mwy o straen ar agregau ar gyfer gwaith adeiladu, yn arbennig tywod. Mae'r broses o weithgynhyrchu concrit a gwydr – dau ddefnydd hanfodol yn y diwydiant adeiladu – yn dibynnu ar dywod. Yn ogystal, mae gweithgareddau fel ffracio am olew a nwy yn defnyddio symiau mawr o dywod.

Mae tywod hefyd yn cael ei ddefnyddio mewn projectau adennill tir. Mae Singapore wedi mewnforio tua 517 miliwn tunnell fetrig o dywod o Cambodia, Indonesia, Malaysia a Gwlad Thai. Defnyddiodd Dubai ei hadnoddau tywod morol domestig i gyd, sef 385 miliwn o dunelli metrig, i greu cyfres o ynysoedd artiffisial, y Palm Jumeirah. I gynnal y projectau adeiladu sylweddol sy'n dal i ddatblygu yn Dubai, mae'r wlad yn mewnforio tywod o wledydd mor bell i ffwrdd ag Awstralia.

Efallai fod hyn yn rhoi'r argraff bod digonedd o dywod i'w gael yn y byd. Fodd bynnag, mae natur tywod yn amrywio'n fawr o un lleoliad i'r llall. Dydy pob tywod ddim yr un fath! Dydy tywodydd y diffeithdir ddim yn ddefnyddiol iawn: gan fod y gwynt wedi erydu'r gronynnau i greu siâp crwn, dydyn nhw ddim yn glynu wrth ei gilydd ddigon ar gyfer adeiladu. Tan yn ddiweddar, roedd y rhan fwyaf o dywod yn cael ei echdynnu o chwareli tir a gwelyau afonydd. Gan fod llawer mwy o alw am dywod na'r hyn sy'n cael ei gyflenwi, mae pobl yn dechrau ecsbloetio'r tywodydd yn y parth arfordirol yn fwy nag erioed.

Sut mae echdynnu tywod yn effeithio ar amgylcheddau ac ecosystemau morol

Mae gwaith carthu neu gloddio am dywod a graean yn digwydd ar wahanol raddfeydd – o waith echdynnu bach drwy gloddio â llaw, i waith carthu masnachol ar raddfa fawr.

Mae dwy ffordd o garthu tywod: naill ai mewn cwch gyda chylch o fwcedi sy'n codi'r gwaddod, neu gyda system hydrolig bwerus sy'n sugno'r gwaddod o wely'r môr.

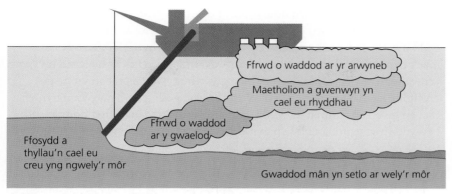

Ffrwd o waddod ar yr arwyneb

Maetholion a gwenwyn yn cael eu rhyddhau

Ffrwd o waddod ar y gwaelod

Ffosydd a thyllau'n cael eu creu yng ngwely'r môr

Gwaddod mân yn setlo ar wely'r môr

▲ **Ffigur 6.14** Rhai o effeithiau carthu tywod

Mae aflonyddu gwely'r môr yn cael effaith niweidiol ar gynefinoedd pysgod, infertebratau ac algâu, a hefyd yn tynnu'r planhigion sy'n byw ar wely'r môr oddi yno yn ffisegol. Mae gweoedd a chadwyni bwyd yn cael eu haflonyddu, ac mae hyn yn ei dro yn effeithio ar adar a mamolion. Yn bwysig iawn, mae rhai o'r ardaloedd sy'n cael eu carthu yn fannau lle mae pysgod yn silio, felly gallai'r stociau pysgod ddirywio o ganlyniad i echdynnu tywod.

Wrth wneud y gwaith carthu, mae defnyddiau bach sydd ddim yn ddefnyddiol yn cael eu rhyddhau yn ôl i'r dŵr. Mae'r gwaddod mân hwn yn setlo yn ôl ar wely'r môr ac yn gallu mygu hidl-ymborthwyr fel cregyn gleision. Gall y defnydd mân hefyd lenwi holltau lle mae pysgod cregyn fel cimychiaid a rhai mathau o bysgod yn byw. Bydd rhywogaethau pysgod fel penwaig a llymrïaid dim ond yn silio mewn ardaloedd lle mae gwely'r môr wedi ei greu o ddefnydd gronynnau bras, felly mae gollwng defnydd gronynnau mân yno yn lleihau'r potensial bridio.

Gallai gwenwyn, fel metelau trwm a hydrogen sylffid, gael ei ryddhau pan fydd carthu'n digwydd. Gall planhigion plancton ymddangos pan fydd maetholion yn cael eu rhyddhau o 'bridd y môr'. Mae hyn wedyn yn golygu bod llai o olau ar gael, sy'n effeithio ar yr ecosystem.

Yn dibynnu ar yr amgylchiadau lleol, mae echdynnu tywod yn gallu newid patrwm yr egni tonnau sy'n cyrraedd yr arfordir. Mae tynnu tywod yn dyfnhau ac yn llyfnhau gwely'r môr, sy'n golygu bod llai o ffrithiant rhwng y tonnau a gwely'r môr wrth iddyn nhw basio. Felly, mae mwy o egni tonnau'n gallu cyrraedd y lan, sy'n golygu eu bod yn gallu trawsgludo mwy o waddod ac achosi mwy o erydiad.

Mae unrhyw weithred sy'n tynnu gwaddod yn amharu ar gyllidebau gwaddod lleol. Gall hyn leihau uchder y systemau twyni a'r traeth, gan adael i fwy o egni tonnau effeithio ar y tir y tu ôl iddyn nhw. Efallai bydd y risg o lifogydd arfordirol yn codi. Yn gyffredinol, y dyfnaf yw'r dŵr lle mae'r echdynnu yn digwydd, y lleiaf tebygol yw hi y bydd ymyrraeth i systemau'r twyni a'r traeth.

Heblaw am ddŵr, tywod a graean yw'r defnyddiau crai sy'n cael eu defnyddio amlaf drwy'r byd i gyd. Dydy prosesau hindreuliad ac erydiad ddim yn gallu ailgyflenwi'r defnyddiau hyn ar yr un gyfradd ag y maen nhw'n cael eu defnyddio. Daw'r straen ar yr adnodd hwn yn bennaf o'r diwydiant adeiladu gan fod concrit a gwydr yn ddibynnol ar dywod a graean. Ar hyn o bryd, mae 54% o boblogaeth y byd yn byw mewn ardaloedd trefol ac mae'n debygol y bydd hyn yn codi i 66%, sef tua 2.5 biliwn o bobl, erbyn 2050. Yn ogystal, mae'r cynnydd cyflym iawn yn y defnydd o ffracio i echdynnu olew a nwy yn ychwanegu at y galw am dywod. Mae gwerthu tywod a graean yn fusnes proffidiol iawn o amgylch y byd. Wrth i brisiau godi, mae'r nwyddau hyn yn cael eu gwerthu i fannau newydd, gan greu cysylltiadau a chyd-ddibyniaeth newydd rhwng ardaloedd heb gysylltiad tebyg yn y gorffennol.

③ Pwysigrwydd y parth arfordirol ym mhroses globaleiddio

▶ *Sut mae'r parth arfordirol wedi cyfrannu at broses globaleiddio?*

Natur globaleiddio

Yn ei hanfod, proses yw globaleiddio sy'n golygu bod mwy o gyd-gysylltiad a chyd-ddibyniaeth rhwng bywydau pobl. Drwy gydol hanes bodau dynol, mae unigolion, llwythau a gwladwriaethau wedi symud o'u cartrefi gwreiddiol i chwilio am adnoddau ychwanegol. Er bod y chwilio hwn yn digwydd yn lleol neu'n rhanbarthol o gymharu â'n safonau ni heddiw, roedd maint rhai o'r teithiau hyn yn gwbl ryfeddol, yn enwedig y rhai oedd yn cynnwys teithio ar y môr.

Mae'r globaleiddio sydd wedi bod yn digwydd ers yr Ail Ryfel Byd yn wahanol iawn i'r hyn oedd yn digwydd cyn hynny:

● mae'r cysylltiadau rhwng pobl a lleoedd yn ymestyn yn hirach
● mae'r cysylltiadau o safbwynt nwyddau, pobl a data yn symud yn gyflymach
● mae cysylltiadau cryfach a mwy amrywiol yn effeithio ar fywydau llawer mwy o bobl o ddydd i ddydd.

Mae profiad gwahanol leoedd a gwahanol bobl o broses globaleiddio yn amrywio'n fawr iawn (Ffigur 6.15).

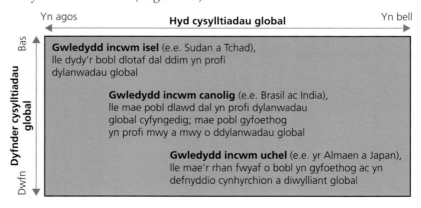

▲ **Ffigur 6.15** Amrywiol brofiadau o broses globaleiddio

Mae'n bwysig nodi bod bron pob enghraifft o wledydd sydd â chysylltiadau global bas ac agos yn wledydd tirgaeedig, neu'n wledydd sydd â morlin heb lawer o leoliadau addas ar gyfer porthladdoedd mawr. Mae hyn yn pwysleisio pa mor bwysig yw'r arfordir a masnach llongau ym mhroses globaleiddio.

Datblygiad mordwyo

Tua'r flwyddyn 4500 CCC, cafodd hwyliau eu defnyddio i bweru trafnidiaeth ar ddŵr am y tro cyntaf. Roedd y gwareiddiadau trefol cyntaf, fel y rhai ym Mesopotamia a Dyffrynnoedd Nîl ac Indus, yn masnachu drwy deithio ar y môr. Roedd dwyrain rhanbarth y Môr Canoldir, y Gwlff (Gwlff Persia) a'r morlin sy'n ymestyn i'r man lle mae Pakistan heddiw, yn goridorau y byddai pobl a nwyddau'n pasio ar eu hyd. Roedd dinas Dilmun, lle mae Bahrain heddiw, yn drwyborth (entrepôt) datblygedig, yn debyg i Singapore neu Rotterdam heddiw.

Wrth i deyrnasoedd ac ymerodraethau ffynnu a methu mewn gwahanol rannau o'r byd, roedd rhai yn cludo eu nwyddau dros y tir yn unig, ond roedd rhai eraill yn teithio ar y môr. Roedd Ymerodraeth Rhufain yn ddibynnol i raddau helaeth ar fasnach, ac roedd llawer o'r nwyddau'n cael eu cludo ar longau. Erbyn y ganrif gyntaf OCC, roedd llwybrau masnach yng Nghefnfor India wedi ymestyn y tu hwnt i'r parth arfordirol cyfagos wrth i'r morwyr ddefnyddio patrwm rheolaidd gwyntoedd tymhorol y monsŵn.

Yn ystod y mileniwm cyntaf OCC, roedd tri grŵp o bobl yn gallu mordwyo'n well na neb arall. Llwyddodd y Llychlynwyr i groesi Cefnfor Gogledd Iwerydd a chyrraedd mor bell â Vinland, sef gogledd-ddwyrain Canada heddiw. Roedd llongau Arabaidd yn hwylio i India'r Dwyrain, Dwyrain Affrica a China. Ond mae'n debyg mai pobl Polynesia oedd y grŵp mwyaf rhyfeddol gan eu bod wedi cytrefu ynysoedd pell y Cefnfor Tawel.

Y pellter at y gorwel

Un ffaith ddiddorol yw mai'r pellter y gallwn ni ei weld at y gorwel yw tua 5 cilometr, os yw ein llygaid 2 fetr uwchben y ddaear. Byddai morwyr cynnar wedi gallu dringo'n uwch i fyny'r hwylbren, ond hyd yn oed ar uchder o 10 metr, dim ond ychydig dros 11 cilometr mae'n bosibl ei weld at y gorwel. Mae uchder y tir ar y gorwel hefyd yn bwysig, oherwydd mae'n bosibl gweld tir uwch o leoliad pellach i ffwrdd. Mae llawer o ynysoedd y Cefnfor Tawel ar dir eithaf isel. O ystyried ehangder y dŵr agored roedd morwyr cynnar Polynesia yn ei fordwyo, mae'n rhaid i ni edmygu eu gallu i weld arwyddion o dir, fel astudio patrymau'r cymylau ac adar, yn ogystal â'u dewrder.

Mae ystyried y byd yn ei gyfanrwydd yn syniad eithaf modern. Yn ystod yr unfed ganrif ar bymtheg a'r ail ganrif ar bymtheg, roedd pobl yn dod i ddeall mwy am forlinau cyfandirol, yn enwedig yn dilyn 'teithiau darganfod' y cenhedloedd morol fel Lloegr, yr Iseldiroedd, Portiwgal a Sbaen, masnachwyr Arabaidd a phobl China. Fodd bynnag, er gwaethaf teithiau arwrol fel cylchfordaith Magellan rhwng 1519 ac 1522, ni chafodd cefnforoedd ac arfordiroedd y byd eu mapio yn fanwl gywir tan yr ugeinfed ganrif.

Grym morol oedd yn gyfrifol am lawer o ymdrechion ymerodraethau Ewrop i ehangu yn ystod y ddeunawfed ganrif a'r bedwaredd ganrif ar bymtheg. Parhaodd yr ymrafael am bŵer a'r uchelgeisiau byd-eang drwy gydol yr ugeinfed ganrif ac ymlaen i'r ganrif hon, yn enwedig yn achos UDA ac yn fwy diweddar yn China.

🔑 **TERMAU ALLWEDDOL**

CCC Cyn y Cyfnod Cyffredin; yn dangos nifer y blynyddoedd cyn blwyddyn debygol geni Iesu Grist.

Trwyborth (entrepôt) Canolfan y bydd nwyddau'n cael eu cludo iddi ar gyfer eu mewnforio a'u hallforio ac i'w casglu a'u dosbarthu.

OCC Oes y Cyfnod Cyffredin; yn dangos nifer y blynyddoedd ers blwyddyn debygol geni Iesu Grist.

Cylchfordaith Y weithred o hwylio o amgylch y byd i gyd.

Globaleiddio modern a rôl cludiant ar y cefnforoedd

Mae mwy o bobl a lleoedd bellach wedi eu cysylltu mewn ffyrdd economaidd, cymdeithasol a gwleidyddol. Mae rhwydweithiau eang a chymhleth iawn yn bodoli sy'n effeithio ar fywydau o amgylch y byd mewn nifer o ffyrdd. Mae porthladdoedd a chludiant ar y cefnforoedd yn chwarae rhan ganolog yn natur y globaleiddio modern.

I raddau helaeth, mae gweithgareddau economaidd yn allweddol i broses globaleiddio. Ers yr 1950au, mae cyfanswm masnach y byd wedi mwy na threblu, ac mae bellach yn gyfrifol am 45% o'r Cynnyrch Mewnwladol Crynswth (CMC) byd-eang. Mae'r ffaith bod amrywiaeth eang iawn o nwyddau'n cael eu cynhyrchu a'u gwerthu yn effeithio ar fywydau biliynau o bobl. Mae elfen fyd-eang yn perthyn i bopeth erbyn hyn – y bwyd rydyn ni'n ei fwyta neu'r eitemau gweithgynhyrchu rydyn ni'n eu defnyddio. Ac mae cludiant ar y cefnforoedd yn rhan allweddol o hynny. Mae glo Awstralia yn cael ei gludo i Japan ar longau, mae tegellau sy'n cael eu cynhyrchu yn China yn mynd i Ewrop, ac mae grawn o UDA a Chanada yn cyrraedd y Deyrnas Unedig (Tabl 6.3).

Blwyddyn	Olew	Cargo swmp[1]	Cargo sych[2]	Cyfanswm y cargo
1970	1442	448	676	2566
1980	1871	796	1037	3704
1990	1755	968	1285	4008
2000	2163	1288	2533	5984
2010	2752	2333	3323	8408

[1] mwyn haearn, grawn, glo, bocsit, ffosffad

[2] ystod eang o gynhyrchion, e.e. tecstilau

▲ **Tabl 6.3** Twf mewn masnachu morol byd-eang (miliynau o dunelli metrig)

Mae cludiant ar y môr yn allweddol i ran bwysig o broses globaleiddio, sef **cywasgu amser-gofod**.

Y chwyldro mewn technoleg forol

Mae technolegau newydd wedi gweddnewid cysylltedd rhyngwladol. Yn achos llongau cargo mawr sy'n teithio o Shanghai, ar gyfartaledd bydd yn cymryd tua 32 diwrnod i gyrraedd Rotterdam, 36 diwrnod i gyrraedd Efrog Newydd, 17 diwrnod i gyrraedd Sydney a 22 diwrnod i gyrraedd Los Angeles. Diolch i gyfuniad o'r ffactorau canlynol, mae'r teithiau bellach yn fwy cyflym ac yn fwy dibynadwy: pensaernïaeth llongau, er enghraifft siâp y corff a dyluniad y llafnau gwthio; cynnydd enfawr ym mhŵer yr injan; a gwelliannau i'r offer mordwyo e.e. radar a systemau lleoli global sy'n defnyddio lloerenni.

Mae **cynwysyddeiddio** yn chwarae rhan hanfodol bwysig ym mhroses globaleiddio. Mae cael gwared ar gargo 'rhydd' a systemau trin cargo fesul eitem wedi lleihau costau ar bob cam, o'r ffatri i'r defnyddiwr. Mae **darbodion maint** wedi cyfrannu at y gostyngiad yn y taliadau cludo cymharol (Ffigurau 6.16 a 6.17). Drwy ddefnyddio cynwysyddion, mae'r broses o lwytho a dadlwytho yn llawer cyflymach. Mae cod bar unigryw gan bob cynhwysydd felly mae'r nwyddau'n gallu cael eu prosesu'n gyflym yn fecanyddol. Mae logisteg y broses ddosbarthu yn effeithlon iawn, gyda chyfrifiaduron yn tracio symudiadau'r cynwysyddion.

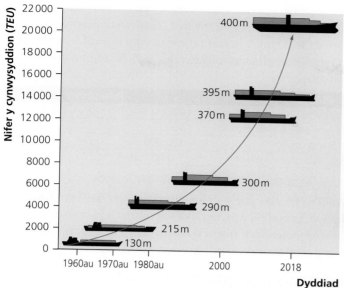

▲ **Ffigur 6.16** Y cynnydd ym maint llongau cynwysyddion (metrau)

▲ **Ffigur 6.17** Cafodd llong gynwysyddion fwyaf y byd, *Orient Overseas Container Line (OOCL) Hong Kong*, ei lansio yn 2016, gyda chynhwysedd o tua 21 400 *TEU*

Hefyd, mae cludyddion nwyddau swmp fel olew, mwynau a grawn wedi cynyddu o ran maint ac wedi sicrhau darbodion maint tebyg. Gall y tanceri olew mwyaf gludo tua 3 miliwn baril o olew, sef 440 000 o dunelli metrig. Mae'r cludyddion mwynau haearn bron yr un mor fawr, gan gludo 400 000 o dunelli metrig.

Llongau cludo nwyddau sy'n gyfrifol am y rhan fwyaf o gludiant ar y cefnforoedd. Fodd bynnag, mae newidiadau technolegol tebyg wedi bod yn effeithio ar longau mordeithio hefyd. Erbyn hyn, mae'r llongau mordeithio mwyaf yn pwyso hyd at 225 000 o dunelli metrig, yn 360 metr o hyd ac yn gallu cario tua 6000 o deithwyr a 2300 o weithwyr.

Effaith y cynnydd ym maint llongau ar borthladdoedd

Yr hyn sy'n effeithio ar y parth arfordirol fwyaf yw maint enfawr y llongau a'u gofynion o ran cyfleusterau'r porthladdoedd. Mae daearyddiaeth ffisegol yr arfordir yn ddylanwad pwysig ar leoliad porthladdoedd. Ymhlith y ffactorau allweddol mae dyfnder y dŵr, yr amrediad llanw a chysgod. Mae Port Valdez, Alaska ar un pen i ffiord dwfn (tudalen 126) ac mae mantais fawr ganddi gan nad oes iâ yno drwy'r flwyddyn gyfan. Yn 1989, bu llongddryliad tua 40 cilometr o'r porthladd, ac arllwysodd 11 miliwn galwyn o olew crai o dancer olew *Exxon Valdez* i ddŵr Swnt Prince William. Ers hynny, diolch i fesurau a gymerwyd i wella taith y tanceri i mewn ac allan o'r porthladd, mae Port Valdez bellach yn un o borthladdoedd olew mwyaf diogel y byd. Mae harbwrs naturiol fel Sydney, San Francisco a Singapore yn borthladdoedd sydd wedi'u hen sefydlu, ond gan fod peirianneg yn fwy uchelgeisiol nag erioed, mae modd datblygu harbwr mewn lleoliadau sydd heb fanteision naturiol fel hyn. Drwy ddulliau peirianneg sylweddol fel carthu, ac adeiladu tonfuriau a dociau, mae ardal Europoort wedi datblygu yn aber Afon Rhein yn yr Iseldiroedd.

 **TERM ALLWEDDOL**

TEU Uned Gyfwerth ag Ugain Troedfedd (*Twenty-foot Equivalent Unit*). Mae dimensiynau un *TEU* yn gyfwerth â chynhwysydd cludo safonol: ugain troedfedd o hyd, wyth troedfedd o led, ac wyth troedfedd chwe modfedd o uchder.

Mae maint gweithgareddau'r porthladdoedd mwy yn enfawr. Hyd nes 2005, Singapore oedd porthladd prysuraf y byd o safbwynt nifer y tunelli oedd yn symud drwyddo. Dyma'r lleoliad trawslwytho mwyaf o hyd o ran nwyddau'n mynd i mewn ac allan ar longau (Tabl 6.4). Shanghai yw'r porthladd prysuraf erbyn hyn.

Ffactor	Ystadegyn
% o gynwysyddion y byd sy'n cael ei drin yno	20
% o olew crai y byd sy'n cael ei drin yno	50
Nifer y llongau sy'n docio yno	130 000
Nifer y cynwysyddion sy'n cael eu trin yno	Tua 33 miliwn

▲ **Tabl 6.4** Porthladd Singapore – ystadegau hanfodol blynyddol

Rhaid gwerthfawrogi pa mor bwysig yw'r llongau cefnforol o ran cynyddu rhyng-gysylltedd y byd. Er bod rôl y rhyngrwyd ym mhroses globaleiddio yn cael tipyn o sylw, am resymau dilys, mae'n bosibl dadlau'n gryf mai'r chwyldro ym maes cludiant ar y cefnforoedd yw prif sbardun globaleiddio.

Patrwm llwybrau llongau o amgylch y byd

Mae'r prif lwybrau llongau yn dechrau ac yn gorffen mewn porthladdoedd ac yn dilyn patrwm eithaf syml (Ffigur 6.18). Mae coridor o'r dwyrain i'r gorllewin yn cysylltu Gogledd America, Ewrop ac Asia'r Cefnfor Tawel, gan ddefnyddio Camlesi Panamá a Suez a phasio drwy 'wasgfa' strategol Culfor Melaka. Cordidor cul yw Culfor Melaka (lled o ddwy filltir yn y man mwyaf cul) sy'n 885 cilometr o hyd ac yn ymestyn rhwng Malaysia Orynysol a Sumatera, ynys sy'n perthyn i Indonesia. Mae llwybr mawr arall yn ymestyn o Ewrop i ddwyrain De America ar draws Cefnfor Iwerydd. Mae nifer o lwybrau eilaidd yn ychwanegu at y rhwydwaith hwn, er enghraifft rhwng Brasil a De Affrica ac oddi yno ar draws Cefnfor India. Yn ogystal, mae nifer o deithiau byr ar draws y môr sy'n hanfodol i symudiad pobl a nwyddau. Mae'r Sianel, Môr Iwerddon a Môr y Gogledd, a rhwng amrywiol ynysoedd Indonesia a Gwlad Groeg, yn enghreifftiau o leoliadau lle mae nifer o fferïau yn teithio yn aml iawn.

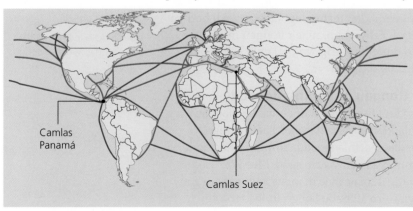

Allwedd

—— Prif lwybr   —— Llwybr eilaidd

▲ **Ffigur 6.18** Llwybrau llongau o amgylch y byd

Dylanwad ffactorau ffisegol ar lwybrau llongau

Er bod datblygiadau mewn technoleg wedi gwella gallu llongau i groesi ardaloedd enfawr o ddŵr, mae dylanwad nifer o ffactorau ffisegol yn parhau i fod yn sylweddol. Mae siâp morlinau, prifwyntoedd, ceryntau dŵr, dyfnder dŵr, riffiau, iâ môr a mynyddoedd iâ i gyd yn dylanwadu ar ble, a phryd i ryw raddau, mae llongau'n teithio ar hyd llwybrau penodol. Mae gwyntoedd tymhorol – fel y rhai mae'r **monsynau** ar hyd nifer o arfordiroedd Asia yn eu cynhyrchu – yn gallu helpu a rhwystro teithiau ar y môr. Ehangiad a chywasgiad blynyddol yr iâ môr ar draws yr Arctig yw un o'r dylanwadau ffisegol sydd wedi effeithio fwyaf ar deithiau llongau ar draws y canrifoedd. Mae rhai llwybrau wedi cael eu cau'n gyfan gwbl neu heb eu hagor, felly mae'n bwysig cofio cymaint o risg mae mynyddoedd iâ yn ei achosi. Mae'r ffaith bod cynhesu byd-eang yn lleihau trwch a maint iâ môr yr Arctig yn dechrau dylanwadu ar lwybrau llongau. Mae Tramwyfa'r Gogledd-Orllewin ar draws gogledd Canada, a'r llwybr môr Gogleddol ar draws gogledd Siberia, yn cael eu harchwilio i asesu eu potensial masnachol o ran symud nwyddau.

Mae'r ddwy gamlas brysuraf o safbwynt llongau cefnforol, y Suez a'r Panamá, wedi effeithio ar lwybrau llongau mewn nifer o ffyrdd. Agorodd Camlas Suez yn 1869, oedd yn golygu bod modd osgoi teithio heibio i Benrhyn Gobaith Da, De Affrica, ac agorodd Camlas Panamá yn 1914 gan olygu nad oedd rhaid i longau fynd ar y daith beryglus o amgylch Penrhyn Horn, De America. Ar hyn o bryd, does dim un o'r ddwy gamlas yn gallu derbyn y llongau mwyaf, ond mae gwaith yn digwydd i adael i fwy o longau, a llongau mwy o faint, basio drwyddyn nhw.

Y math o fasnach a'i gyfeiriad ar draws y cefnforoedd

Heblaw am Antarctica, mae llongau yn gadael ac yn cyrraedd morlinau ym mhob cyfandir, gan gludo pob math o gargo gwahanol. Bydd y geiriau 'cynwyddau' a 'marsiandïaeth' yn aml i'w gweld wrth gyfeirio at nwyddau. Mae'r ddau air yn disgrifio unrhyw nwyddau, defnyddiau a chynhyrchion, ond nid gwasanaethau fel bancio ac yswiriant. Mae nifer o sefydliadau'n casglu amrywiaeth eang o ddata – er enghraifft, Sefydliad Masnach y Byd *(WTO: World Trade Organization)*, Cynhadledd y Cenhedloedd Unedig ar Fasnach a Datblygiad, y Gronfa Ariannol Ryngwladol *(IMF: International Monetary Fund)* a'r Sefydliad ar gyfer Cydweithrediad a Datblygiad Economaidd. Mae grwpiau'n bodoli hefyd sy'n cynrychioli cynwyddau arbennig – er enghraifft, Sefydliad y Gwledydd sy'n Allforio Petrolewm ar gyfer olew, a'r Sefydliad Coffi Rhyngwladol ar gyfer coffi.

Ymhlith yr amrywiol fathau o fasnach, mae un nodwedd yn dod i'r amlwg: mae patrwm masnach y byd yn anghyson. Wrth edrych ar unrhyw ystadegau masnach, yr economïau sy'n arwain y byd masnach yw'r rhai mwy datblygedig a'r rhai sy'n datblygu'n gyflym. Mae gan y gwledydd hyn yr adnoddau economaidd, gwleidyddol a chymdeithasol i gynnal eu statws fel arweinwyr masnach y byd. Mae'r **telerau masnach** yn llawer mwy gwan ar gyfer y gwledydd lleiaf datblygedig gan nad oes cymaint o ddylanwad ganddyn nhw ar y marchnadoedd global. Un ffactor sy'n rhwystro'r gwledydd hyn rhag dylanwadu ar y farchnad yw'r diffyg isadeiledd masnachu a'r ffaith nad oes porthladdoedd mawr ganddyn nhw. Efallai mai'r rheswm dros hyn yw bod y sianel sy'n dod at y lan yn rhy fas i longau cargo a bod dim offer carthu gan y wlad i gynnal sianel ddŵr sy'n ddigon dwfn. Efallai nad oes mannau docio yn y porthladd na chyfleusterau trin cargo fel craeniau cynwysyddion, ac efallai nad oes ffyrdd a rheilffyrdd addas i greu rhwydweithiau dosbarthu mewndirol.

Er bod allforio **nwyddau cynradd** yn cynhyrchu rhywfaint o incwm, dydy'r nwyddau hyn ddim yn ychwanegu gwerth yn yr un modd â **nwyddau eilaidd**. Mae patrwm y deg allforiwr a'r deg mewnforiwr mwyaf o ran cynhyrchion amaethyddol (nwyddau cynradd) a nwyddau wedi'u gweithgynhyrchu yn dangos rhai gwahaniaethau diddorol (Tablau 6.5 a 6.6).

Y deg allforiwr mwyaf: cynhyrchion amaethyddol			Y deg mewnforiwr mwyaf: cynhyrchion amaethyddol		
Gwlad	Gwerth (biliwn UDA$)	% o fasnach y byd	Gwlad	Gwerth (biliwn UDA$)	% o fasnach y byd
Undeb Ewropeaidd	585	37.1	Undeb Ewropeaidd	590	35.0
UDA	163	10.4	China	160	9.5
Brasil	80	5.1	UDA	149	8.8
China	73	4.6	Japan	74	4.4
Canada	63	4.0	Canada	38	2.3
Indonesia	39	2.5	De Korea	33	2.0
Awstralia	36	2.3	Ffederasiwn Rwsia	28	1.6
Gwlad Thai	36	2.3	México	28	1.6
Yr Ariannin	35	2.2	India	28	1.6
India	35	2.2	Hong Kong (China)	27	1.1

▲ **Tabl 6.5** Y deg allforiwr a mewnforiwr mwyaf: cynhyrchion amaethyddol, 2015 (biliwn UDA$). Ffynhonnell: Ystadegau Masnach Rhyngwladol y *WTO*, 2015

Y deg allforiwr mwyaf: nwyddau wedi'u gweithgynhyrchu			Y deg mewnforiwr mwyaf: nwyddau wedi'u gweithgynhyrchu		
Gwlad	Gwerth (biliwn UDA$)	% o fasnach y byd	Gwlad	Gwerth (biliwn UDA$)	% o fasnach y byd
Undeb Ewropeaidd	4239	36.6	Undeb Ewropeaidd	3812	32.9
China	2153	18.6	UDA	1808	15.6
UDA	1126	8.7	China	1084	9.4
Japan	545	4.7	Hong Kong (China)	506	4.1
De Korea	470	4.1	Japan	372	3.2
Hong Kong (China)	442	4.0	Canada	323	2.8
México	312	2.7	México	320	2.8
Singapore	266	2.3	De Korea	269	2.3
Taiwan	240	2.1	Singapore	206	1.8
Canada	208	1.8	India	187	1.6

▲ **Tabl 6.6** Y deg allforiwr a mewnforiwr mwyaf: nwyddau wedi'u gweithgynhyrchu, 2015 (biliwn UDA$). Ffynhonnell: Ystadegau Masnach Rhyngwladol y *WTO*, 2015

Mae'r pedair rhestr yn llawn gwledydd ag economïau datblygedig, yn ogystal â rhai gwledydd sy'n datblygu'n gyflym. Mae gan bob un o'r gwledydd hyn forlin estynedig ac o leiaf un porthladd mawr sy'n gallu delio â maint y llongau a swm y cargo sydd eu hangen ar fasnach y wlad dan sylw.

Ceblau tanfor – cysylltiadau ar hyd gwely'r môr

Er ei fod allan o'r golwg, yn bell o'r parth arfordirol, ac yn ddwfn iawn yn y dŵr, mae gwely'r môr yn hanfodol bwysig ym mhroses globaleiddio. Y rheswm dros hyn yw bod rhwydwaith o geblau gwahanol yn cris-groesi'r cefnforoedd, gan gario signalau cyfathrebu a thrydan.

Ceblau cyfathrebu tanddwr

Yn ystod ail hanner y bedwaredd ganrif ar bymtheg, roedd ceblau tanddwr hirach nag erioed yn cael eu gosod. Cafodd y cysylltiad cebl cyntaf rhwng Ewrop ac America ei osod yn 1866. Erbyn yr 1950au, roedd rhwydwaith byd-eang o geblau ffôn wedi'i osod, ac mae rhwydweithiau modern yn defnyddio cysylltiadau opteg ffibr erbyn hyn. Ni fyddai'r rhyngrwyd yn gallu gweithredu fel y mae heb y ceblau tanddwr hyn. Mae'r rhan fwyaf o'r gwaith gosod ceblau dros y ddau ddegawd diwethaf wedi digwydd yn y Cefnfor Tawel, sy'n arwydd o'r cynnydd yn nylanwad gwledydd Asia sydd wedi'u lleoli yn rhanbarth y Cefnfor Tawel (Ffigur 6.19). Mae cynlluniau gosod ceblau hefyd yn manteisio ar y ffaith bod iâ yr Arctig yn ymrannu, gan arwain at ddatblygu cysylltiadau rhwng Llundain a Tōkyō.

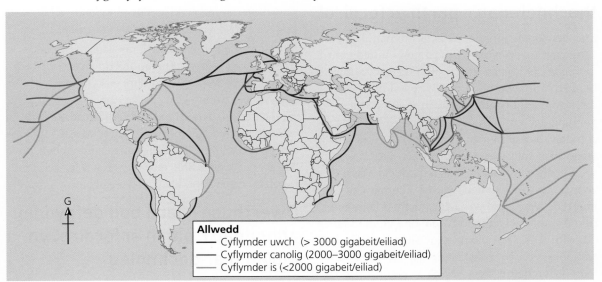

Allwedd
— Cyflymder uwch (> 3000 gigabeit/eiliad)
— Cyflymder canolig (2000–3000 gigabeit/eiliad)
— Cyflymder is (<2000 gigabeit/eiliad)

▲ **Ffigur 6.19** Prif rwydwaith byd-eang y ceblau cyfathrebu tanddwr

Ceblau pŵer tanddwr

Cafodd ceblau pŵer tanddwr eu gosod gyntaf yn yr 1950au. Ers hynny, mae tua 8000 o gilometrau o gebl wedi eu gosod, ac mae'r mwyafrif llethol o'r rhain yn Ewrop. Un ystyriaeth fawr wrth ddefnyddio'r ceblau hyn yw bod angen cysylltu ynysoedd â chyflenwadau trydan y tir mawr, ond mae nifer o geblau'n cysylltu gwahanol wledydd hefyd. Er enghraifft, mae cysylltiadau'n bodoli rhwng Norwy a'r Almaen a Denmarc, rhwng Sweden a'r Ffindir, rhwng Sweden a'r Almaen, rhwng Iwerddon a'r Deyrnas Unedig, a rhwng y Deyrnas Unedig a Ffrainc. Gall gormodedd egni – unrhyw egni sydd dros ben – gael ei symud ar hyd ceblau i leoliadau sydd â diffyg egni. Mae amrywiadau o ran amodau tywydd y gwahanol wledydd yn gallu arwain at ormodedd neu ddiffyg, ac mae llifoedd egni ar hyd y ceblau yn gallu helpu i wneud hyn yn fwy cyfartal. Bydd lefelau'r galw a'r cyflenwad hefyd yn wahanol pan fydd gan ddwy wlad wyliau cyhoeddus ar adegau gwahanol.

Mae natur topograffi gwely'r môr yn cyflwyno heriau sylweddol i beirianwyr, hyd yn oed ar draws coridorau eithaf byr fel Môr y Gogledd a'r Sianel. Nid yw'n bosibl gosod ceblau ym mhob man gan fod rhwystrau naturiol yn codi, e.e. ffiniau platiau tectonig, cefnenau canol cefnfor, neu ffosydd cefnforol sy'n gysylltiedig â chylchfa tansugno.

④ Gwerthuso'r mater

▶ I ba raddau mae'r ffordd mae cymdeithas yn defnyddio adnoddau'r parth arfordirol yn dibynnu ar y dechnoleg sydd ar gael iddi?

Adnabod cyd-destunau posibl ar gyfer astudio adnoddau a thechnolegau'r parth arfordirol

Mae ecsbloetio adnoddau'r Ddaear yn aml ac yn eang yn rhan annatod o fywyd yn yr unfed ganrif ar hugain. Does dim dwywaith bod mwy a mwy o bobl yn cydnabod bod y ffordd rydyn ni'n defnyddio adnoddau yn arwain at amrywiol ganlyniadau yn y tymor byr, canolig a hir. Mae'r cyfnodau amser hyn yn bwysig gan eu bod nhw'n effeithio ar sut mae adnodd yn cael ei reoli. Os yw'n bosibl y bydd adnodd yn dioddef o fewn ychydig wythnosau neu fisoedd yn unig, yna mae'n debyg y bydd yn cael ei ddefnyddio mewn ffordd wahanol i adnodd fyddai ond yn dioddef yn ddifrifol dros gyfnod o ddegawdau. Gan fod technoleg yn fwy soffistigedig nag erioed, a gan fod pobl yn defnyddio technoleg yn amlach, mae pobl erbyn hyn yn dechrau ailystyried gwerth adnoddau o safbwynt gweithgareddau dynol. Un enghraifft amlwg o hyn yw'r ffordd mae adnoddau egni'n cael eu defnyddio yn y parth arfordirol.

Does dim un diffiniad pendant o'r hyn yw 'adnodd', ond yn gyffredinol, mae'n rhywbeth sy'n bodloni dyheadau ac anghenion dynol. Yn ogystal â hyn, ffactor arall i'w ystyried yw pa mor adnewyddadwy yw adnodd. Mae rhai adnoddau'n adnewyddadwy yn ddiderfyn (solar a gwynt), ond mae adnoddau eraill yn gallu bod yn adnewyddadwy yn dibynnu faint ohonyn nhw sy'n cael eu defnyddio a sut maen nhw'n cael eu rheoli. Mae rhai adnoddau, fel tanwydd ffosil, yn ddisbyddadwy (*exhaustible*).

Mae adnoddau yn amrywio o ran lleoliad a maint – o'r global i'r lleol iawn. Ers canrifoedd, mae pobl wedi sylweddoli bod y parth arfordirol yn cynnig amrywiaeth o adnoddau sy'n werthfawr i weithgareddau dynol. Ond, mae'r diffiniad o 'adnoddau' yn ddynamig – hynny yw, mae'n amrywio o un lle i'r llall a dros amser. Erbyn hyn, yn achos y parth arfordirol, mae mwy o sylw'n cael ei roi i'r pethau mae'r adnoddau hyn yn gallu eu cynnig.

Gwerthuso'r farn bod defnyddio adnoddau'r parth arfordirol yn dibynnu ar dechnoleg

Mae'n bwysig cydnabod o'r dechrau bod y pethau rydyn ni'n eu hystyried yn adnoddau heddiw yn wahanol i adnoddau'r gorffennol. Mae'r rhan fwyaf o sylweddau a nodweddion yr amgylchedd ffisegol – pethau fel tywod a thonnau – wedi bodoli yn llawer hirach na phobl. Nid eu bodolaeth nhw sy'n bwysig, ond y rôl maen nhw'n ei chwarae yn y gymdeithas ddynol. Er enghraifft, er bod glo wedi bod ar gael ers canrifoedd (er nad oedd llawer ohono ar gael), y broses o ddefnyddio pŵer stêm, wedi'i yrru gan lo, a ddechreuodd y newidiadau enfawr oedd yn rhan o'r 'chwyldro diwydiannol'. Yn y cyd-destun hwn, nid cyd-ddigwyddiad oedd y ffaith bod y newidiadau technolegol ar ddiwedd y ddeunawfed ganrif a thrwy'r bedwaredd ganrif ar bymtheg yn digwydd yr un pryd â sefydlu glo fel y prif danwydd. Mae'r elfennau sy'n penderfynu a yw rhywbeth yn adnodd neu beidio yn dylanwadu ar y berthynas rhwng cymdeithas a'i hamgylchedd naturiol.

Gan fod adnodd fel syniad yn ddynamig, ac yn gysylltiedig ag esblygiad cymdeithasau dynol, mae'n gwneud synnwyr bod newid technolegol yn gallu effeithio ar y diffiniad o adnodd ac felly ar y ffordd mae adnoddau'n cael eu defnyddio. Drwy gydol hanes, wrth i dechnolegau newydd ddod i fodolaeth, mae adnoddau penodol naill ai wedi dod yn werthfawr neu wedi mynd yn ddiangen. Mae rhai sylweddau'n dal i fod yn adnoddau heddiw ond mae'r ffordd rydyn ni'n eu defnyddio nhw yn newid.

Un man cychwyn o bosibl yw rhannu adnoddau yn ddau gategori eithaf syml, sef adnewyddadwy ac anadnewyddadwy. Mae'r parth arfordirol yn cynnwys llawer o adnoddau o'r ddau gategori. Yn y parth arfordirol mae amrywiaeth o adnoddau y gallwn ni eu hecsbloetio i greu egni. Mae rhai o'r rhain yn adnewyddadwy a dydy eraill ddim. Ymhlith yr adnoddau llif neu adnewyddadwy mae egni gwynt, tonnau a llanw. Mae cymdeithasau dynol ar draws y canrifoedd wedi adnabod y tri math yma o egni, ond mae gwahanol gymdeithasau wedi gwneud defnydd gwahanol ohonyn nhw.

Mae pŵer y llanw wedi cael ei ddefnyddio ers canrifoedd. Cafodd melinau llanw eu sefydlu yn yr oesoedd canol mewn lleoliadau ag amrediad llanw sylweddol, fel Ynysoedd Prydain. Ond dydy troi olwyn ddŵr ddim yn cynhyrchu llawer iawn o bŵer, er bod technoleg o'r fath ar y pryd wedi cael effaith bositif iawn ar y bobl oedd yn elwa o'i defnyddio, er enghraifft drwy falu eu gwenith yn flawd.

Mae datblygiadau technolegol diweddar wedi ei gwneud hi'n bosibl i gynhyrchu symiau sylweddol o bŵer trydanol o lifoedd dŵr llanw drwy faredau arfordirol fel cynllun Shiwa yn Ne Korea. Wrth i'r

ymchwil ddwysáu i allu cynhyrchu mwy o drydan o ffynonellau adnewyddadwy, efallai bydd cynlluniau baredau yn dod yn fwy cyffredin.

Mae pobl wedi cydnabod ers blynyddoedd fod gan egni tonnau botensial sylweddol, ond dydy'r amrywiol dechnolegau sydd wedi'u treialu hyd yn hyn ddim wedi bod yn llwyddiannus. Fodd bynnag, mae rhai projectau yn fwy addawol yn fasnachol wrth i gynlluniau gweithredol wella. Yn y tymor byr, mae technoleg egni'r tonnau'n debygol o fod yn fwy arbrofol ond, os yw hi'n bosibl profi bod y dechnoleg yn gadarn a dibynadwy, yna gallai ddod yn fasnachol ymarferol.

Mae buanedd cyfartalog y gwynt o amgylch yr arfordir yn uwch nag ydyw yn y lleoliadau mewndirol gan nad oes llawer o wrthiant a ffrithiant i aer sy'n symud ar arwyneb y môr. Erbyn hyn mae datblygiadau technolegol yn caniatáu i dyrbinau gwynt enfawr gael eu gosod mewn 'ffermydd' alltraeth eang, fel *London Array*, gyda'r trydan yn cael ei drosglwyddo i'r lan.

Gwerthuso'r farn nad yw'r defnydd o adnoddau'r parth arfordirol yn dibynnu ar dechnoleg bob amser

Mae pobl wedi cydnabod pŵer y tonnau ers cyn cof. Am ganrifoedd, mae'n debyg bod pobl wedi ei weld fel bygythiad yn hytrach na mantais. Roedd lefelau uchel o egni tonnau yn gallu dinistrio llongau hyd nes yn eithaf diweddar gan fod galluoedd technolegol pobl ar y môr yn gyfyngedig. Sylfaenol iawn oedd eu gallu i amcangyfrif a rhagweld, a gan eu bod yn dibynnu ar hwyliau a rhwyfau i gael pŵer, ychydig iawn o opsiynau oedd gan y morwyr. Ond, gyda'r datblygiadau mewn peiriannau morol a systemau llywio, yn ogystal â'r gallu llawer mwy cywir a dibynadwy i ragweld y tywydd, mae mordwyo wedi dod yn llai peryglus. Ar y llaw arall, mae'n wir bod hyd yn oed y llongau mwyaf modern yn dal i gysgodi mewn baeau pan fydd stormydd mawr yn pasio drwy ardal. Mae moroedd garw yn dal i achosi bygythiad difrifol i longau er gwaethaf y datblygiadau arwyddocaol ym maes cynllunio ac adeiladu llongau. Mae tywydd drwg ac amodau gwael ar y môr wedi effeithio ar wasanaethau fferïau o amgylch y byd, er enghraifft ar draws y Sianel ac ym Môr y Gogledd.

Ers canrifoedd, mae pobl wedi cael halen o ddŵr y môr drwy ei anweddu mewn lagynau bas o'r enw 'pantiau heli'. Yr Haul sy'n pweru'r broses ac mae'n parhau i gynhyrchu halen, sy'n adnodd gwerthfawr, hyd heddiw heb fawr o gyfraniad gan dechnoleg.

Mae technoleg wedi helpu i wneud yr arfordir yn fwy gwerthfawr fel lleoliad ar gyfer amrywiol fathau o weithgareddau hamdden a thwristiaeth – e.e. mae datblygiadau ym maes trafnidiaeth wedi caniatáu i fwy o bobl ymweld â'r arfordir. Gan fod pobl yn gallu teithio'n bellach o ganlyniad i ddatblygiad technoleg rheilffyrdd, ffyrdd a chludiant awyr, mae twristiaid yn heidio yn eu miloedd i gyrchfannau gwyliau, er enghraifft ar hyd rhannau o forlinau'r Môr Canoldir a Florida. Yn ddiddorol, mae twf un dechnoleg, cludiant awyr, wedi cyfrannu at ddirywiad yn y defnydd mae pobl yn ei wneud o rai adnoddau yn y parth arfordirol. Er bod trefi gwyliau fel Minehead, Margate a Skegness wedi tyfu oherwydd datblygiadau yn y rhwydweithiau rheilffordd, mae'r trefi hyn wedi dirywio ers i bobl allu hedfan i fannau pellach i ffwrdd i ddefnyddio adnoddau arfordirol gwell fel hinsawdd fwy heulog a chynnes.

Ond, does dim angen llawer o dechnoleg i fwynhau gweithgareddau fel cerdded, paentio, gwylio bywyd gwyllt a chwarae ar y traeth. Does dim rhaid cael technoleg ar gyfer yr adnoddau arfordirol sy'n cael eu defnyddio.

Mae bodau dynol wedi defnyddio pysgod ers yr oesoedd cynnar fel bwyd i'w fwyta ac i greu cynnyrch fel olew a gwrtaith. Er bod y datblygiadau mewn technoleg wedi caniatáu i ni ddefnyddio stociau pysgod yn llawer mwy dwys, mae pryder cynyddol erbyn hyn am orbysgota a'r angen i ddefnyddio rhai mathau o bysgod mewn

ffordd fwy cynaliadwy. O ganlyniad, mae gwledydd wedi dechrau defnyddio pŵer cymdeithasol a gwleidyddol i gyfyngu ar allu pobl i'w hecsbloetio. Mae'r cwymp yn nifer y pysgod sydd i'w cael mewn rhai lleoliadau wedi arwain at gyfyngiadau a gwaharddiad rhag eu defnyddio erbyn hyn. I ryw raddau, y defnydd llwyddiannus iawn o dechnolegau modern, fel sonar a pheiriannau sy'n gallu trin y rhwydi mawr ar rai cychod, sydd wedi arwain at orbysgota ac felly'r gostyngiad yn y defnydd o bysgod.

Mae dylanwadau gwleidyddol a chymdeithasol yn gallu chwarae rôl flaenllaw hefyd drwy wrthwynebu'r ffordd mae adnoddau egni'n cael eu defnyddio yn y parth arfordirol. Mae adeiladu bared yn broject sy'n ennyn anghytuno mawr gyda safbwyntiau cryf o blaid ac yn erbyn. Mae'r dechnoleg ar gael i adeiladu mwy o faredau, ond mae pobl wedi lleisio pryderon am faterion amgylcheddol, gan gynnwys gwerth gwasanaethau ecosystemau fel morfeydd heli. Rhywbeth sydd efallai'n fwy arwyddocaol yw cost egni. Pe bai achos economaidd cryf iawn o blaid cynhyrchu egni o faredau, yna byddai'n hynod o debygol y byddai mwy ohonyn nhw'n cael eu hadeiladu. Ond, o ystyried mor ansefydlog yw prisiau egni a pha mor anodd yw rhagweld prisiau'n fanwl gywir, mae lefel y buddsoddiad cyfalafol a'r amser sydd ei angen i'w hadeiladu yn golygu nad yw baredau llanw'n derbyn blaenoriaeth.

Dod i gasgliad sy'n seiliedig ar dystiolaeth

Mae cymdeithasau a thechnoleg yn ddynamig ac, wrth i'r ddau newid, mae'r defnydd y gallwn ni ei wneud o adnoddau'r parth arfordirol yn newid. Mae'n amlwg bod datblygiadau arwyddocaol mewn technoleg dros y ddwy ganrif ddiwethaf wedi caniatáu i bobl ddefnyddio adnoddau'n fwy dwys dros ardaloedd ehangach. Er enghraifft, yn y diwydiant pysgota, mae llongau cefnforol mawr yn teithio bellteroedd maith o'u porthladdoedd cartref. Mae pobl yn teithio rhwng cyfandiroedd i ddefnyddio adnoddau arfordirol ar gyfer gweithgareddau twristiaeth fel sgwba-ddeifio ar riffiau cwrel. Erbyn hyn mae pobl yn dechrau sylweddoli faint o botensial sydd gan y parth arfordirol i gyflenwi egni, yn rhannol oherwydd datblygiadau mewn technoleg – er enghraifft, drilio am olew a nwy a ffermydd gwynt alltraeth.

Ar y llaw arall, dydy technoleg ddim wedi caniatáu i bobl reoli'r parth arfordirol yn gyfan gwbl ac felly mae'r defnydd y gallwn ni ei wneud o'r adnoddau yn gyfyngedig. Dydy egni tonnau ddim yn realiti masnachol eto, na mordwyo hollol ddirwystr

chwaith. Mae ffactorau cymdeithasol a gwleidyddol yn gallu trechu gallu technolegol, ac felly mae'n cyfyngu ar y defnydd gallwn ni ei wneud o adnoddau. Wrth i boblogaeth y byd godi ymhell dros 7 biliwn ac ymlaen tuag at 9–10 biliwn erbyn 2050, bydd defnydd pobl o adnoddau'r parth arfordirol yn dod yn fwyfwy pwysig. Mae hyn yn debygol o achosi tensiwn cynyddol ynglŷn â sut a ble gall adnoddau gael eu defnyddio. Mae'n bosibl cael bwyd, egni a gofod yn y parth arfordirol, ond agweddau pobl yn hytrach na lefel y dechnoleg sydd fwyaf tebygol o benderfynu i ba raddau mae'r parth arfordirol yn cael ei ddefnyddio am y rhesymau hyn.

Crynodeb o'r bennod

✔ Ers miloedd o flynyddoedd, mae'r parth arfordirol wedi denu gweithgareddau dynol ac mae cyfran uchel o boblogaeth y byd wedi byw'n eithaf agos at forlin. Ond, mae amrywiadau arwyddocaol yn nwysedd y poblogaethau arfordirol yn dibynnu ar y lledred, gyda mwy o aneddiadau yn y lledredau canol ac isel o'u cymharu â'r lledredau uchel.

✔ Mae llawer o weithgareddau economaidd yn elwa o fod yn y parth arfordirol, yn enwedig os ydyn nhw'n ymwneud â mewnforio a/neu allforio nwyddau. Mae lleoliadau'r porthladdoedd gorau yn y mannau lle mae ffactorau ffisegol a ffactorau dynol yn cwrdd, er enghraifft dŵr dwfn ac adnoddau mewndirol. Weithiau mae pobl wedi manteisio ar y cyfle i adennill tir lle mae galw mawr am le a/neu lle mae risg uchel o lifogydd.

✔ Mae gan y parth arfordirol amrywiaeth o adnoddau y gall pobl eu defnyddio. Adnoddau egni yw un o'r prif adnoddau. Mae pobl wedi ecsbloetio adnoddau egni adnewyddadwy a hydrocarbonau ond mae'r gweithgareddau i gael gafael ar y ddau adnodd hyn

yn ennyn gwrthwynebiad, felly mae manteision ac anfanteision.

✔ Mae'r parth arfordirol wedi cael dylanwad cryf ar broses globaleiddio. Datblygiadau ym maes cludiant ar y môr sydd wedi gyrru'r twf o ran llifoedd nwyddau, gwasanaethau a phobl. Mae patrwm clir o lwybrau llongau byd-eang wedi datblygu dan ddylanwad ffactorau ffisegol a ffactorau dynol, ac mae'r llwybrau masnachu a'r mathau o fasnach yn adlewyrchu ac yn cynnal anghydraddoldebau o ran datblygiad o amgylch y byd. Yn ogystal, mae mwy a mwy o wybodaeth yn llifo ar hyd rhwydwaith cynyddol o geblau tanfor, gan greu cysylltiadau a datblygu globaleiddio ymhellach fyth.

✔ Mae twristiaeth a hamdden yn ecsbloetio adnoddau ffisegol, diwylliannol a threftadaeth sydd i'w cael ar yr arfordir, fel traethau, hinsawdd ac agweddau o'r amgylchedd adeiledig. Daw llifoedd o bobl, ar wahanol gyfraddau, i geisio ecsbloetio'r adnoddau hyn, ac mae twristiaeth ryngwladol yn faes sy'n tyfu'n gyflym.

Cwestiynau adolygu

1. Disgrifiwch y patrwm byd-eang o boblogaethau arfordirol.
2. Awgrymwch resymau pam mae lleoliadau arfordirol i'w cael mewn nifer o ranbarthau metropolitan.
3. Beth yw ystyr y termau 'adnodd', 'cyfalaf naturiol' a 'cyfalaf dynol'?
4. Amlinellwch pam mae cynaliadwyedd adnoddau yn syniad cymhleth.
5. Esboniwch sut mae adennill tir yn y parth arfordirol yn dod â manteision i weithgareddau dynol.
6. Disgrifiwch rôl technoleg o ran ecsbloetio adnoddau egni yn y parth arfordirol.
7. Disgrifiwch ac esboniwch sut mae modd defnyddio pob un o'r categorïau canlynol o adnoddau mewn twristiaeth a hamdden yn y parth arfordirol: ffisegol, diwylliannol, treftadaeth.
8. Esboniwch rôl cludiant ar y môr ym mhroses cywasgu amser-gofod.
9. Awgrymwch resymau dros y patrwm byd-eang o lwybrau llongau sydd i'w weld heddiw.

Gweithgareddau trafod

1. Gan ddefnyddio Tabl 6.1, trafodwch resymau pam mae'r pwysau ar wahanol wledydd yn amrywio, yn dibynnu ar nifer a chyfran y trigolion sy'n byw yn agos at lefel y môr. Aseswch sut mae'r gwledydd hyn yn debygol o allu ymateb, o ystyried lle maen nhw ar hyd y continwwm datblygiad gan gynnwys eu hadnoddau economaidd, technolegol ac addysgol.

2. Trafodwch y rôl gall daearyddiaeth ffisegol ei chwarae wrth siapio nodweddion gwahanol leoedd, er enghraifft tref wyliau fawr, porthladd neu bentref bach. I ba raddau mae gweithgareddau dynol wedi newid unrhyw arweddion ffisegol a pha mor arwyddocaol yw'r newidiadau hyn wrth greu lleoliad?

3. Ystyriwch sut rydych chi wedi elwa o broses globaleiddio – meddyliwch am agweddau o'ch bywyd fel eich bwyd, dillad, nwyddau'r cartref (teledu, oergell, dodrefn ac ati), cerddoriaeth, cyrchfannau gwyliau. I ba raddau mae'r manteision hyn wedi bodoli oherwydd arweddion arfordirol fel harbwrs?

4. Rhannwch yn grwpiau o ddau neu dri unigolyn. Dylai hanner y grwpiau lunio'r ddadl bod ecsbloetio adnoddau arfordirol yn hanfodol er mwyn sicrhau cynaliadwyedd economaidd a chymdeithasol. Dylai'r hanner arall gymryd y safbwynt mai cynaliadwyedd amgylcheddol ddylai ddod yn gyntaf. Ewch ati i ddadlau'r mater. Lluniwch ganllawiau manwl i ddangos sut dylai'r parth arfordirol gael ei ddefnyddio o ystyried y casgliad rydych chi wedi dod iddo, gan ddefnyddio map Arolwg Ordnans o ddarn o forlin yn mesur 20–30 cilometr. Defnyddiwch adnoddau fel Google Maps, gwybodaeth gan Asiantaeth yr Amgylchedd/Cyfoeth Naturiol Cymru a chynlluniau strategol yr awdurdod lleol fel sail i'ch trafodaethau.

FFOCWS Y GWAITH MAES

A *Wrth asesu'r arweddion hynny mewn cyrchfan arfordirol sy'n creu ei 'synnwyr o le', gallwn ni ddefnyddio amrywiaeth o ffynonellau gan gynnwys portreadau ffurfiol ac anffurfiol. Man cychwyn ar gyfer lleoliad yn y Deyrnas Unedig yw'r map Arolwg Ordnans 1:25 000 i asesu'r arweddion ffisegol. Mae gwybodaeth am y rhan fwyaf o gyrchfannau ar wefannau llywodraeth leol sy'n hysbysebu'r atyniadau sydd ganddyn nhw. Drwy ddadansoddi cardiau post masnachol a delweddau sydd wedi eu postio ar-lein gan ymwelwyr gallwn ni ddysgu am bortreadau anffurfiol. Drwy* ymgynghori â'r darlun ffurfiol sydd yn y Cyfrifiad o safbwynt strwythur oed a swyddi pobl, mae hyn yn gallu ychwanegu at broffil lle.

B *Un syniad fyddai'n gallu bod yn sail ar gyfer ymchwiliad Safon Uwch yw archwilio agweddau pobl tuag at osod fferm wynt ar ben clogwyni arfordirol neu yn yr alltraeth yn y parth arfordirol. Mae cyfweliadau ac arolygon holiadur yn dechnegau casglu data posibl i'w defnyddio, yn ogystal â gwneud asesiadau gweledol ac efallai asesiadau o sŵn hefyd. Gallai gwaith samplu gynnwys amrywiol grwpiau, er enghraifft gwahanol grwpiau oed, grwpiau sydd wedi byw yn yr ardal yn hirach nag eraill ac ymwelwyr.*

Darllen pellach

Ystad y Goron (2015) *Aggregate Dredging and the Suffolk Coastline - a Regional Perspective of Marine Sand and Gravel Off the Suffolk Coast Since the Ice Age*. Llundain: Ystad y Goron

Daniels, P., Bradshaw, M., Shaw, D., Sidaway, J., (goln.) (2012) *An Introduction to Human Geography* (4ydd argraffiad), Penodau 14, 16 ac 19. Harlow: Pearson Education Limited

Yr Adran Drafnidiaeth (2017) *Transport Infrastructure for our Global Future – A Study of England's Port Connectivity*. Llundain: Yr Adran Drafnidiaeth

Murawski, S.A., Fleeger, J.W., Patterson, W.F., Hu, C.M., Daly, K., Romero, I., Toro-Farmer, G.A. (2016) 'How Did the Deepwater Horizon Oil Spill Affect Coastal and Continental Shelf Ecosystems of the Gulf of Mexico?', *Oceanography*, 29(3), tt.160–73

Neill, S.P., Vogler, A., Goward-Brown, A.J., Baston, S., Lewis, M.J., Gillibrand, P.A., Waldman, S., Woolf, D.K. (2017) 'The wave and tidal resource of Scotland', *Renewable Energy*, 114, tt.3–17

Neumann, B., Vafeidis, A.T., Zimmermann, J., Nicholls, R.J. (2015) 'Future coastal population growth and exposure to sea-level rise and coastal flooding – a global assessment', *PLoS ONE* 10(3): e0118571

Cyngor Egni'r Byd/World Energy Council (2016) *World Energy Resources: Marine Energy – 2016*. Cyngor Egni'r Byd

Risg, gwydnwch a rheoli arfordirol

Er bod morlinau'n cynnig llawer o fanteision i weithgareddau dynol, maen nhw hefyd yn lleoliadau sy'n cyflwyno llawer iawn o risg. Nid yn unig mae mwy a mwy o bobl yn byw ar hyd morlinau, ond mae'n ymddangos bod natur a difrifoldeb y risgiau'n gwaethygu. Mae llawer o waith ymchwil yn cael ei wneud i ddeall y risgiau gyda'r nod o ddyfeisio strategaethau i'w rheoli nhw. Mae amrywiaeth eang o ddulliau'n cael eu hasesu i wneud morlinau a'r cymunedau sy'n byw ar eu hyd yn fwy gwydn a chynaliadwy. Bydd y bennod hon:

- yn dadansoddi'r risgiau i weithgareddau dynol ar hyd morlinau
- yn ymchwilio i'r ffyrdd o reoli gwydnwch, gan gynnwys peirianneg galed a meddal a rheoli ecosystemau arfordirol
- yn ymchwilio i ddulliau gwahanol o gynllunio ar gyfer newid arfordirol
- yn gwerthuso manteision ac anfanteision amddiffynfeydd arfordirol caled.

CYSYNIADAU ALLWEDDOL

Addasiad Sut mae unigolion, cartrefi a chymunedau'n ymateb i newid mewn amgylchiadau ac yn ymdopi â hyn. Gallai risgiau uwch o lifogydd arfordirol annog awdurdodau i roi gwaharddiad ar ddatblygiadau newydd neu hyd yn oed 'symud aneddiadau yn ôl' ar arfordiroedd tir isel.

Lliniaru Gweithred i leihau effaith digwyddiadau amgylcheddol. Mae amrywiaeth eang o ymatebion lliniaru yn cael eu defnyddio yn y parth arfordirol, er enghraifft peirianneg galed (waliau môr ac argorau) a pheirianneg feddal (sefydlogi twyni ac adfer mangrofau), er mwyn gostwng effeithiau erydiad arfordirol a llifogydd.

Gwydnwch Gallu unigolion, cartrefi a chymunedau i wrthsefyll, amsugno a gwella ar ôl effeithiau sioc neu straen, sy'n gallu bod yn economaidd, cymdeithasol neu wleidyddol. Mae'r straen yn cynyddu i lawer o leoliadau ar dir isel yn sgil y cynnydd yn lefel y môr ac effaith y ffaith bod llifogydd yn fwy tebygol o ddigwydd o ganlyniad i hynny. Mae sioc fel tswnami yn gallu bod yn sialens ddifrifol iawn i wydnwch. Mae hyn yn wir hefyd am yr ecosystemau sy'n wynebu straen a sioc (sef gwydnwch ecolegol).

Risg Y tebygrwydd y bydd digwyddiadau penodol yn achosi cyfres o ganlyniadau posibl. Mae'r risg yn dibynnu ar y math o ddigwyddiad amgylcheddol a natur y digwyddiad, pa mor debygol a pha mor fawr yw'r digwyddiad, a pha mor agored i niwed yw'r bobl a'r amgylchedd a allai gael eu heffeithio. Mae risgiau yn y parth arfordirol yn cynnwys cwymp clogwyni, llifogydd o ymchwydd storm a channu cwrel.

Cynaliadwyedd Ystyr fwyaf sylfaenol cynaliadwyedd yw defnyddio rhywbeth sy'n gallu parhau mewn ffordd a fydd yn parchu anghenion cenedlaethau'r dyfodol. Un nod allweddol yw sicrhau bod systemau amgylcheddol ac economaidd yn gyflawn, yn gynhyrchiol ac yn iach. Y bwriad yw sicrhau cydbwysedd rhwng y cyflenwad a'r galw heb iddo effeithio'n niweidiol ar yr amgylchedd ffisegol ac economaidd. Yng nghyd-destun newid hinsawdd, mae cynaliadwyedd amgylcheddau a chymunedau arfordirol yn her ddifrifol. I reoli risgiau, rhaid pwyso a mesur y costau a'r buddion, er enghraifft wrth benderfynu a oes angen amddiffyn darn o forlin neu adael llonydd i rymoedd byd natur.

1 Risgiau i weithgareddau dynol ar hyd morlinau

► *Beth yw'r prif risgiau i weithgareddau dynol yn y parth arfordirol?*

Ar adegau, mae'r berthynas rhwng pobl a'r parth arfordirol yn gallu bod yn un anodd. Er gwaethaf y ffaith bod y môr yn gallu darparu cyflenwadau bwyd a masnach i ni, mae pobl wedi ei barchu os nad ei ofni ers canrifoedd. Mae portreadau anffurfiol o forlinau'n tynnu sylw yn aml iawn at y ffordd y mae pobl yn gweld yr arfordir a'r môr cyfagos fel bygythiad, yn enwedig y risg o golli bywyd mewn stormydd mawr.

Fodd bynnag, roedd y môr yn cynnig cyfleoedd hefyd a byddai rhai pobl yn eu hecsbloetio, fel pysgota ac echdynnu halen. Diolch i ddatblygiadau technolegol, daeth y môr a'r arfordir yn fwy hygyrch i bobl ac felly roedd adnoddau arfordirol ar gael iddyn nhw. Mae meysydd diwydiant, cartrefi, masnach, egni, bwyd, hamdden a thwristiaeth i gyd wedi manteisio ar y cyfleoedd mae'r parth arfordirol yn eu cynnig. Ond, gan fod y tir, yr atmosffer a'r môr yn cwrdd yn y parth arfordirol, mae'n debygol iawn y bydd digwyddiadau egni uchel yn digwydd yno.

Mae'n eithriadol o annhebygol y byddwn ni'n gallu lliniaru'r cynnydd cyflym yn lefel y môr oherwydd yr hinsawdd yn y tymor byr i ganolig, hynny yw erbyn diwedd y ganrif hon. Yn ôl yr amcangyfrifon, gallai costau'r difrod gan lifogydd arfordirol blynyddol yn unig gyrraedd rhywle rhwng 0.3% a 9.3% o'r Cynnyrch Mewnwladol Crynswth (CMC) erbyn 2100. Y prif risgiau i weithgareddau dynol yw llifogydd (tudalennau 128 ac 137) ac erydiad.

Bygythiad erydiad clogwyni

Mae llawer o forlinau'n eithaf bregus o safbwynt geomorffolegol. Gan fod lefel uchel o egni'n dod o'r gwyntoedd, y tonnau, y llanwau a'r ceryntau, gall llifoedd o ddefnyddiau gael eu haflonyddu. Mae rhai mathau o ddaeareg yn eithaf meddal ac yn agored i ddifrod morol ac isawyrol, gan hybu màs-symudiadau. Pan fydd grymoedd morol ac isawyrol yn gweithredu ar glogwyn, gallai enciliad y clogwyn fod yn risg arwyddocaol.

Mae systemau clogwyni (tudalen 54) yn tynnu sylw at y rhyngweithio rhwng gwahanol ffactorau sy'n cynhyrchu siâp neu fath arbennig o lethr. O safbwynt enciliad clogwyni, mae'r ffactorau sy'n dylanwadu ar erydiad ar waelod y clogwyn yn allweddol fel arfer (Ffigur 7.1).

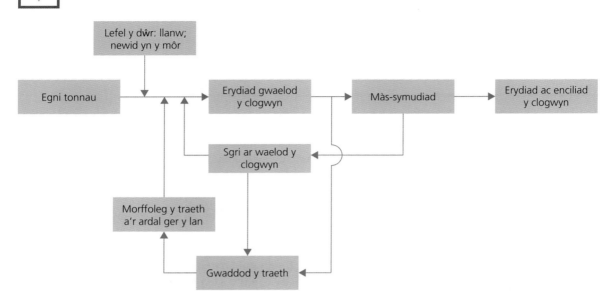

▲ **Ffigur 7.1** Sut mae'r ffactorau sy'n rheoli erydiad gwaelod y clogwyn yn rhyngweithio â'i gilydd

Wrth i donnau erydu gwaelod y clogwyn, sy'n cael ei alw weithiau'n droed y clogwyn, mae ongl y llethr a'r diriant croesrym yn tueddu i gynyddu (tudalen 33). Dau ddylanwad allweddol ar gyfraddau enciliad yw ansawdd y sgri neu'r talws sy'n cael ei gynhyrchu, a pha mor gyflym mae hyn yn cael ei dorri i lawr a'i gludo i ffwrdd. Mae gwaddod y traeth yn gallu chwarae dwy rôl: un rôl yw hybu erydiad am mai dyma'r defnydd sy'n sgrafellu wyneb y clogwyn, a'r rôl arall yw amsugno egni tonnau a chynnig rhywfaint o ddiogelwch i waelod y clogwyn.

Mesur cyfradd enciliad clogwyni

Mae cyfradd enciliad clogwyni'n arwyddocaol iawn i weithgareddau dynol. Mae angen gwneud asesiadau sy'n ystyried lefel y bygythiad i gartrefi, adeiladau eraill ac isadeiledd fel ffyrdd a rheilffyrdd. Mae lefel y bygythiad bron bob amser yn cael ei asesu o safbwynt y pellter o ymyl y clogwyn a'r gyfradd enciliad clogwyni cyfartalog.

Mae amrywiol dechnegau'n cael eu defnyddio i gofnodi cyfradd enciliad clogwyni. Un dechneg gyffredin yw darllen mapiau wedi eu hargraffu dros gyfnod hir o amser, ac edrych ar ffotograffau awyrol. Yn ddiweddar, mae technegau LiDAR *(Light Detection and Ranging)* yn yr awyr ac ar y tir, a dGPS (gwell GPS sy'n canfod lleoliad yn fwy manwl gywir) yn cael eu defnyddio i fesur newidiadau mewn clogwyni mewn ffordd fwy dibynadwy a chywir.

Un broblem yw bod ystyried cyfraddau enciliad clogwyni cyfartalog yn gallu bod yn gamarweiniol. Y pellaf yn ôl yr awn ni mewn amser, y llai dibynadwy a chywir yw'r ffynhonnell ddata yn aml iawn, er enghraifft hen fapiau. Ond, yr hyn mae cyfraddau cyfartalog yn eu cuddio – fel y mae pob cyfartaledd – yw'r eithafion. Fel arfer, nid yw newid yn y parth arfordirol yn digwydd yn raddol ond yn hytrach mewn digwyddiadau egni uchel sydyn (fel stormydd difrifol neu tswnamïau) sy'n achosi newid sylweddol i dirffurfiau ac i dirweddau cyfan hyd yn oed. Cafodd clogwyn, wedi ei wneud o garreg llaid ger Santa Cruz, California, ei dorri yn ôl tua 14 metr gan stormydd ym mis Ionawr 1983.

Rhwng 1931 ac 1982, dim ond 0.2 metr y flwyddyn oedd y gyfradd encilio gyfartalog.

Gall enciliad clogwyni amrywio'n sylweddol hefyd ar hyd darnau eithaf byr o forlin. Mae ffactorau fel amrywiadau mewn litholeg, agwedd y clogwyn a natur y graddiant alltraeth yn dylanwadu ar gyfraddau enciliad clogwyni. Gall y llifoedd gwaddod gael dylanwad arwyddocaol, yn enwedig pan fydd y dulliau rheoli'n defnyddio strwythurau fel argorau.

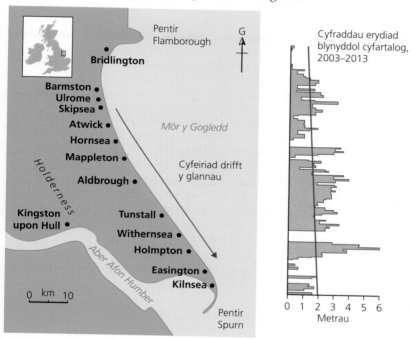

▲ **Ffigur 7.2** Amrywiadau yng nghyfradd encilio'r arfordir, Holderness, dwyrain Lloegr 2003–13

Mae'r cyfuniad o amrywiadau yn y cyfraddau erydiad dros amser ac yn ofodol yn cyflwyno heriau ychwanegol wrth geisio asesu risgiau ac yna ystyried unrhyw brosesau rheoli sydd eu hangen. O edrych ar astudiaethau o amgylch y byd, mae'n amlwg nad yw cyfraddau enciliad clogwyni yn y gorffennol bob amser yn cynnig canllaw dibynadwy wrth ragweld cyfraddau'r dyfodol. Mae ecwilibriwm ac adborth y system clogwyni yn gymhleth, a gan fod rhaid ystyried ffactorau sydd ddim yn hysbys – er enghraifft faint bydd lefel y môr yn codi yn y dyfodol – nid yw'n bosibl gwneud rhagolygon hollol gywir ynglŷn â phryd, ble ac i ba raddau y bydd clogwyn benodol yn methu.

Enciliad clogwyni ar greigiau 'meddal'

Er bod pob clogwyn yn erydu, yr hyn sy'n achosi'r pryder mwyaf o safbwynt gweithgareddau dynol yw erydiad clogwyni sydd wedi eu creu o greigiau eithaf 'meddal' fel clai a thywodfeini gwan. Mae gwenithfaen, basalt a chalchfaen cryf yn achosi llawer llai o broblemau i bobl fel arfer.

Ardaloedd o'r DU sydd ag arfordir tir isel wedi ei greu o waddodion 'meddal' sydd fwyaf tebygol o brofi erydiad arfordirol. Mae cofnodion am forlinau dwyrain Swydd Efrog, East Anglia ac ar hyd moryd Afon Tafwys yn dangos cyfraddau uchel iawn o enciliad (Ffigur 7.2). Yn ôl yr amcangyfrifon cyfredol, mae 113 000 o gartrefi, 9000 o fusnesau a 5000 hectar o dir amaethyddol o fewn ardaloedd a allai fod mewn perygl o erydiad arfordirol.

ASTUDIAETH ACHOS GYFOES: MORLIN ENCILIOL DE CALIFORNIA

Mae clogwyni de California yn enwog am fod yn ansefydlog. Dyma rai o'r cydrannau sydd i'w cael yn y system clogwyni:

- cylchfaoedd ffawtio tectonig actif, e.e. Ffawt San Andreas
- creigiau daearegol ifanc, nifer o'r cyfnod Cwaternaidd; creigiau 'gwan', e.e. siâl, carreg silt, tywodfaen sy'n cydio'n wael â'i gilydd
- clogwyni tirwedd isel, 10 i 30 metr o uchder
- llyfndiroedd glannau sydd ddim yn arbennig o eang, gyda thraethau cul o dywod neu gerigos/graean bras
- yr amrediad llanw cyfartalog yw tua 2 fetr – gall gyrraedd 3 metr
- mae tonnau ymchwydd yn cyrraedd o Ogledd y Cefnfor Tawel yn y gaeaf ac o Dde'r Cefnfor Tawel yn yr haf
- prosesau isawyrol dan ddylanwad hafau sych a gaeafau gwlyb achlysurol; mae'r mwyafrif o'r glawiad yn digwydd rhwng Tachwedd a Mawrth; mae glaw trwm yn achosi màs-symudiadau
- mae digwyddiadau **El Niño** cryf yn achosi mwy o lawiad trwm yn y gaeaf, gwyntoedd atraeth cryf, cynnydd yn uchder y tonnau a lefelau môr uwch.

▲ **Ffigur 7.3** Tai ar hyd llinell glogwyn sy'n cael ei herydu, Encinitas, de California

Mae parth arfordirol California yn atyniad i filiynau o bobl. Fel lle byw, mae'n cynnig mynediad i draethau ac i'r môr a hinsawdd Mediteranaidd gydag awel oer. Mae amrywiaeth eang o ddiwydiannau gwasanaethu a gweithgynhyrchu yn cynnig cyfleoedd i weithio. Mae dwysedd y boblogaeth yn uchel, yn enwedig mewn cytrefi fel Los Angeles a San Diego. Yn Long Beach, sy'n rhan o gytref Los Angeles, dwysedd y boblogaeth yw 3600 am bob km².

Mewn rhai lleoliadau mae amddiffynfeydd arfordirol, fel peirianneg galed, wedi cael eu defnyddio i gynnig amddiffyniad. Bu astudiaeth ddiweddar yn ymchwilio i enciliad clogwyni yn ystod degawd cyntaf y ganrif hon. Roedd y canfyddiadau'n dangos bod:

- clogwyni sydd heb amddiffyniad ar eu gwaelod yn encilio tua thair gwaith yn fwy na chlogwyni wedi'u hamddiffyn
- clogwyni gyda thraethau yn encilio 50% yn gyflymach na chlogwyni heb unrhyw draeth.

Mae'r canfyddiad cyntaf i'w ddisgwyl gan fod egni'r tonnau'n cael ei amsugno gan y dull diogelu. Ond, mae'r ail ganfyddiad yn gwrth-ddweud ei hun ychydig oherwydd bydden ni'n disgwyl i draeth amsugno egni tonnau. Efallai fod y traethau'n ffurfio mewn ardaloedd lle mae'r graig yn arbennig o feddal ac yn hynod o agored i brosesau isawyrol. Mae'r graig hon felly'n malurio'n hawdd i gynhyrchu'r traeth. Ffactor arall efallai yw bod gwaddod y traeth yn cael ei ddefnyddio i sgrafellu'r clogwyn ac felly mae hyn yn achosi i'r clogwyn encilio'n gyflymach.

Mae dadl yn datblygu ynglŷn â beth i'w wneud o safbwynt rheoli arfordirol ac mae'n achosi llawer o densiwn ymhlith y cyfranogwyr perthnasol. Yn Del Mar, sef cymuned arfordirol rhwng Los Angeles a San Diego, mae Comisiwn Arfordirol California wedi trafod y posibilrwydd o fabwysiadu strategaeth encilio rheoledig. Mae perchenogion tai lleol yn benderfynol bod rhaid amddiffyn y llinell glogwyn lle mae eu cartrefi'n sefyll rhag egni'r tonnau sy'n erydu'r clogwyni. Eu bwriad yw ailgyflenwi'r traeth ar raddfa fawr er mwyn lledu'r lan oherwydd byddai hynny'n amsugno mwy o egni'r tonnau. Ond, mae ailgyflenwi traethau wedi cael effeithiau cymysg iawn mewn lleoliadau eraill yn California a dydy'r dadansoddiadau cost a budd ddim yn dangos ei fod werth ei wneud bob tro.

Gan fod lefel y môr yn codi ac oherwydd y posibilrwydd y gallai digwyddiadau El Niño ddigwydd yn amlach a/neu'n gryfach o ganlyniad i gynhesu byd-eang, a gyda'r risg uchel o ddaeargrynfeydd, efallai na fydd arfordir California yn gynaliadwy fel cartref i gymaint o bobl. Yn y cyfamser, mae llawer o waith ymchwil yn parhau ac mae pobl yn cynllunio ac yn rhoi cynnig ar dechnegau rheoli arfordirol.

 TERM ALLWEDDOL

El Niño Yr enw ar ardal o ddŵr arwyneb sy'n anarferol o gynnes o amgylch y cyhydedd yn nwyrain y Cefnfor Tawel. Maen nhw'n digwydd bob tair blynedd ar gyfartaledd, gan amharu'n fawr ar dywydd y byd ac ar gadwyni bwyd morol oddi ar arfordir De America.

---

2 # Rheoli morlinau i gynyddu gwydnwch gan ddefnyddio peirianneg galed a meddal

▶ *Pa dechnegau rheoli sy'n cael eu defnyddio i wneud lleoliadau arfordirol yn fwy gwydn yn erbyn erydiad?*

Mae gallu gwlad, cymuned, cartref neu unigolyn i ymdopi â risgiau yn adlewyrchu pa mor wydn ydyw. Mae pobl wedi ceisio lleihau neu gael gwared ar risgiau sy'n digwydd yn y parth arfordirol, fel llifogydd neu fethiant clogwyn, gan ddefnyddio amrywiaeth o ddulliau.

Peirianneg galed

Dros y ganrif a hanner ddiwethaf, mae pobl wedi ceisio gwella gwydnwch drwy adeiladu strwythurau o bren, concrit neu greigiau, yn aml ar raddfa fawr. Y nod oedd cryfhau'r morlin er mwyn ei fod yn gallu gwrthsefyll egni tonnau yn arbennig.

Atal erydiad morol

Mae **waliau môr** yn amrywio o ran math, defnydd a phrofil, ac mae rhai yn athraidd a rhai yn anathraidd. Maen nhw'n tueddu i gael eu hadeiladu'n syth ar dirffurfiau arfordirol, a'u bwriad yw atal erydiad yr arfordir ac atal dŵr y môr rhag gorlifo dros y mewndir (Ffigur 7.4).

 TERM ALLWEDDOL

Waliau môr Strwythurau ffisegol gyda'r bwriad o atal erydiad a llifogydd.

(a) Fertigol

Wal fertigol, e.e. blociau gwenithfaen; yn adlewyrchu rhywfaint o egni ond yn agored i rym llawn y tonnau

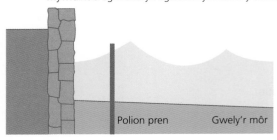

Polion pren   Gwely'r môr

(b) Crwm

Wal goncrit sy'n grwm

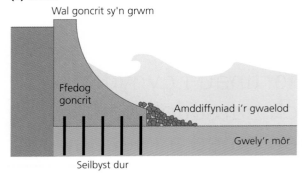

Ffedog goncrit   Amddiffyniad i'r gwaelod

Gwely'r môr

Seilbyst dur

(c) Crwm a grisiog

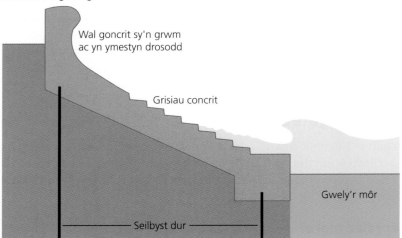

Wal goncrit sy'n grwm ac yn ymestyn drosodd

Grisiau concrit

Gwely'r môr

Seilbyst dur

▲ **Ffigur 7.4** Cynllun wal fôr a'i effeithiau ar egni tonnau

Roedd y dŵr ger gwaelod y waliau fertigol cynnar yn tueddu i fod yn aflonydd iawn, ac roedd hyn yn achosi i waddodion gael ei sgwrio i ffwrdd gan danseilio'r wal ac achosi iddi ddymchwel yn y pen draw. Erbyn hyn, mae amddiffyn troed y wal yn rhan allweddol o gynllun wal fôr.

Mae problemau arbennig yn codi lle daw'r wal fôr i ben. Mae tonnau'n plygu o amgylch pen y wal gan arwain at erydiad y lan. Yr enw ar hyn yw gorasgellu *(outflanking)* (Ffigur 7.5).

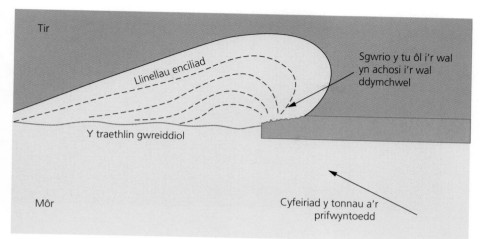

Tir

Llinellau enciliad

Sgwrio y tu ôl i'r wal yn achosi i'r wal ddymchwel

Y traethlin gwreiddiol

Môr

Cyfeiriad y tonnau a'r prifwyntoedd

◀ **Ffigur 7.5** Erydiad yn sgil gorasgellu lle mae'r wal fôr yn dod i ben

Pan fydd llai o egni tonnau'n bresennol mae pobl wedi bod yn gwneud mwy o ddefnydd o **gaergewyll**. Mae'r dull hwn yn fwy cost-effeithiol os nad oes angen lefel uchel o amddiffyniad, er enghraifft lle mae gwerth y tir yn is. Mae caergewyll yn gwasgaru egni tonnau yn effeithiol, ac os ydyn nhw wedi eu llenwi â cherrig/creigiau, maen nhw'n rhoi golwg a naws mwy naturiol i'r amddiffynfa, o'u cymharu â'r wal goncrit er enghraifft.

Mae'n bosibl defnyddio sawl math o ddefnydd i greu **gwrthgloddiau**, ond pren, craig a choncrit yw'r rhai mwyaf cyffredin. Strwythurau agored yw gwrthgloddiau sy'n gwasgaru egni ton wrth iddi dorri, gan olygu bod llai o sgwrio'n digwydd. Gall gwaddod gronni o fewn a thu ôl i wrthglawdd, ac mae hyn yn gallu annog llystyfiant i sefydlu hefyd.

Pan fydd clogfeini mawr yn cael eu defnyddio i ffurfio rhwystr athraidd, y termau cyffredin am hyn yw 'arfogaeth greigiog' a 'rip rap'. Creigiau basalt neu wenithfaen sy'n cael eu defnyddio'n aml iawn gan eu bod nhw'n gallu gwrthsefyll ymosodiad morol ac isawyrol. Mewn rhai mannau, os nad yw'r creigiau hyn ar gael, mae pobl yn defnyddio clogfeini o goncrit wedi'i rhag-gastio i amddiffyn ardaloedd o'r arfordir, yn enwedig lle mae gweithfa ddiwydiannol fel purfa olew neu ddoc cynwysyddion i'w chael (tudalennau 136–7). Yn debyg i'r gwrthgloddiau, mae'r rhain yn achosi i egni'r tonnau gael ei wasgaru ymhlith y clogfeini.

Argloddiau neu **forgloddiau** oedd un o'r enghreifftiau cyntaf o ddefnyddio peirianneg galed – mae tystiolaeth i ddangos bod pobl wedi defnyddio'r rhain yn y cyfnod Rhufeinig. Maen nhw'n tueddu i gael eu gosod ychydig uwchlaw lefel cyfartalog penllanw'r llanw mawr ac maen nhw'n cael eu defnyddio pan fydd angen diogelu ardal o dir isel rhag llifogydd. Cafodd llawer o argloddiau eu hadeiladu ar ochr fewndirol morfa heli, mewn amgylcheddau morydol (aberol) fel bod modd adennill tir.

Un broblem sy'n dod yn amlwg gydag argloddiau yw **gwasgfa arfordirol**. Wrth i lefel y môr godi, mae lled morfeydd heli'n gostwng gan fod mwy o'r morfa yn cael ei orchuddio gan ddyfnder cynyddol o ddŵr. Mae cynefinoedd yn cael eu colli a dydy'r morfeydd heli ddim yn gallu cynnig cymaint o wasanaethau ecosystem ag yr oedden nhw (Ffigur 7.7).

▲ **Ffigur 7.6** Mur o gaergewyll, Pentir Hengistbury, Dorset

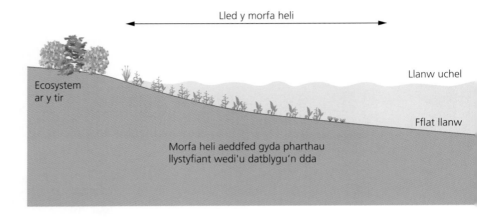

Lled y morfa heli

Ecosystem ar y tir

Llanw uchel

Fflat llanw

Morfa heli aeddfed gyda pharthau
llystyfiant wedi'u datblygu'n dda

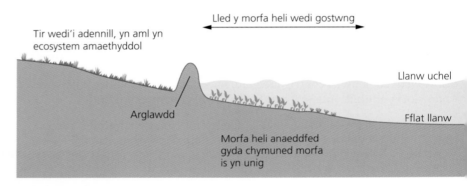

Lled y morfa heli wedi gostwng

Tir wedi'i adennill, yn aml yn
ecosystem amaethyddol

Llanw uchel

Arglawdd

Fflat llanw

Morfa heli anaeddfed
gyda chymuned morfa
is yn unig

▶ **Ffigur 7.7** Effeithiau
gwasgfa arfordirol

Mae pobl wedi defnyddio **tonfuriau** ers amser maith i amgáu ardaloedd o
fôr er mwyn creu lleoliadau cysgodol ar gyfer llongau. Mae'r rhain yn
tueddu i gael eu creu o goncrit. Gall tonfuriau gael eu defnyddio hefyd i
amddiffyn darnau o'r arfordir sydd dan risg oherwydd egni tonnau uchel.
Mae'r riffiau artiffisial hyn yn tueddu i gael eu gwneud o glogfeini neu
siapiau concrit sy'n amsugno egni tonnau (Ffigur 7.8).

▲ **Ffigur 7.8** Tonfuriau o greigiau yn yr alltraeth ac argor o greigiau ger y lan,
Sidmouth, Dyfnaint

Atal hindreuliad isawyrol a màs-symudiad

Yn ogystal â gwrthsefyll effeithiau tonnau ar waelod y clogwyni, mae'r
dulliau rheoli'n ceisio ymdrin â'r prosesau sy'n gweithredu ar rannau uchaf
y clogwyni hefyd.

Un rhan allweddol o'r system clogwyni yw dŵr gan ei fod yn gallu cynyddu cyfraddau hindreuliad isawyrol a symudiad defnyddiau i lawr y llethr. Mae dŵr yn iro *(lubricate)* y defnydd yn y llethr gan olygu bod llai o ffrithiant rhwng gronynnau'r gwaddod, ac mae hyn yn gostwng y cryfder croesrym ac yn cynyddu'r diriant croesrym. Gall hindreuliad hydrolysis a hydoddiant, er enghraifft, wneud y graig yn fwy gwan gan olygu bod y llethr yn fwy tebygol o symud tuag i lawr (tudalen 32).

Mae draenio clogwyni yn dechneg sy'n cael ei defnyddio'n gyffredin i dynnu dŵr o glogwyn mor gyflym ag sy'n bosibl. Mae'n bosibl rhoi pibellau athraidd i mewn i glogwyn i gasglu a sianelu dŵr allan o wyneb y clogwyn. Weithiau, bydd pobl yn gosod rhwystrau anathraidd, fel llenni metel, i mewn i'r clogwyn i sicrhau nad yw'n mynd yn ddirlawn â dŵr.

Mewn rhai lleoliadau, un o'r prif bryderon yw y bydd màs-symudiad yn digwydd, sef cwymp creigiau. Mewn sefyllfaoedd fel hyn, mae'n bosibl defnyddio amrywiaeth o dechnegau, e.e. pinio wyneb y graig drwy wthio rhodenni dur i mewn i wyneb y clogwyn. Mewn lleoliadau eraill, mae rhwydi mawr yn cael eu hymestyn dros wyneb y graig i ddal unrhyw ddefnydd sy'n dod yn rhydd (Ffigur 7.9).

▲ **Ffigur 7.9** Rhwydi dur i atal creigiau rhag disgyn ar y rheilffordd, Teignmouth, Dyfnaint

Annog gwaddodion i gronni

Mae gallu gwaddod i amsugno a gwasgaru egni tonnau'n werthfawr iawn wrth geisio atal digwyddiadau peryglus fel llifogydd ac erydiad tonnau. Mor gynnar â'r ail ganrif ar bymtheg, mae tystiolaeth fod pobl yn adeiladu strwythurau caled i annog gwaddodion i gronni. Argorau yw'r dechneg fwyaf cyffredin o arafu symudiad gwaddod ar hyd y glannau a gadael i draeth adeiladu o ran ei uchder a'i led (Ffigur 7.10). Mae Japan wedi defnyddio tua 10 000 o argorau yn rhan o'i hamddiffynfeydd arfordirol ar hyd tua 32 000 o gilometrau o forlin.

◄ **Ffigur 7.10** Argorau pren yn cael eu hadnewyddu yn rhan o'r gwaith i reoli Dawlish Warren, Dyfnaint

Defnyddir amrywiaeth o ddefnyddiau i adeiladu argorau: pren, concrit neu glogfeini (rip rap). Yn anaml iawn mae argorau'n cael eu defnyddio ar eu pen eu hunain – maen nhw'n tueddu i gael eu rhoi mewn maes argorau ar hyd y traeth. Un ystyriaeth hanfodol er mwyn eu defnyddio nhw'n llwyddiannus yw'r gymhareb rhwng hyd yr argor a'r gofod rhwng yr argorau (Ffigur 7.11). Ar draethau tywodlyd, mae'n ymddangos mai cymhareb o 1:4 yw'r fwyaf effeithiol, ac ar draethau graean a graean bras, cymhareb o 1:2 yw'r gorau.

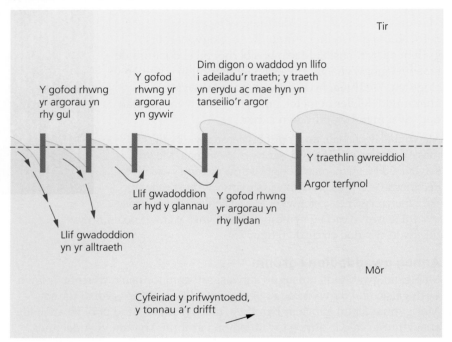

▲ **Ffigur 7.11** Effaith y gofod rhwng argorau ar gronni gwaddodion

Wrth i symudiad y gwaddod gael ei rwystro, mae traeth yn adeiladu o ran uwcholwg a thrawstoriad. Pan mae'r strategaeth hon yn gweithio, mae'r traeth yn adeiladu rhwng yr argorau ac mae trawsgludo gwaddodion ar hyd y glannau'n ailgychwyn. Mae symudiad y gwaddod yn digwydd naill ai o amgylch pen yr argorau sydd allan yn y môr, neu dros ben yr argorau.

Gall argorau fod yn ffordd effeithiol iawn o annog gwaddod i gronni ac amddiffyn yr arfordir. Maen nhw'n cynrychioli cyfuniad o beirianneg galed (argorau) a meddal (tywod yn cronni). Ond, mae'n bosibl hefyd y bydd argorau'n atal gwaddod rhag cronni ar draethau ymhellach i lawr (h.y. yn groes i gyfeiriad y drifft) gan olygu bod uwcholwg a phroffil y traethau hyn yn lleihau. Gallai hynny arwain at gyflymu erydiad yr arfordir.

Peirianneg feddal

Mae'r ddibyniaeth draddodiadol ar ddefnyddio peirianneg i ddatrys problemau gydag erydiad arfordirol a llifogydd yn newid. Mae'r newid hwn o ran agwedd wedi digwydd yng nghyd-destun y ffaith bod:

- mwy a mwy o bobl yn byw mewn lleoliadau arfordirol a morydol
- effeithiau newid hinsawdd yn cynyddu, fel lefel y môr yn codi a chynnydd yn egni'r tonnau
- diffyg gwaddod yn broblem mewn llawer o barthau arfordirol
- ymsuddiant yn digwydd mewn llawer o barthau arfordirol.

Rydyn ni'n cydnabod erbyn hyn bod ceisio atal y grymoedd sy'n gweithredu yn y parth arfordirol yn llawer llai effeithiol na cheisio 'gweithio gyda'r prosesau' i gael canlyniadau mwy gwydn a chynaliadwy.

Ailgyflenwi'r traeth

Y nod wrth **ailgyflenwi'r traeth** (neu 'ail-lenwi'r traeth') yw gwella 'iechyd' traeth fel ei fod yn gallu gwrthsefyll newidiadau cyffredin yn well, e.e. storm ddifrifol. Hefyd, mae rhai cynlluniau'n ceisio gwella pa mor ddeniadol yw'r traeth drwy ei wneud yn fwy atyniadol i'r defnyddwyr.

Dyma elfennau allweddol unrhyw gynllun ailgyflenwi'r traeth:

- rhaid bod ffynhonnell o waddod gerllaw
- rhaid ystyried effaith tynnu gwaddod drwy garthu/cloddio
- rhaid i'r gwaddod fod yr un maint â, neu ychydig yn fwy bras na'r gwaddod presennol
- rhaid defnyddio technegau i gadw'r gwaddod newydd yn y man lle cafodd ei osod.

Mae'r costau'n amrywio yn dibynnu ar ffactorau fel y dull o ddod â'r gwaddod i'r traeth a pha mor bell mae'n rhaid ei gludo. Yn gyffredinol, y gost yw rhwng £5000 a £200 000 am bob 100 metr. Mae'r rhan fwyaf o'r cynlluniau ailgyflenwi graddfa fawr yn pwmpio gwaddod, tywod fel arfer, i'r traeth o longau carthu (tudalen 200).

Un broblem sylweddol wrth geisio asesu a yw cynllun ailgyflenwi'r traeth wedi llwyddo neu beidio yw'r ffordd mae gwaddod yn cael ei ailddosbarthu unwaith mae wedi ei ddyddodi. Cyn hir gall egni tonnau symud y gwaddod, gan roi'r argraff bod yr holl amser, ymdrech ac arian a gafodd ei fuddsoddi heb dalu ei ffordd. Ond, mae systemau traeth yn tueddu i addasu'n eithaf cyflym drwy fecanweithiau adborth i gyrraedd ecwilibriwm.

TERM ALLWEDDOL

Ailgyflenwi'r traeth
Proses sy'n dod â gwaddod i mewn i system traeth i adeiladu uwcholwg a phroffil y traeth.

ASTUDIAETH ACHOS GYFOES: Y 'PEIRIANT TYWOD' O'R ISELDIROEDD

Yn sgil y cynnydd cymharol yn lefel y môr, mae'r Iseldiroedd yn wynebu trafferthion cymdeithasol, economaidd, amgylcheddol a gwleidyddol sylweddol. Dyma pam:

- mae'n wlad dwys ei phoblogaeth (500 o bobl am bob km²)
- mae ganddi forlin hir – 350 km
- mae'r rhan fwyaf o'r parth arfordirol wedi ymsuddo
- mae mwy na hanner ei phoblogaeth, tua 9 miliwn, yn byw o dan lefel y môr
- mae tua 65% o Gynnyrch Gwladol Crynswth (CGC) y wlad yn cael ei gynhyrchu yn y parth arfordirol.

Mae gan bobl yr Iseldiroedd ganrifoedd o brofiad o reoli eu morlin ac maen nhw wedi datblygu arbenigedd unigryw mewn amrywiaeth o ddulliau peirianneg. Un o'r projectau arloesol diweddaraf yw'r Peiriant Tywod.

Yn draddodiadol, mae pobl yr Iseldiroedd wedi defnyddio dulliau ailgyflenwi tywod ar draethau a thwyni yn ogystal â rhoi tywod yn y parth ger y lan. Ers yr 1990au, y dull olaf hwn sydd wedi cael blaenoriaeth gan ei fod yn newid prosesau fel tonnau'n torri a thrawsgludo gwaddodion, gan wneud traethau'n fwy llydan. Yn nodweddiadol, mae projectau fel hyn yn defnyddio tua 1–2 miliwn m³ o dywod ac maen nhw'n para tua 3–5 mlynedd.

O ganlyniad i'r difrod eang a achoswyd gan lifogydd arfordirol ar hyd rhannau o Arfordir Gwlff UDA, yn enwedig New Orleans, yn dilyn Corwynt Katrina yn 2005, dechreuodd awdurdodau ar draws y byd ailwerthuso llawer o'r cynlluniau rheoli arfordirol. Roedd pobl yr Iseldiroedd yn cydnabod bod angen iddyn nhw ddefnyddio llawer iawn mwy o dywod mewn blwyddyn ar gyfer ailgyflenwi – o ddefnyddio tua 12 miliwn m³ y flwyddyn i gymaint ag 80 miliwn m³. Yn draddodiadol, byddai'r dulliau ailgyflenwi yn golygu trin y morlin cyfan, gan greu traethau oedd yn llawer rhy lydan o safbwynt gweithgareddau hamdden.

Felly, daeth y syniad i fodolaeth o gael project ailgyflenwi mawr mewn un lleoliad, sef y Peiriant Tywod (Ffigur 7.12). Mae hwn wedi ei leoli rhwng Den Haag a Hoek van Holland a chafodd y rhan fwyaf o'r gwaith adeiladu ei gwblhau rhwng mis Mawrth a mis Gorffennaf 2011. Dyma ei brif nodweddion:

- cafodd 21.5 miliwn m³ o dywod ei gymryd o wely'r môr 10 km o'r lan
- cafodd 2.4 km o'r molin ei ailgyflenwi
- mae'r ailgyflenwi'n ymestyn hyd at 1 km i'r alltraeth
- mae'n dyddodi tywod fel tafod mawr siâp bachyn sydd â gwaelod o 1 km wedi ei gysylltu â'r lan
- mae'n cynnwys llyn 7.5 hectar

- ar ôl yr ailgyflenwi, mae'r gwaddod yn symud mewn ffordd fwy naturiol i'r ddau gyfeiriad ar hyd yr arfordir
- mae'r straen ecolegol wedi'i gyfyngu i ardal eithaf bach lle mae'r tywod yn cael ei ddyddodi i ddechrau
- cafodd y blaen crwm ei lunio i ddarparu lloches rhag y tonnau i'r ardal y tu ôl iddo
- mae'r lagŵn bas a ffurfiodd y tu ôl i'r tafod tywod yn gynefin i organebau morol, e.e. lledod (*flatfish*)
- mae'n llawer rhatach (am bob m³) na gorfod ailadrodd cynlluniau ailgyflenwi llai, e.e. bob 2 flynedd.

Y disgwyl yw y bydd projectau mawr fel hyn yn para rhwng 10 a 20 mlynedd. Mae'r manteision o ran amddiffyn yr arfordir hefyd yn fwy gwerthfawr na'r costau adeiladu, ac nid oes gwasanaethau hamdden yn cael eu colli chwaith. Mae'r project yn dal i gael ei asesu, er enghraifft drwy ddefnyddio offer arolygu ar jet-sgi, a hyd yn hyn mae symudiad y gwaddod wedi arwain at greu tua 200 hectar ychwanegol o draethau. Yn gyffredinol, cafwyd ymateb positif gan ddefnyddwyr y traethau, fel syrffwyr a hwylfyrddwyr.

Bydd rhaid aros ychydig o flynyddoedd cyn y bydd modd gwneud gwerthusiad cynhwysfawr o'r project. Os bydd hwn yn llwyddiannus, yna gallai mwy o Beiriannau Tywod ymddangos ar hyd morlinau tywodlyd agored sy'n wynebu risgiau oherwydd y cynnydd yn lefel y môr.

▲ **Ffigur 7.12** Awyrlun o'r Peiriant Tywod yn edrych tua'r de. Tynnwyd y llun hwn ym mis Awst 2016 ac mae'n dangos y lleoliad adeg llanw isel. Gan fod y tywod wedi lledaenu tua'r gogledd, mae hyn yn awgrymu bod y cynllun yn gweithredu fel y dylai. Mae'n ddiddorol nodi hefyd fod pobl yn defnyddio'r tywod at ddibenion hamdden yn yr ardal agosaf at y môr

Elfen hanfodol wrth ailwerthuso technegau rheoli yw cydnabod a dod i ddeall yn well beth yw rôl y llwybrau a'r storfeydd gwaddodion yn y parth arfordirol. Gan fod gallu cyfrifiadurol wedi datblygu cymaint (ac yn dal i wneud), mae pobl o amgylch y byd yn brysur ymchwilio i ddulliau gwahanol a chymhleth o fodelu natur gwadodd.

Dulliau cyferbyniol o reoli twyni

Mae ecosystemau twyni arfordirol yn rhan allweddol o'r parth arfordirol. Os nad ydyn nhw'n iach, mae'r risgiau i'r arfordir yn waeth.

Adfywio twyni

Os yw systemau twyni naturiol dan fygythiad, mae'n bosibl defnyddio amrywiaeth o ddulliau i geisio gwneud y system yn gynaliadwy eto. Yn aml iawn, mae prosesau adborth cadarnhaol yn dechrau pan fydd llystyfiant yn cael ei dynnu yn dilyn storm ddifrifol neu sathru. Mae ffensys, gorchuddio twyni noeth â mat neu brysgwydd, ac ail-blannu moresg yn ddulliau posibl. Mewn ardaloedd lle mae angen darparu mwy o dywod ffres er mwyn i'r moresg dyfu, mae'n bosibl creu ardaloedd o dywod noeth ar gyfer trawsgludiad aeolaidd, fel sydd i'w weld yn Braunton Burrows, yng ngogledd Dyfnaint.

Pan fydd gweithgareddau dynol yn effeithio'n niweidiol ar y twyni, mae atal mynediad, naill ai'n gyfan gwbl neu drwy osod llwybrau penodol gan ddefnyddio planciau pren, yn gallu gadael i brosesau naturiol ailsefydlu'r ecwilibriwm.

Adeiladu twyni artiffisial

Ar hyd morlinau tywodlyd lle does dim systemau twyni naturiol yn bodoli, mae'n bosibl adeiladu twyni artiffisial. Mae'r rhain yn cael eu defnyddio ar arfordiroedd tir isel fel yn yr Iseldiroedd a rhannau o arfordir dwyreiniol UDA. Bydd strwythurau penodol i arafu buanedd y gwynt yn cael eu codi ar hyd yr arfordir (Ffigur 7.13). Maen nhw'n defnyddio defnydd fel prysgwydd, ffensys o bolion pren tenau wedi eu dal at ei gilydd gyda gwifrau, neu ffabrig wedi gwau. Y nod yw gostwng llif yr aer tua 50% ac annog tywod i gronni y naill ochr a'r llall i'r ffens. Mae'n bwysig hefyd fod y ffens yn athraidd er mwyn gadael i rywfaint o aer basio drwyddo gyda'i lwyth o dywod neidiol. Byddai ffens solid yn achosi gormod o aflonyddwch a byddai llai o dywod yn cael ei ddyddodi. Unwaith mae'r tywod fwy neu lai yn gorchuddio'r ffens, mae'n bosibl codi'r ffens yn uwch neu osod ffens arall. Gall y gyfradd cronni gyrraedd tua 1 metr y flwyddyn. Er mwyn i'r dull hwn fod yn gynaliadwy, mae'n rhaid sefydlu llystyfiant yn y system.

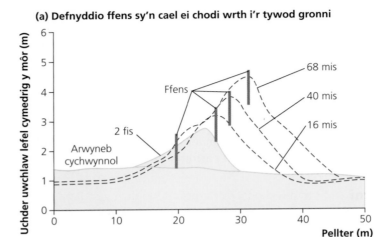

(a) Defnyddio ffens sy'n cael ei chodi wrth i'r tywod gronni

Uchder uwchlaw lefel cymedrig y môr (m)

Ffens

68 mis
40 mis
16 mis
2 fis
Arwyneb cychwynnol

Pellter (m)

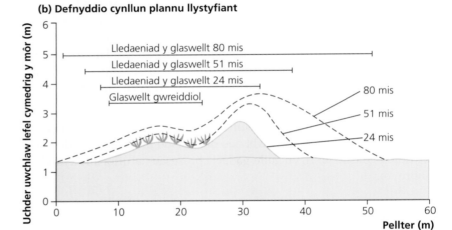

(b) Defnyddio cynllun plannu llystyfiant

Uchder uwchlaw lefel cymedrig y môr (m)

Lledaeniad y glaswellt 80 mis
Lledaeniad y glaswellt 51 mis
Lledaeniad y glaswellt 24 mis
Glaswellt gwreiddiol

80 mis
51 mis
24 mis

Pellter (m)

▲ **Ffigur 7.13** Adeiladu twyni artiffisial fel y rhai ar farynysoedd Gogledd Carolina, UDA

③ Cynllunio ar gyfer newid arfordirol

▶ *Sut mae gwybod a deall mwy am system y parth arfordirol wedi dylanwadu ar ddulliau rheoli arfordirol?*

Er bod hanes hir o amddiffyn yr arfordir rhag erydiad a llifogydd, roedd y cynlluniau yn y gorffennol yn lleol ac yn dameidiog. Bryd hynny, doedd strwythurau cynllunio ddim yn gallu ymestyn dros ddarn mawr o'r morlin. Arweiniodd digwyddiadau penodol at ddatblygiadau mewn technoleg, er enghraifft mathau o goncrit a allai wrthsefyll amodau morol yn cael eu dyfeisio, a datblygu'r gallu peirianyddol i adeiladu harbwrs dros dro yn ystod yr Ail Ryfel Byd. Rhaid cofio hefyd fod y llifogydd trychinebus ar lannau Môr y Gogledd yn dilyn ymchwydd storm 1953 wedi newid dealltwriaeth pobl o risg. Fodd bynnag, nid oedd dull strategol a chydlynol yn bodoli, ac roedd unrhyw waith cynllunio a rheoli fel arfer yn canolbwyntio ar un broblem ac yn cael ei arwain gan un awdurdod lleol. Er enghraifft, pe bai tref arfordirol wedi dioddef rhywfaint o lifogydd, byddai cyngor y dref yn mynd ati i godi lefel ei wal fôr. Mewn mannau eraill, y flaenoriaeth fyddai adennill morfa heli ar gyfer amaethyddiaeth neu ddatblygiad.

Newid y ffordd o wneud penderfyniadau am reoli arfordirol

Hyd yn oed pe bai ymyrraeth arbennig (e.e. wal fôr neu argorau) yn datrys y broblem wreiddiol, byddai canlyniadau annisgwyl yn codi'n aml iawn. Gan fod pobl wedi dod yn fwy ymwybodol o'r rhyngweithio rhwng cydrannau naturiol y parth arfordirol, a'r rhyngweithio rhwng bodau dynol a'r byd naturiol, mae hyn wedi arwain at ddatblygiadau sylweddol yn y ffordd mae arfordiroedd yn cael eu cynllunio a'u rheoli.

Mae problemau sy'n codi wrth ddefnyddio lleoliadau arfordirol yn mynd yn fwy a mwy cymhleth, ac mae pobl yn cydnabod bod rhaid i reoli arfordirol ystyried amrywiol raddfeydd amseryddol a gofodol. O ganlyniad, mae ffyrdd newydd erbyn hyn o ddod i benderfyniadau (Ffigur 7.14).

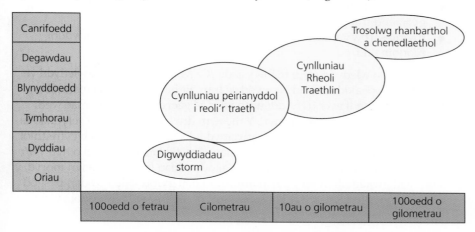

◀ **Ffigur 7.14** Rheoli arfordirol ar wahanol raddfeydd gofodol ac amseryddol

Os oes angen rheoli traethlin, yna mae'n rhaid ystyried graddfa ofodol neu amseryddol unrhyw newidiadau i'r traethlin. Er bod ffyrdd o reoli yn wahanol i'w gilydd, maen nhw hefyd yn gorgyffwrdd, ac mae hyn yn adlewyrchu gweithrediad y prosesau naturiol a datblygiad tirffurfiau.

Rheolaeth Integredig ar Barthau Arfordirol (ICZM)

Dechreuodd materion arfordirol gael mwy o sylw tua diwedd yr ugeinfed ganrif, a datblygodd y syniad o ymdrin â rheoli arfordirol mewn ffordd newydd. Cyn hynny, byddai pobl yn ystyried problemau fel erydiad clogwyni, llifogydd ac iechyd ecosystemau ar raddfa leol, gyda gwaith dadansoddi a phenderfynu'n digwydd o fewn y dref unigol er enghraifft.

Yn Uwchgynhadledd y Ddaear yn Rio de Janeiro yn 1992, awgrymwyd y dylai pob cynllun i reoli'r amgylchedd ddilyn dull **cyfannol**. Ar gyfer yr arfordiroedd, roedd hyn yn golygu ystyried y rhyngweithio gwahanol a allai ddigwydd, ym myd natur a gan bobl.

Yn ogystal â chydnabod pwysigrwydd deall llifoedd egni a defnyddiau o fewn a rhwng systemau'r parth arfordirol, mae *ICZM* yn ymgorffori'r syniad o gynaliadwyedd. Mae'n bwysig gwerthfawrogi'r ffaith nad dim ond llunio cyfres o gamau gweithredu 'cynaliadwy' yw hyn – mae'n cyfeirio at ffordd o feddwl neu ddull o fyw. Mae'n annog pobl i ystyried materion nid yn unig yn y presennol ond ar gyfer y dyfodol hefyd. O safbwynt daearyddol mae hefyd yn golygu ystyried graddfa ofodol, a deall bod hierarchaeth o brosesau a thirffurfiau, er enghraifft:

Cribyn traeth → Proffil traeth → Traeth cyfan → Bae → Pentir → Cymhlyg bae → Parth arfordirol

Mae angen i'r integreiddio ddigwydd mewn nifer o wahanol ffyrdd:

- rhwng yr holl elfennau yn yr amgylchedd ffisegol
- rhwng sectorau o weithgareddau dynol, e.e. pysgodfeydd, twristiaeth, anheddiad, trafnidiaeth
- rhwng lefelau llywodraethu – lleol, rhanbarthol a chenedlaethol
- rhwng gwledydd – dydy trawsgludo gwaddodion ddim yn stopio wrth gyrraedd ffin gwlad arall
- rhwng safbwyntiau fel rhai gwyddonol, diwylliannol, gwleidyddol, economaidd.

Mae llawer o wledydd wedi mabwysiadu *ICZM*, gan gynnwys gwledydd yr Undeb Ewropeaidd, Seland Newydd ac Iran. Er bod dilyn dull cyfannol yn fanteisiol mewn llawer o ffyrdd, wrth i *ICZM* gael ei weithredu, mae wedi tueddu i ddigwydd 'o'r top i lawr'. Y rheswm dros hynny yw mai sefydliadau sy'n ei weithredu, ac awdurdodau gweinyddol sydd â'r cyfrifoldeb cyfreithiol ac sy'n rheoli'r arian i dalu am gynlluniau. Agwedd arwyddocaol o hyn yw'r cwestiwn ynglŷn â phwy sy'n berchen ar adnoddau fel y dŵr mewn moryd, y storfeydd gwaddodion yn y parth arfordirol neu gymunedau o adar, pysgod cregyn a physgod. Yn debyg i bob cynllun rheoli, y prawf allweddol yw pa mor dda mae'n gweithredu yn y byd go iawn.

Cynlluniau Rheoli Traethlin (CRhT)

Tua diwedd yr ugeinfed ganrif, rhoddwyd strwythur swyddogol i gynlluniau integredig ar gyfer rheoli'r morlin yng Nghymru a Lloegr, yn seiliedig i raddau helaeth ar y systemau celloedd gwaddod (tudalen 44). Roedd nifer o wahanol sefydliadau (er enghraifft Asiantaeth yr Amgylchedd, cynghorau lleol, Adran yr Amgylchedd, Bwyd a Materion Gwledig, *Natural England*, yr Ymddiriedolaeth Genedlaethol) yn cymryd rhan yn y gwaith o gasglu gwybodaeth, ymgynghori, cynllunio a chytuno ar bolisi ar gyfer y rhan o'r morlin roedden nhw'n gyfrifol amdani. Mae amrywiol adolygiadau o'r system cynlluniau rheoli traethlin (CRhT) wedi'u cynnal i fireinio'r ffordd maen nhw'n gweithredu. Y prif nod yw canfod y dulliau mwyaf cynaliadwy o reoli'r risgiau i'r morlin yn sgil llifogydd ac erydiad arfordirol ar draws tri chyfnod amser:

- tymor byr – 0 i 20 mlynedd
- tymor canolig – 20 i 50 mlynedd
- tymor hir – 50 i 100 mlynedd.

Un neges gref yn yr adolygiadau oedd bod rhaid i'r CRhT fod yn 'realistig' a pheidio ag addo pethau nad oes modd eu darparu o safbwynt economaidd a thechnegol. Fodd bynnag, hyd yn oed os yw awdurdod lleol yn penderfynu mabwysiadu CRhT, nid yw hynny'n ei ymrwymo'n llwyr i dalu am weithredu'r polisïau hynny. Yr hyn sy'n bwysig er mwyn asesu'r risgiau yn y tymor hir yw bod cynllunio CRhT yn gorfod bod yn ddigon hyblyg i addasu i newidiadau mewn meysydd fel deddfwriaeth, gwleidyddiaeth ac agweddau cymdeithasol. Er enghraifft, mae'r ffordd mae cymunedau lleol yn deall risg llifogydd a'u hagwedd tuag at dalu am amddiffynfeydd arfordirol yn gallu newid. Mae'n bwysig nad yw'r penderfyniadau sy'n cael eu gwneud yn y tymor byr yn niweidio'r weledigaeth tymor hir ar gyfer CRhT, er enghraifft drwy osgoi ymrwymo cenedlaethau'r dyfodol i dalu am amddiffynfeydd anhyblyg a drud.

Beth yw cynaliadwyedd?

Yn gyffredinol, os yw rhywbeth yn 'gynaliadwy' mae'n bosib ei gynnal neu ei gadw i fynd. Mae cynaliadwyedd wedi dod yn thema sy'n berthnasol i bob math o weithgareddau dynol erbyn hyn, ac mae unrhyw beth sy'n cael y label 'cynaliadwy' yn dod yn rhywbeth cadarnhaol ar unwaith. Ond mae hyn, heb ei gwestiynu, yn gallu cuddio rhai materion sylfaenol pwysig.

Mae'r diffiniad hwn o ddatblygiad cynaliadwy fel '... datblygiad sy'n bodloni anghenion y presennol heb amharu ar allu cenedlaethau'r dyfodol i fodloni eu hanghenion eu hunain' wedi dod yn ddiffiniad poblogaidd ers Comisiwn y Byd ar yr Amgylchedd a Datblygiad yn 1987. Mae pobl yn cyfeirio at hwn fel Adroddiad Brundtland yn aml iawn ar ôl y cadeirydd o Norwy, Gro Harlem Brundtland. Ond, er bod hwn yn ymddangos yn ddiffiniad syml, mae pobl wedi ei ddehongli mewn gwahanol ffyrdd. Mae'n bwysig deall bod cynaliadwyedd yn gysyniad sydd wedi ennyn anghytundeb – mae gan wahanol bobl safbwyntiau gwahanol iawn am yr hyn y dylai ei olygu.

Mae Comisiwn Brundtland wedi derbyn cryn dipyn o feirniadaeth am ei ddibyniaeth ar dechnoleg, am beidio â gwneud digon o ymdrech i ymdrin â'r twf yn y boblogaeth ac am nad yw'n canolbwyntio ar arferion anghynaliadwy corfforaethau trawswladol. Roedd pobl feirniadol yn honni mai nod y Comisiwn oedd cynnal datblygiad yn hytrach na chynnal ecosystemau neu brosesau naturiol. Yn y feirniadaeth hon roedden nhw'n cynnwys sefydliadau fel Banc y Byd oedd wedi croesawu awgrymiadau Brundtland.

Roedd y gynhadledd yn dilyn Adroddiad Brundtland, sef y gynhadledd yn Rio de Janeiro yn 1992, wedi ystyried cynaliadwyedd yng nghyd-destun twf economaidd hefyd. Mae gwahanol safbwyntiau i'w cael am lwyddiant cynhadledd Rio, ond efallai mai ei gyflawniad pwysicaf oedd cadarnhau pwysigrwydd materion amgylcheddol – nawr ac yn y dyfodol.

Mae'n bwysig peidio meddwl am dermau fel 'cynaliadwy' mewn ffordd arwynebol yn unig. Dylai'r termau hyn gael eu hymchwilio a'u hystyried o wahanol safbwyntiau. Efallai nad yw'r pethau sy'n gynaliadwy mewn un lle ac ar un adeg yn gynaliadwy mewn lleoliad arall ar yr un pryd neu ar adeg wahanol.

O fewn y 22 CRhT mwy, cafodd unedau rheoli llai eu sefydlu er mwyn llunio a gweithredu polisïau sy'n briodol i leoliadau mwy lleol. Ar y dudalen nesaf, mae pedwar o'r polisïau hyn, sef Opsiynau Strategol i Amddiffyn yr Arfordir, yn cael eu hystyried (Tabl 7.1).

Opsiwn Strategol	Camau Gweithredu
1 Symud y llinell amddiffyn bresennol ymlaen	Adeiladu amddiffynfeydd ychwanegol rhwng y morlin presennol a'r môr; mae hyn yn debygol o gael ei gyflawni drwy adennill tir
2 Cadw'r llinell amddiffyn bresennol	Cynnal a/neu gryfhau'r amddiffynfeydd presennol i atal unrhyw lifogydd neu erydiad; ailadeiladu waliau môr, codi uchder yr amddiffynfeydd rhag llifogydd, e.e. argloddiau; gosod gatiau llifogydd; ailgyflenwi'r traeth; cynnal yr argorau
3 Adlinio rheoledig	Gadael i brosesau naturiol weithredu i ganiatáu i dirffurfiau fel morfeydd heli ddatblygu sydd wedyn yn gallu gweithredu fel amddiffynfeydd; mae hyn fel arfer yn golygu colli rhywfaint o dir oedd wedi ei ddiogelu cyn hynny ond mewn ffordd dan reolaeth, er enghraifft creu bylchau mewn argloddiau i adael i ddŵr y môr lifo i mewn dros forfa pori i anfeiliaid cyn hynny.
4 Dim ymyrryd gweithredol	Dydy'r gwaith ddim yn atal prosesau naturiol rhag gweithredu felly nid yw'n ymyrryd â phrosesau system y parth arfordirol; gall y gwaith hwn ddigwydd mewn ardaloedd sydd wedi eu diogelu ar hyn o bryd ond a fydd heb eu hamddiffyn yn y dyfodol, yn ogystal ag ardaloedd heb unrhyw amddiffynfeydd.

▲ **Tabl 7.1** Opsiynau amddiffyn arfordirol

DADANSODDI A DEHONGLI

Astudiwch Tabl 7.2, sy'n dangos graddfa enciliad y morlin yn Walton-on-the-Naze, Essex, dwyrain Lloegr, rhwng 1300 a 2000.

Cyfnod amser	Tir wedi'i golli (km)	Cyfradd colli tir (metrau/blwyddyn)
1300–1600	4.8	
1601–1777	0.8	
1778–1950	0.6	
1951–2000	0.1	2

▲ **Tabl 7.2** Cyfradd yr enciliad arfordirol yn Walton-on-the-Naze, Essex, dwyrain Lloegr, 1300–2000

(a) Gan ddefnyddio Tabl 7.2, cyfrifwch y gyfradd colli tir mewn metrau y flwyddyn ar gyfer pob un o'r tri chyfnod amser sydd heb eu nodi.

CYNGOR

Er bod hyn yn syml, mae rhai pwyntiau i'w trin yn ofalus wrth wneud y cyfrifiad hwn. Mae'r tir wedi'i golli i'w weld mewn cilometrau felly mae'n rhaid trosi hyn yn fetrau. Yna, mae angen cyfrifo nifer y blynyddoedd yn y cyfnod amser er mwyn gallu cyfrifo'r gyfradd colli tir mewn metrau y flwyddyn. Fel pwynt cyffredinol, mae hi bob amser yn bwysig nodi uned unrhyw ddata a gwybod yn glir pa unedau mae'n rhaid eu defnyddio yn yr ateb.

(b) Gan ddefnyddio Tabl 7.2, awgrymwch resymau dros yr amrywiadau yn y gyfradd colli tir ers y flwyddyn 1300.

CYNGOR

Mae'n ddefnyddiol nodi'n gyntaf beth yw patrwm y colli tir yn fras. Mae hyn yn rhoi'r fframwaith i chi ar gyfer adeiladu ymateb sy'n delio â'r rhesymau posibl. O'r bedwaredd ganrif ar ddeg hyd heddiw, mae'r gyfradd colli tir wedi lleihau. Os byddwch chi'n ystyried y ffactorau sy'n dylanwadu ar y system clogwyni (tudalen 54) bydd hyn yn eich helpu i gadw ffocws yr ateb ar enciliad clogwyni. Mae'n amlwg bod y darn hwn o forlin wedi erydu ar gyfradd eithaf cyflym, ac mae'r gyfradd colli tir dros y degawdau diwethaf hyd yn oed yn uchel o'i chymharu â nifer o leoliadau. Felly, mae'n annhebygol bod mesurau wedi cael eu gweithredu i arafu neu atal erydiad, er enghraifft draenio clogwyni neu rip rap ar waelod y clogwyni. Wrth i glogwyni erydu drwy gyfuniad o brosesau morol ac isawyrol, mae hen wyneb y clogwyn yn dymchwel i waelod y clogwyn. Yma mae'r defnydd yn cael ei dorri i lawr ymhellach nes bydd yn ddigon bach i weithred y tonnau allu ei drawsgludo. Wrth i glogwyni barhau i encilio, mae llyfndir glannau yn datblygu. Dros amser, mae lefel egni'r tonnau sy'n gallu cyrraedd wyneb y clogwyn yn lleihau, gan wneud prosesau erydu morol, fel sgrafelliad, yn llai effeithiol. Mae hyn yn golygu mai prosesau isawyrol yw'r prif rym sy'n gweithredu ar y clogwyn. Y gostyngiad hwn o ran egni tonnau (gan fod y llyfndir glannau yn mynd yn fwy llydan) sy'n cyrraedd y system clogwyni benodol hon a allai fod yn bennaf gyfrifol am arafu cyfradd yr enciliad.

(c) Archwiliwch beth yw gwerth dewis dull rheoli cynaliadwy i amddiffyn yr arfordir.

CYNGOR

Ystyr 'archwilio' yw ystyried rhywbeth yn ofalus; yn yr achos hwn rhaid i chi ystyried gwerth dull rheoli cynaliadwy wrth amddiffyn yr arfordir. Yn gyntaf, gallech chi drafod ychydig am ystyr 'cynaliadwy'. Dydy hyn ddim yn syniad syml oherwydd mae pobl yn anghytuno am ei ystyr – hynny yw, mae'r farn am yr hyn y dylai 'cynaliadwy' ei gynnwys yn amrywio. Er enghraifft, efallai fod gan ddarn o forlin sy'n agored i niwed grŵp o dai yn agos at frig y clogwyn. Yn y tymor byr, y degawd nesaf, efallai byddai'n fanteisiol amddiffyn y clogwyni rhag dymchwel ymhellach. Ond, yn y tymor hir, y 50 i 100 mlynedd nesaf, efallai na fydd hi'n bosibl cyfiawnhau talu costau amddiffyn y clogwyni. Mae'n werth ystyried gwahanol feysydd o gynaliadwyedd hefyd – cynaliadwyedd economaidd, cymdeithasol ac amgylcheddol. Gallai cynllun amddiffyn arfordirol fod yn gynaliadwy yn economaidd ond mae'r effeithiau'n arwain at broblemau amgylcheddol, fel aflonyddu symudiad gwaddod o fewn cell. Drwy ystyried 'gwerth' mae hyn yn gallu codi'r thema o wahanol fathau o gynaliadwyedd. A yw'n bosibl cymharu gwerth diogelu cartrefi neu isadeiledd fel llwybrau trafnidiaeth gyda gwerth estheteg tirwedd? Beth sy'n cael ei golli a'i ennill pan fydd amddiffyn yr arfordir yn cynnwys peirianneg galed, peirianneg feddal neu ddim peirianneg o gwbl?

ASTUDIAETH ACHOS GYFOES: RHEOL TRAETHLIN, DWYRAIN DYFNAINT

Mae'r darn hwn o forlin yn rhan o gynllun rheoli traethlin (CRhT) de Dyfnaint a Dorset. Mae'r CRhT wedi ei rannu yn unedau polisi graddfa fach, ac mae 28 o'r rhain yn ardal moryd Afon Exe. Yn yr ardal hon, Ardal Senario Polisi 8 (PSA8), mae nifer o aneddiadau mawr, fel Exeter, Exmouth a Dawlish, a nifer o rai llai. Moryd Afon Exe sy'n dominyddu PSA8 ac mae'n ardal hanfodol yn amgylcheddol. Mae'n Ardal Gwarchodaeth Arbennig, yn safle **Ramsar** ac yn *SSSI*, gan ei fod yn safle rhyngwladol bwysig i boblogaethau adar sy'n canfod bwyd a lloches yn yr amrywiaeth eang o gynefinoedd sydd i'w cael yn y foryd. Ar lannau'r foryd ac ar ddarn o'r arfordir i'r de-orllewin, mae llinellau rheilffordd i'w cael: mae un yn daith bwysig i weithwyr sy'n mynd o Exmouth i Exeter, a'r llall yw'r prif gysylltiad rheilffordd rhwng rhanbarth de-orllewin Lloegr a gweddill y rhwydwaith rheilffordd cenedlaethol.

Os bydd lleoliad yn cael ei ddynodi'n safle Ramsar, mae'n dangos ei fod yn enghraifft o lywodraethu byd-eang llwyddiannus. Dyma oedd y cytundeb cyntaf rhwng gwahanol wledydd, gyda'r bwriad o ddiogelu adnoddau naturiol, a daeth hwn i fodolaeth yn 1971. Mae'n rhaid cael cytundebau a gorfodaeth ryngwladol gan fod rhai arweddion yn ymestyn dros ffiniau cenedlaethol, er enghraifft llynnoedd a deltâu, ac mae llwybrau ymfudo nifer o rywogaethau, fel adar gwyllt, yn croesi ffiniau gwledydd.

Y polisi sydd wedi ei fabwysiadu amlaf gan yr adolygiad diweddaraf o'r CRhT ar gyfer y foryd a'r morlin gerllaw yw 'Cadw'r llinell amddiffyn bresennol' ynghyd â rhai adrannau sy'n dilyn polisi 'Dim ymyrryd gweithredol'. Mae'r rhain yn berthnasol dros y tymor byr, canolig a hir er bod rhai wedi awgrymu y byddai'n syniad ystyried y posibilrwydd o wneud gwaith adlinio rheoledig.

Dyma'r prif faterion i'w hystyried yn PSA8:

- sut i reoli'r tafod yn Dawlish Warren
- gwasgfa arfordirol ar hyd y darnau hynny o dir lle mae angen cynnal yr amddiffynfeydd
- o bosibl, adlinio rheoledig mewn rhai lleoliadau er mwyn creu cynefinoedd newydd i wneud iawn am y mannau lle mae gwasgfa arfordirol wedi arwain at golli cynefinoedd
- amddiffyn y morlin agored yn Dawlish ac Exmouth mewn ffordd gynaliadwy yn y tymor hir.

 TERMAU ALLWEDDOL

Ramsar Yr enw ar y Confensiwn Rhyngwladol ar Wlyptiroedd o Bwysigrwydd Rhyngwladol yw Confensiwn Ramsar. Mae'n gytundeb rhyngwladol (ac yn enghraifft o lywodraethu byd-eang) sy'n darparu fframwaith ar gyfer gweithredu cenedlaethol a rhyngwladol ac ar gyfer cydweithredu i ddefnyddio a gwarchod gwlyptiroedd.

SSSI Safle o Ddiddordeb Gwyddonol Arbennig (*Site of Special Scientific Interest*) yw lleoliad sydd wedi ei ddynodi oherwydd ei bwysigrwydd gwyddonol eithriadol. Gall *SSSI* fod o bwysigrwydd daearegol neu ecolegol.

Er mwyn deall rhywfaint o'r rhyngweithio cymhleth mae angen ei ystyried wrth reoli darnau o'r morlin, mae'n bwysig gwerthfawrogi eu cefndir ffisegol.

ASTUDIAETH ACHOS GYFOES: MORYD AFON EXE

Mae basn moryd Afon Exe yn arfordir egni isel, graddfa leol sydd wedi bod yno ers amser maith iawn, o bosibl ers y cyfnod Trydyddol hwyr (c. 2–5 miliwn o flynyddoedd yn ôl). Pan ostyngodd lefel y môr yn ystod rhewlifiannau'r Pleistosen, roedd sianeli'r afon wedi cloddio'n ddwfn i mewn i'r foryd ac yn ymestyn allan i'r man lle mae'r môr heddiw. Cafodd y sianeli hyn eu llenwi â gwaddodion afonol wrth i'r hinsawdd gynhesu ar ddiwedd yr oes iâ ddiwethaf.

Wrth i lefel y môr godi yn ystod cyfnod yr Holosen (tudalen 117) cafodd symiau mawr o waddodion eu symud atraeth. Roedd y gwaddodion hyn wedi eu creu gan y prosesau afonol a ffinrewlifol oedd yn gweithredu dros yr ardal eang a ddaeth i'r golwg pan ostyngodd lefel y môr. Arafodd y cynnydd yn lefel y môr, a thua 6000 o flynyddoedd yn ôl, daeth morlin i fodolaeth oedd yn debyg iawn i'r un sydd yno heddiw.

▲ **Ffigur 7.15** Aber moryd Afon Exe yn edrych tua'r gogledd-orllewin, gyda phen pellaf tafod Dawlish Warren ar y chwith a thref Exmouth ar y dde. Mae cyfeiriad dŵr yr Exe yn mynd i'r dde wrth symud i fyny'r afon

Erbyn hyn, mae'r parth arfordirol gan gynnwys y foryd yn system gymhleth o dirffurfiau a nodweddion wedi eu creu gan bobl:

- Moryd Afon Exe – ria 3000 hectar, tua 13 cilometr o hyd.

- Tafod Dawlish Warren – tirffurf tywod 2 gilometr yn ymestyn ar draws ochr orllewinol aber y foryd a gafodd ei ffurfio gan drawsgludiad ar hyd y glannau tua'r gorllewin a thua'r lan yn ystod yr Holosen; mae clogwyni Holcombe a Thraeth Dawlish i'r de-orllewin yn darparu cyflenwad cyfyngedig o waddod ffres gan fod y wal fôr a'r rheilffordd sy'n rhedeg ar hyd y lan yn ffurfio rhwystr sy'n atal erydiad a thrawsgludiad morol.

- Tafod Exmouth – tirffurf tywod bach (800 metr) yn ymestyn tua'r dwyrain ar draws ochr ddwyreiniol aber y foryd mewn ffordd debyg i dirffurf Dawlish Warren. Roedd yr egni ar gyfer trawsgludo tywod wedi dod o donnau a gwyntoedd dwyreiniol. Mae rhan o dref Exmouth wedi ei hadeiladu dros y traethlin erbyn hyn ac mae'r traethlin wedi ei amddiffyn yn gyfan gwbl gan wal fôr sylweddol a phromenâd.

- Traeth Exmouth – traeth tywodlyd 3 cilometr yn ymestyn tua'r dwyrain o ddociau Exmouth yn aber y foryd. Cafodd system twyni tywod fach ei dinistrio gan stormydd difrifol yng ngaeaf 2013/14. Mae rhywfaint o gyflenwad tywod yn dod o glogwyni Orcombe i'r dwyrain.

- Banciau tywod – mae Pole Sands yn gorwedd rhwng y môr ac aber y foryd, ac mae Bull Hill Bank yn gorwedd rhwng y tir ac aber y foryd. Mae gwaddodion yn symud yn ddynamig i mewn ac allan o'r ddwy storfa gwaddodion hyn, yn dibynnu ar geryntau'r llanw a'r afon, ac egni'r tonnau.

- Fflatiau tywod a llaid a morfa heli o fewn amgylchedd egni tonnau isel y foryd. Mae'r rhain yn suddfannau gwaddodion ar gyfer defnydd sy'n cael ei gludo i lawr gan afonydd a'i gario i mewn gan fewnlif y llanw (rheolaidd) ac ymchwyddiadau storm (anaml).

Mae symudiadau gwaddod yn rhyngweithiadau allweddol ymhlith tirffurfiau mewn amgylchedd egni isel (Ffigur 7.16).

Mae llif o ddefnydd, tywod gan fwyaf, ar hyd yr arfordir o'r de-orllewin a'r dwyrain, a llif o dywod wedi ei yrru gan y

▲ **Ffigur 7.16** Symudiad gwaddodion o fewn ac o amgylch moryd Afon Exe

tonnau o'r banciau tywod alltraeth yn aber y foryd. Hefyd, mae mewnbynnau o waddodion yn dod o ffynonellau afonol – rhywfaint ohono yn nŵr Afon Exe a'r gweddill wedi ei drawsgludo gan lednentydd llai sy'n mynd i mewn i'r foryd ar hyd ei hochrau. Mae gwaddod hefyd yn symud o fewn ac allan o'r foryd. Mae tonnau, llanw, arllwysiad yr afon a gwaddod, ynghyd ag ymyriadau dynol, yn rhyngweithio i greu tirwedd gyffredinol a thirffurfiau nodweddiadol yr ardal.

Tafod Dawlish Warren yw'r tirffurf mwyaf arwyddocaol yn nhirwedd moryd Afon Exe. Mae'n diffurf dynamig, ac mae ei hanes geomorffolegol wedi'i gofnodi mewn mapiau cyfoes a chyfrifon ysgrifenedig o'r gorffennol, yn ogystal â thechnegau tirfesur y byd modern (Ffigur 7.17).

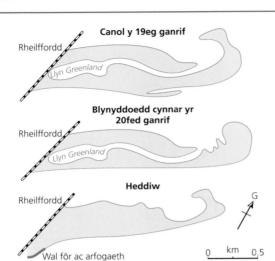

Canol y 19eg ganrif

Rheilffordd

Llyn Greenland

Blynyddoedd cynnar yr 20fed ganrif

Rheilffordd

Llyn Greenland

Heddiw

Rheilffordd

G

0   km   0,5

Wal fôr ac arfogaeth greigiog

▲ **Ffigur 7.17** Newidiadau yn siâp a maint Dawlish Warren

Y duedd yn y tymor hir yw bod y tafod yn troi'n wrthglocwedd yn raddol i mewn i'r foryd. Mae tystiolaeth o gofnodion hanesyddol yn dangos bod y tafod wedi mynd drwy gyfnodau o ddiffyg gwaddod a **chroniant** gwaddod. Yn yr 1930au roedd cymuned o dai haf ar y pen pellaf ond erbyn 1946 roedd stormydd wedi golchi'r rhain i ffwrdd. Mae'r 'bachyn' dwyreiniol yn cronni gwaddod erbyn hyn ond mae'r lan ddeheuol yn erydu, ac mae perygl go iawn y bydd y môr yn dod dros y darn tenau iawn os bydd storm. Yn amddiffyn y pen procsimol mae waliau môr mawr ac arfogaeth greigiog.

Dydy'r darn hwn o forlin ddim yn derbyn y mewnbynnau egni uchel cyfartalog sy'n taro rhai mannau creigiog, a dyddodiad yw'r brif broses yn y foryd, er enghraifft ffurfiant fflatiau llanw a morfeydd heli. Ond, rhaid cofio hefyd mor ddylanwadol yw'r llifoedd egni o safbwynt yr ecosystemau yn y foryd. Mae'n bwysig nodi bod symudiadau gwaddod sylweddol yn digwydd a bod digwyddiadau egni uchel bob hyn a hyn yn gallu gwneud 'gwaith' geomorffolegol sylweddol drwy addasu tirffurfiau fel erydiad twyni. Ar un cyfnod roedd rhywfaint o dwyni tywod yn rhan o'r morlin yn Exmouth ond cafodd y rhain eu dinistrio bron i gyd gan nifer o stormydd egni uchel yn y 15 mlynedd diwethaf.

Rheoli moryd Afon Exe

Mae amrywiol gynlluniau a pholisïau ar waith yn y foryd; mae rhai yn cynorthwyo ei gilydd ac mae eraill yn gwrth-ddweud ei gilydd. Yn debyg i bob lleoliad o'r fath, mae amrywiaeth o randdeiliaid yn gysylltiedig â'r foryd. Mae gan y rhanddeiliaid hyn safbwyntiau lleol, rhanbarthol, cenedlaethol a rhyngwladol sy'n bodoli ar draws nifer o gyfnodau amser – o'r tymor byr i'r tymor hir (Ffigur 7.18).

Mae mwy na 150 000 o bobl yn byw'n agos at foryd Afon Exe ac mae'r nifer hwn yn chwyddo pan ddaw ymwelwyr, yn enwedig yn ystod tymor gwyliau'r haf. Mae gan y foryd bwysigrwydd rhyngwladol oherwydd ei bywyd gwyllt. Mae nifer o gymunedau a busnesau wedi sefydlu ar hyd y morlin, ac ynghyd â'r ffermwyr a'r llwybrau trafnidiaeth ar lannau gorllewinol a dwyreiniol y foryd, maen nhw'n dibynnu ar yr amddiffynfeydd yn erbyn erydiad a llifogydd. Cafodd yr amddiffynfeydd hyn eu hadolygu ac maen nhw'n rhan o'r polisïau cynlluniau rheoli traethlin (CRhT) presennol (tudalennau 195–6).

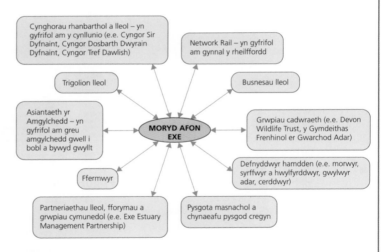

▲ **Ffigur 7.18** Rhanddeiliaid sy'n gysylltiedig â rheoli moryd Afon Exe

🔑 **TERM ALLWEDDOL**

Croniant Rhywbeth yn adeiladu'n raddol.

Cynllun rheoli traeth Dawlish Warren – cyfuniad o beirianneg galed a pheirianneg feddal

Dyma'r heriau mwyaf yn ymwneud â rheoli Dawlish Warren:

■ Mae'r twyni tywod sy'n wynebu tua'r môr yn erydu'n gyflym ar hyd y rhan fwyaf o'r tafod.

■ Mae'r Ardal Cadwraeth Arbennig yn cael ei difrodi gan y caergewyll a osodwyd yno yn yr 1960au a'r 1970au.

■ Pe bai'r môr yn torri drwy'r gwddf cul, byddai'r cynnydd mewn egni tonnau a dyfnder y dŵr yn y foryd yn bygwth pobl (tai, busnesau, trafnidiaeth, tir amaethyddol) a bywyd gwyllt (cynefinoedd).

Mae'r strategaeth, a sefydlwyd ym mis Mai 2014, yn canolbwyntio ar gamau gweithredu sy'n ofynnol erbyn 2030 ond hefyd yn edrych ymlaen dros y 100 mlynedd nesaf. Y dull gweithredu ar gyfer yr ardal o amgylch anheddiad Dawlish Warren ac ar hyd y rheilffordd yw 'Cadw'r Llinell'. Roedd y strategaeth yn awgrymu hefyd y dylai'r tafod barhau i weithredu fel rhwystr i donnau storm. Hefyd, gallai cyfaint y traeth gael ei godi a byddai hyn, yn ei dro, yn gadael i'r system twyni adfywio oherwydd byddai llai o egni tonnau yn cyrraedd blaen y twyni (Ffigur 7.19).

Dyma rai o nodweddion allweddol y cynllun:

■ Cost o £14 miliwn → buddion posibl o £158 miliwn

■ Wedi'i ddechrau yn Ionawr 2017 a'i gwblhau yn Hydref 2017

■ 250 000 m³ o dywod wedi'i bwmpio i'r traeth o Pole Sands

■ Geotiwb 460 metr o hyd wedi ei gladdu yn y twyni ar draws gwddf y tafod; mae'n cynnwys tywod wedi ei bwmpio i mewn i fagiau enfawr 2.85 metr o uchder wedi'u gwneud o geotecstil (polyester wedi'i wehyddu sy'n athraidd)

■ Argorau pren wedi'u hymestyn yn hirach a'u cryfhau (Ffigur 7.10)

■ Ffensys wedi'u gosod dros dwyni i'w helpu i adfywio.

Roedd pobl yn ymwybodol o'r dechrau y byddai llifoedd egni drwy'r parth arfordirol yn dechrau achosi adborth cyn gynted ag y byddai'r cynllun yn dod i ben. Mae tywod yn cael ei symud, mae proffiliau ac uwcholwg y traeth yn newid ac mae'r twyni'n addasu. Yn y tymor canolig a'r tymor hir, y cynllun rheoli traethlin (CRhT) ar gyfer y tafod yw caniatáu Adlinio Rheoledig a Dim Ymyrryd Gweithredol, er y gallai'r gofynion newid dros gyfnod amser mor hir â hyn. Dydy effeithiau newid hinsawdd dros y tymor canolig a'r tymor hir ddim yn mynd i fod yn syml i'w rheoli.

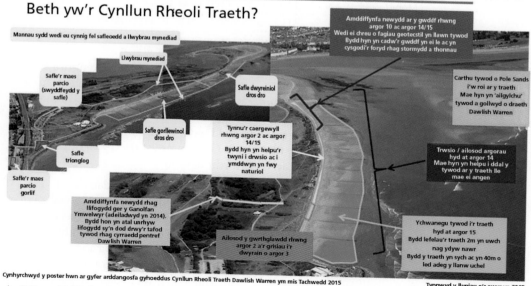

▲ **Ffigur 7.19** Cynllun Rheoli Traeth Dawlish Warren

Dull newydd o fodelu esblygiad arfordirol – MSAM

Hyd yn hyn, mae rheoli arfordirol wedi dibynnu ar y syniad o gyllideb waddod yng nghyd-destun hierarchaeth celloedd morlannol neu gelloedd gwaddod (tudalen 44). Roedd defnyddio unedau naturiol y morlin yn llawer gwell na dibynnu ar ffiniau gweinyddol fel siroedd. Ond, mae pobl yn dechrau cydnabod erbyn hyn bod cyfyngiadau i'r dull celloedd gwaddod:

- yn bennaf, mae celloedd yn adlewyrchu trosglwyddiad gwaddod maint canolig i fawr dros bellter byr
- dydyn nhw ddim yn adlewyrchu symudiadau gwaddod mân, yn enwedig dros bellteroedd hirach
- mae pryderon ynglŷn â'r ffordd o amffinio (delimit) y celloedd
- mae pryderon ynglŷn â pha mor sefydlog fydd ffiniau celloedd yn y dyfodol wrth i lefel y môr godi ac wrth i egni tonnau newid
- mae pryderon ynglŷn â newidiadau yn y cyflenwad gwaddodion sydd ar gael yn y parth arfordirol ac sy'n mynd i mewn iddi.

Un dull sy'n dechrau cael ei archwilio yw'r dull Mapio Systemau Arfordirol a Morydol (MSAM). Mae hyn yn dod â morlinau agored, y sgafell alltraeth mewnol a'r morydau at ei gilydd – elfennau oedd yn cael eu trin fel unedau ar wahân yn y gorffennol. Un ffactor allweddol sydd wedi gyrru'r newid hwn yw'r ffaith bod angen ystyried sut mae systemau arfordirol a morydol yn rhyngweithio ac yn newid ar raddfa sy'n allweddol ar gyfer rheoli.

Mae cymhlygau tirffurfiau (landform complexes), sef grwpiau o dirffurfiau, i'w cael ym mhob un o'r tair uned arfordirol gynradd.

Amgylchedd arfordirol cynradd	Enghreifftiau o gymhlygau tirffurfiau
Arfordir agored	Pentir, bae, barynys, penrhyn cysbaidd
Moryd	Ffiord, ria, cilfach llanw
Sgafell fewnol	Banciau tywod alltraeth ac amrywiol storfeydd gwaddodion

▲ **Tabl 7.3** Unedau arfordirol cynradd a'u tirffurfiau

Mae cyfres o dirffurfiau gan bob cymhlyg tirffurfiau. Er enghraifft, gallai bae gynnwys llyfndir glannau, traeth, cribynnau traeth (cefnenau) a thwyni. Mae'n bosibl canfod yr un tirffurf mewn mwy nag un math o gymhlyg tirffurfiau. Yn aber moryd Afon Exe, er enghraifft, mae Pole Sands yn ddelta trai (gwaddod sydd wedi cronni ar ôl cael ei ddyddodi gan y llanw'n gostwng neu'r trai). Gallwn ni ystyried y tirffurf hwn yn rhan o'r foryd neu'n rhan o'r arfordir agored.

Hefyd, mae MSAM yn cydnabod rôl bwysig gweithgareddau dynol – er enghraifft, adeiladu strwythurau amddiffyn yr arfordir (argorau, waliau môr) a pheirianneg fel ailgyflenwi'r traeth. Unwaith mae'r rhain wedi cael eu nodi, eu categoreiddio a'u mapio, mae'n bosibl adnabod unrhyw ryngweithio rhwng y cydrannau. Mae rhywfaint o'r rhyngweithio'n ymwneud ag addasu proses – er enghraifft, mae tonfur yn cysgodi ardal rhag gweithred y tonnau – ac mae rhyngweithiadau eraill yn ymwneud â llifoedd gwaddodion, clogwyni a'r traeth.

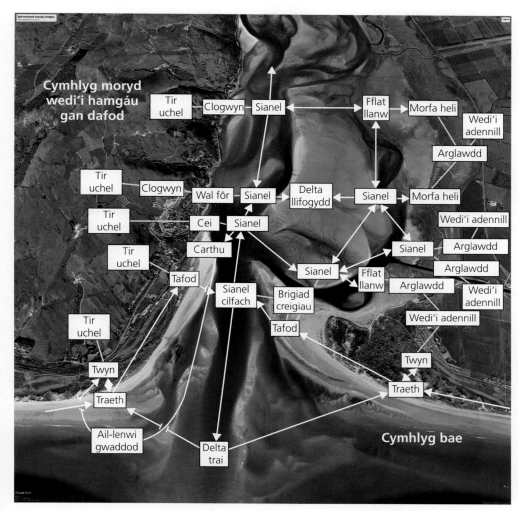

▲ **Ffigur 7.20** Defnyddio dull MSAM ar foryd sydd wedi ei hamgáu gan dafod, gan dynnu sylw at y tirffurfiau sydd yno a'r rhyngweithio sy'n digwydd rhyngddyn nhw

Unwaith mae'r amrywiol elfennau wedi eu nodi, gallan nhw gael eu rhoi mewn **System Gwybodaeth Ddaearyddol** (*GIS: Geographic Information System*) sy'n gadael i haenau o ddata – er enghraifft daeareg a dyfnder dŵr – gael eu hychwanegu neu eu tynnu allan wrth i'r dadansoddiad fynd yn ei flaen. Agwedd allweddol arall ar ddull MSAM yw adeiladu matricsau sy'n dangos pa mor debygol yw'r rhyngweithio rhwng elfennau, fel llifoedd gwaddodion rhwng traeth a moryd. Mae MSAM hefyd yn awgrymu sefyllfaoedd gwahanol posibl ar gyfer morlin yn y dyfodol, fel rhwystr yn torri a'r effeithiau posibl ar wahanol dirffurfiau.

🔑 **TERM ALLWEDDOL**

System Gwybodaeth Ddaearyddol (*GIS*)
System gyfrifiadurol integredig ar gyfer storio, prosesu a dadansoddi data gofodol.

Agwedd bwysicaf y dull MSAM mae'n debyg yw ei fod yn caniatáu rôl i bobl sydd ddim yn wyddonwyr. Yn draddodiadol, mae rheoli arfordirol wedi bod yn ddull 'o'r top i lawr' ar gyfer ymgynghorwyr, peirianwyr a chynllunwyr, hyd yn oed pan fydd ymgynghoriadau cyhoeddus. Gan fod y meddalwedd a ddatblygwyd ar gyfer MSAM yn ffynhonnell agored sydd ar gael i unrhyw un, gall cymunedau ddod at ei gilydd i greu model o forlin. Gan fod y morlin yn wynebu degawdau o newid graddol, os yw'r bobl sy'n byw ar hyd yr arfordir yn cyfrannu at y gwaith o gynllunio a rheoli'r arfordir, mae'n fwy tebygol y bydd penderfyniadau priodol yn cael eu gwneud.

4 Gwerthuso'r mater

▶ *Trafod y farn bod amddiffynfeydd arfordirol caled yn achosi mwy o broblemau nag y maen nhw'n eu datrys.*

Adnabod cyd-destunau posibl ar gyfer astudio amddiffynfeydd arfordirol

Wrth i ddwysedd y gweithgareddau dynol gynyddu yn y parth arfordirol – yn arbennig aneddiadau, llwybrau trafnidiaeth, amaethyddiaeth a hamdden ar hyd morlinau – mae rhyngweithio rhwng yr amgylchedd naturiol a phobl yn gallu achosi problemau. Un o'r problemau yw sut i reoli prosesau ffisegol sy'n gweithredu ar hyd yr arfordir pan fydd gweithgareddau dynol dan risg oherwydd yr union broblemau hynny. Mae cymunedau arfordirol o amgylch y byd yn wynebu trafferthion oherwydd erydiad clogwyni a llifogydd gan ddŵr y môr.

Y dull traddodiadol o amddiffyn gweithgareddau dynol rhag prosesau morol, fel egni tonnau ac ymchwyddiadau storm, yw adeiladu strwythurau 'caled' mawr, sydd wedi eu llunio i gadw'r môr i ffwrdd. Mae'r strwythurau hyn wedi caniatáu i amrywiaeth eang o weithgareddau dynol fodoli a ffynnu, ond yn ddiweddar mae pobl wedi bod yn ailwerthuso'r dulliau amddiffyn i ganfod y ffordd orau o ryngweithio â'r môr.

Thema arall i'w hystyried yw'r ffaith bod dull 'caled' o reoli mannau arfordirol arbennig o bwysig yn gallu golygu bod materion llywodraethu lleol, cenedlaethol a hyd yn oed rhyngwladol yn gallu codi, gan greu tensiwn neu ddadl yn aml iawn. Dylai'r drafodaeth hefyd ystyried ar ba sail mae rhai mannau'n cael eu hamddiffyn tra bod eraill heb eu hamddiffyn. Yn y Cynlluniau Rheoli Traethlin ar gyfer arfordir Cymru a Lloegr, mae penderfynu pa un o'r pedwar dull i'w ddefnyddio ar gyfer unrhyw segment yn gymhleth. Os oes gan amrywiol gyfranogwyr safbwyntiau gwahanol ar y ffordd orau o reoli'r arfordir, mae gwneud penderfyniadau'n gallu bod yn anodd. Efallai fod un cyfranogwr yn canolbwyntio ar gadwraeth y bywyd gwyllt ac efallai fod gan un arall fuddiannau amaethyddol i'w hyrwyddo. Ac mae'n rhaid ystyried hefyd pwy sy'n mynd i ddarparu'r arian ar gyfer y gwaith rheoli.

Mae'n bosibl edrych ar y mater mewn gwahanol ffyrdd wrth benderfynu beth sydd werth ei amddiffyn a beth sydd ddim. A yw amddiffyn gweithgareddau economaidd yn bwysicach nag amddiffyn tirwedd neu leoliad? Faint o bwyslais ddylai fod ar gadwraeth ecosystemau? Yn y cyd-destun hwn, mae'r sylw a'r arian cynyddol sy'n cael eu rhoi i wasanaethau ecosystem yn bwysig iawn. Mewn rhai lleoliadau mae materion yn ymwneud â llywodraethu rhyngwladol i'w hystyried hefyd. Mae rôl sefydliad rhyngwladol fel *UNESCO* yn y broses o benderfynu statws Safle Treftadaeth Byd, ar gyfer yr Arfordir Jwrasig er enghraifft, yn ychwanegu ffactor cymhleth arall at yr ystyriaethau amddiffyn arfordirol ar lefel lleol neu ranbarthol.

Safbwynt 1: Mae amddiffynfeydd caled yn helpu i ddatrys problemau sy'n codi o systemau arfordirol

Drwy adeiladu strwythurau caled mae pobl wedi cael cyfle i wneud nifer o wahanol weithgareddau sydd wedi bod o fantais iddyn nhw. I ddechrau, roedd ceiau pren syml yn caniatáu i gychod gael eu clymu ac roedd argloddiau ar y tir wedi arwain at greu caeau pori ar gyfer gwartheg a defaid. Wrth i'r canrifoedd fynd heibio, ac yn arbennig o flynyddoedd hwyr y ddeunawfed ganrif, mae cynnydd o ran uchelgais a gallu peirianyddol wedi caniatáu i bobl weithredu cynlluniau ar raddfa fawr. Mae dinasoedd porthladd fel Lerpwl, Hamburg, Singapore a Los Angeles wedi tyfu o ganlyniad i beirianneg galed ar hyd yr arfordir. Mae dulliau amddiffyn arfordirol wedi arwain at bob math o aneddiadau trefol yn ymddangos, gan ddarparu cartrefi a mannau gweithio i filiynau o bobl. Mewn lleoliadau fel Hong Kong neu Singapore lle mae pwysau mawr am le, mae amddiffynfeydd caled yn allweddol er mwyn adennill tir a darparu cartrefi i bobl a mannau iddyn nhw weithio. Mae pobl sy'n byw yn y mewndir hefyd yn elwa o waliau môr, dociau a glanfeydd. Gallan nhw fasnachu drwy borthladd, gan fewnforio ac allforio nwyddau. Mae proses globaleiddio'n dibynnu ar borthladdoedd morol gyda'u systemau peirianneg galed a'r isadeiledd cysylltiedig.

Mae twristiaeth a hamdden wedi elwa o strwythurau fel waliau môr a phromenadau gan eu bod wedi gadael i drefi gwyliau dyfu, yn aml iawn ar dir oedd yn gorsiog neu'n ansefydlog cyn hynny. Drwy adeiladu argorau cafodd traethau eu sefydlogi, gan gronni tywod i annog ymwelwyr.

Mae'r risg o lifogydd wedi bod yn arwyddocaol erioed ar hyd morlinau, yn enwedig rhai ar dir

isel fel arfordiroedd dwyreiniol UDA a Lloegr a'r Gwledydd Isel (yr Iseldiroedd a Gwlad Belg). Diolch i'r cilometrau o amddiffynfeydd caled, mae miliynau o bobl a niferoedd enfawr o ffermydd, ffatrïoedd a mathau eraill o weithgareddau economaidd yn cael eu hamddiffyn. Mae ynys-wladwriaethau ar dir isel yn troi at beirianneg galed i gynnig o leiaf rhywfaint o ddiogelwch tymor canolig yn erbyn y cynnydd yn lefel y môr. Mewn ynys-wladwriaethau yng Nghefnfor India a'r Cefnfor Tawel, fel y Maldives, mae'r trigolion wrthi'n adeiladu amddiffynfeydd caled i'w diogelu yn erbyn y cynnydd yn lefel y môr.

Safbwynt 2: Gall amddiffynfeydd arfordirol greu problemau newydd mewn systemau arfordirol

Pan gafodd waliau môr eu codi y tro cyntaf, roedden nhw fel pe baen nhw'n rhoi'r fantais i bobl yn y frwydr yn erbyn y môr. Ond, wrth i'r degawdau fynd heibio, roedd gweithred di-dor y tonnau a'r ewyn wedi treulio'r concrit, y garreg a'r dur fel bod yr amddiffynfeydd wedi torri. Mewn rhai mannau, roedd cymunedau wedi buddsoddi cymaint o arian yn adeiladu ar dir oedd wedi'i amddiffyn gan beirianneg galed, doedd dim dewis ganddyn nhw ond trwsio ac ailadeiladu'r amddiffynfeydd. Un enghraifft glasurol o hyn yw'r rheilffordd ar hyd arfordir Dyfnaint heibio i Dawlish. Cafodd y rheilffordd ei hadeiladu gan y peiriannydd a'r athrylith Brunel yng nghanol y bedwaredd ganrif ar bymtheg, ac erbyn hyn mae'n gynyddol agored i effaith grymoedd y môr pan fydd stormydd yn digwydd. Does dim dewis arall ar hyn o bryd ond buddsoddi arian i gynnal a chadw'r cledrau gan mai dyma'r unig daith rheilffordd i mewn i Dde-orllewin Lloegr y tu hwnt i Exeter.

Cafodd nifer o argorau eu hadeiladu yn chwarter olaf y bedwaredd ganrif ar bymtheg a thrwy gydol yr ugeinfed ganrif mewn gwledydd fel y DU, Ffrainc,

UDA a Japan. Roedd hi'n amlwg bod argorau'n gallu arafu cyfradd drifft y glannau a dal gwaddod yn llwyddiannus a'u bod nhw'n gwneud yn union beth cawson nhw eu codi i'w wneud. Er nad oedden ni'n deall hyn tan yn eithaf diweddar, rydyn ni'n gwerthfawrogi erbyn hyn fod lleoliadau sydd ymhellach i lawr na'r llif gwaddod wedi eu gadael yn agored i ymosodiad tonnau wrth i'w traethau leihau o ran lled a thrawstoriad. Mae'n bosibl gweld bod erydiad y clogwyni yn Barton-on-Sea, a'r bygythiad y bydd dŵr yn dod dros dafod Hurst Castle ychydig ymhellach i'r dwyrain, wedi digwydd o ganlyniad i osod maes argorau sylweddol ar hyd traethau Bournemouth. Gall un argor unigol, hyd yn oed, effeithio ar ardal mewn ffordd wahanol i'r bwriad gwreiddiol wrth adeiladu'r argor yn y lle cyntaf.

Mae llawer o waliau môr wedi bod yn llwyddiannus iawn, fel y dywedwyd eisoes. Ond, rhaid ystyried bob amser beth sy'n digwydd lle mae'r wal yn dod i ben, oherwydd gall egni tonnau achosi erydiad lle daw'r wal i ben a thu ôl i ben pellaf y wal.

Mae amddiffynfeydd arfordirol caled yn defnyddio defnyddiau fel concrit, dur a chlogfeini gwenithfaen. Wrth wneud gwaith gweithgynhyrchu concrit a dur, bydd symiau mawr o nwyon tŷ gwydr yn gollwng i'r atmosffer. Bydd hyn yn cyfrannu at gynnydd yn nhymheredd arwyneb y môr ac ehangiad thermol dŵr y môr, a thrwy hynny at y cynnydd yn lefel y môr. Weithiau mae clogfeini gwenithfaen yn cael eu cludo bellteroedd mawr o'r man lle cawson nhw eu chwarela i'r man lle maen nhw'n cael eu defnyddio i greu amddiffynfa rip rap. Yn y DU, mae llawer o amddiffynfeydd arfordirol yn defnyddio carreg Norwyaidd, sy'n golygu eu bod yn creu llawer iawn o filltiroedd carbon.

Safbwynt 3: Mae amddiffynfeydd caled yn gallu creu problemau llywodraethu annisgwyl wrth reoli mannau arfordirol

Ar rai darnau o'r arfordir, mae'r cyfranogwyr yn rhai rhyngwladol. Mae mannau fel y Barriff Mawr a'r Arfordir Jwrasig yn lleoliadau sydd wedi eu henwebu gan *UNESCO* yn Safleoedd Treftadaeth Byd – statws mae pob lleoliad yn awyddus iawn

i'w ennill a'i gadw. Mae cydnabyddiaeth ryngwladol fel hyn yn statws gwych i'w gael wrth greu lleoedd neu efallai wrth ail-frandio lleoliad. Ond, mae ennill y fath statws yn digwydd oherwydd y prosesau, y tirffurfiau a'r tirweddau naturiol sydd i'w cael yn y safle. Felly, yr ystyriaeth bwysicaf i reolwyr yr ardal yw peidio caniatáu unrhyw ddulliau rheoli a allai fygwth y statws hwn. Mae hynny'n golygu bod dulliau amddiffyn yr arfordir yn gallu bod yn gymhleth. Mewn mannau fel Lyme Regis a Charmouth ar yr Arfordir Jwrasig, mae pobl yn ymdrechu i gadw cydbwysedd rhwng amddiffyn amgylchedd adeiledig y dref rhag llifogydd ac erydiad arfordirol, a chaniatáu i'r clogwyni cyfagos gael eu herydu. Mae proses creu lleoedd yn dibynnu i raddau helaeth ar gyflenwad parhaus o'r ffosiliau sydd wedi gwneud yr ardal yn fyd-enwog.

Dod i gasgliad sy'n seiliedig ar dystiolaeth

Mae'n demtasiwn y dyddiau hyn i beidio cydnabod y manteision a'r buddion sylweddol mae amddiffynfeydd arfordirol caled wedi eu rhoi i filiynau o bobl. Mae'n bwysig cofio hyn a chydnabod mai ychydig iawn roedd pobl yn ei ddeall am y prosesau sy'n digwydd yn y parth arfordirol pan gafodd llawer o'r cynlluniau peirianneg galed eu dylunio a'u gosod. Dydy hynny ddim yn rhoi unrhyw esgus am y ffaith bod rhai canlyniadau niweidiol anfwriadol wedi digwydd.

Hefyd, mae tuedd gan bobl y dyddiau hyn i ddefnyddio cynaliadwyedd i gyfiawnhau gwrthod neu annog ffordd benodol o weithredu, heb ystyried beth yw gwir ystyr bod yn 'gynaliadwy'. A yw'n gynaliadwy yn economaidd i dynnu maes argorau o ardal, er mwyn gadael i waddod symud yn ddirwystr ar hyd yr arfordir a cholli traeth y dref wyliau o ganlyniad? A yw'n gynaliadwy yn gymdeithasol i beidio amddiffyn ardaloedd arfordirol ar dir isel lle mae miloedd o bobl yn byw ac yn gweithio ac felly eu gorfodi i symud i ffwrdd? Pa mor bwysig yw gweithredu mewn ffordd sydd ddim yn peryglu enw mor bwysig â statws Treftadaeth Byd yr Arfordir Jwrasig neu statws Ramsar moryd Afon Exe?

Does dim atebion hawdd wrth reoli'r arfordir. Mae'r cynnydd yn lefel y môr yn realiti yn y tymor byr, canolig a hir. Mae'r miliynau o bobl sy'n byw ar hyd morlinau'r byd yn realiti. Gallwn ni ddadlau bod rhai amddiffynfeydd arfordirol

wedi bod yn gyfrifol am ddifrod amgylcheddol. Ond, efallai mai'r casgliad allweddol yw bod angen i ni ddysgu llawer mwy a chael dealltwriaeth mwy awdurdodol am batrymau a phrosesau arfordirol er mwyn rheoli ardaloedd arfordirol yn fwy llwyddiannus.

Crynodeb o'r bennod

✔ Mae morlinau'n amgylcheddau peryglus ar gyfer gweithgareddau dynol. Mae nifer o ffactorau'n rhyngweithio yno i beri risgiau o erydiad a llifogydd; un broblem gynyddol yw'r cynnydd yn lefel y môr o ganlyniad i gynhesu byd-eang. Gall erydiad clogwyni fygwth adeiladau ac isadeiledd fel llwybrau trafnidiaeth.

✔ Mae rhai mathau o ddaeareg yn achosi risgiau arbennig o uchel, fel clai, rhai tywodfeini a defnyddiau wedi'u dyddodi'n ddiweddar, er enghraifft yn dilyn gweithgaredd rhewlifol. Ond, dydy asesu beth yw cyfradd encilio'r clogwyni ddim yn syml. Gall y cofnodion hanesyddol fod yn anghywir ac yn annibynadwy, a gan fod y cyfraddau yn rhai cyfartalog, maen nhw'n cuddio unrhyw ddigwyddiadau egni uchel sydyn.

✔ Mae pobl wedi defnyddio peirianneg galed i wrthsefyll egni tonnau a llanwau uchel sy'n bygwth achosi llifogydd mewn lleoliadau arfordirol. Bydd technegau amrywiol yn cael eu defnyddio hefyd i amddiffyn clogwyni morol rhag hindreuliad isawyrol a màs-symudiadau. Mae dyluniad waliau môr wedi esblygu i gynnig dulliau mwy priodol o amddiffyn; nod rhai cynlluniau yw amsugno a

gwasgaru egni tonnau. Ond, pan fydd llinell amddiffyn galed wedi'i hadeiladu, er enghraifft wal fôr neu arglawdd, mae gwasgfa arfordirol yn gallu dod yn broblem sy'n arwain at golli cynefinoedd, er enghraifft morfeydd heli.

✔ Pwrpas cronni gwaddod, er enghraifft drwy ddefnyddio argorau, yw amsugno a gwasgaru egni'r tonnau. Mae nifer o dechnegau peirianneg feddal gwahanol yn cael eu defnyddio i annog gwaddod i gronni, er enghraifft cynlluniau ailgyflenwi'r traeth a chadwraeth twyni tywod.

✔ Gan fod pobl yn deall mwy erbyn hyn am raddfa amserol a graddfa ofodol y prosesau arfordirol, mae strwythurau rheoli arfordirol yn datblygu i adlewyrchu hynny. Mae agweddau mwy cyfannol yn gyffredin erbyn hyn, felly mae pobl yn rhoi mwy o sylw i fewnbynnau gwaddod, llifoedd storfeydd ac allbynnau er mwyn rhoi cynlluniau rheoli arfordirol mwy effeithiol ar waith. Mae pobl hefyd yn dechrau cydnabod bod y rhyngweithio rhwng tirffurfiau ar hyd yr arfordir, gan gynnwys morydau, yn hanfodol er mwyn gallu rheoli'r arfordir yn llwyddiannus.

Cwestiynau adolygu

1 Amlinellwch y rhesymau pam mae arfordiroedd yn amgylcheddau peryglus i bobl.

2 Esboniwch pam nad yw asesu cyfraddau enciliad clogwyni yn syml.

3 Esboniwch sut mae enciliad clogwyni yn digwydd o ganlyniad i'r rhyngweithio rhwng gwahanol ffactorau.

4 Disgrifiwch ac esboniwch y gwahaniaeth rhwng peirianneg 'galed' a pheirianneg 'feddal' wrth sôn am dechnegau rheoli arfordirol.

5 Amlinellwch fanteision ac anfanteision waliau môr wrth amddiffyn yr arfordir.

6 Esboniwch sut mae 'gwasgfa arfordirol' yn gallu digwydd a pham mae hyn yn peri risg i reoli arfordirol cynaliadwy.

7 Esboniwch pam mae amddiffyn clogwyni arfordirol rhag hindreuliad isawyrol a màs-symudiadau'n gallu bod yn anfanteisiol wrth amddiffyn yr arfordir.

8 Disgrifiwch fanteision ac anfanteision cynlluniau ailgyflenwi'r traeth.

9 Amlinellwch fanteision Rheolaeth Integredig ar Barthau Arfordirol (ICZM).

10 Awgrymwch beth yw manteision y dull Mapio Systemau Arfordirol a Morydol wrth wneud gwaith rheoli arfordirol.

Gweithgareddau trafod

1 Mewn grwpiau bach, edrychwch ar fanylion y cynlluniau rheoli traethlin naill ai ar gyfer eich morlin lleol chi neu ar gyfer morlin rydych chi'n ei astudio ac efallai wedi bod i'w weld wrth wneud gwaith maes. Defnyddiwch fapiau Arolwg Ordnans (graddfa 1:50 000 ac 1:25 000) a'ch dealltwriaeth a'ch gwybodaeth eich hun am brosesau arfordirol i ddisgrifio'r prif dirffurfiau a phrosesau sy'n gweithredu ar hyd yr arfordir. Awgrymwch resymau dros y camau gweithredu sydd wedi eu cynnig yn y cynlluniau rheoli traethlin, gan gofio yr amrywiaeth o weithgareddau dynol sydd i'w gweld ar y mapiau Arolwg Ordnans. Ystyriwch beth fyddai goblygiadau peidio ag amddiffyn unrhyw ardaloedd sy'n cael eu diogelu ar hyn o bryd.

2 Rhannwch eich dosbarth yn ddau. Dylai pawb mewn un hanner baratoi araith sy'n cefnogi manteision peirianneg galed yng nghyd-destun rheoli arfordirol, a dylai'r hanner arall baratoi areithiau sy'n cefnogi peirianneg feddal. Mewn parau, cyflwynwch ddwy ochr y ddadl. Yna dylai pob unigolyn fireinio ei ddadleuon cyn cynnal dadl fel dosbarth cyfan. Pan ddaw'r ddadl i ben, dylai pob unigolyn ysgrifennu dadansoddiad o fanteision ac anfanteision y ddau ddull. Cofiwch ystyried ffactorau economaidd, cymdeithasol ac amgylcheddol.

3 Ymchwiliwch i ddau neu dri o gynlluniau rheoli arfordirol o amgylch y byd, gan ddewis cynlluniau o wledydd sydd ar wahanol bwyntiau ar hyd y continwwm datblygiad. Gwerthuswch eu manteision a'u hanfanteision perthnasol, gan wneud yn siŵr eich bod chi'n cofio am y gwahanol gyd-destunau datblygiad yn y lleoliadau dan sylw.

4 Dewiswch ardal leol sy'n profi erydiad a morlin sy'n encilio, ac edrychwch ar nifer o wahanol fapiau, gan fynd yn ôl mewn amser cyn belled ag y gallwch. Mae hen fapiau Arolwg Ordnans ar raddfa fawr (1:10 000, 1:2500, 6 modfedd) yn dangos y morlin a'r amddiffynfeydd yn fanwl. Mae hen gardiau post a ffotograffau o'r awyr, adroddiadau papurau newydd lleol o'r gorffennol a rhai safleoedd academaidd fel prifysgolion arfordirol, hefyd yn gallu darparu gwybodaeth werthfawr am erydiad ac enciliad morlinau. Ar linfap, dangoswch ble roedd y morlinau yn y gorffennol a thrafodwch y ffactorau a arweiniodd at y patrwm erydiad. Cofiwch ystyried pa mor ddibynadwy a chywir yw eich ffynonellau a'u cydnabod yn eich trafodaethau.

5 Mewn grwpiau bach, dewiswch leoliad arfordirol gwahanol ar gyfer pob grŵp. Rhaid i'r darn o forlin fod yn ddarn sy'n cael ei ddefnyddio'n ddwys, er enghraifft de California, yr ardal o amgylch delta Afon Rhein neu ranbarth Bae Sydney. Gan gyfeirio at yr ardal rydych chi wedi'i dewis, trafodwch y ffactorau sydd wedi arwain at gynifer o weithgareddau dynol yn yr ardal hon. Awgrymwch y prif broblemau wrth reoli'r morlin heddiw, a dros y 50 mlynedd nesaf, gan gofio ystyried y cynnydd tebygol yn lefel y môr.

FFOCWS Y GWAITH MAES

A *Un syniad ar gyfer ymchwiliad Safon Uwch yw ymchwilio pa mor effeithiol yw cynllun rheoli sy'n defnyddio argorau.* Byddai mesur proffiliau traeth (tudalen 75), ac uchder defnyddiau traeth sydd wedi cronni y naill ochr a'r llall i gyfres o argorau, yn darparu data defnyddiol ar gyfer eich asesiad.

B *Drwy gymharu a chyferbynnu proffiliau clogwyni ar wahanol safleoedd ar hyd darnau o forlin wedi eu rheoli a heb eu rheoli, gallwn gael syniad o effeithiau cynlluniau rheoli arfordirol.* Gallwch chi wneud hyn drwy ddadansoddi ffotograffau modern a thystiolaeth hanesyddol fel hen gardiau post (yn aml i'w cael mewn siopau llyfrau ail law neu siopau

defnydd amrywiol ail law) yn ogystal â dogfennau swyddogol a hanesyddol y dref berthnasol. Gallai fod yn ddefnyddiol i chi amcangyfrif uchder clogwyni gan ddefnyddio trigonometreg sylfaenol.

C *Gallech chi ymchwilio i effeithiau cynllun rheoli drwy gasglu barn a sylwadau amrywiol randdeiliaid.* Gallech chi ofyn am sylwadau trigolion lleol, ond gallech chi hefyd gymharu'r sylwadau hyn â sylwadau ymwelwyr, er enghraifft yn ystod gwyliau'r haf. Gallech chi gysylltu ymchwiliad fel hyn gydag ymchwiliad i bortreadau anffurfiol o leoedd, gan ganolbwyntio ar y ffyrdd y gallai cynllun rheoli arfordirol effeithio ar ganfyddiadau grwpiau gwahanol. Gallai data ansoddol a data meintiol fod yn werthfawr.

Darllen pellach

Dawson, D., Shaw, J., Gehrels, W.R. (2016) 'Sea-level rise impacts on transport infrastructure: the notorious case of the coastal railway line at Dawlish, England', *Journal of Transport Geography*, 51, tt.97–109

Asiantaeth yr Amgylchedd – Cynlluniau Rheoli Traethlin [Mae CRhT mynediad agored ar gael ar-lein ar www.gov.uk/ government/publications/shoreline-management-plans-smps/shoreline-management-plans-smps]

French, J.R., Burningham, H., Thornhill, G., Whitehouse, R., Nicholls, R.J. (2016) 'Conceptualising and mapping coupled estuary, coast and inner shelf sediment systems', *Geomorphology*, 256, tt.17–35.

Harvey, B., Caton, N. (2010) *Coastal Management in Australia*. Adelaide:

University of Adelaide Press. [E-lyfr rhad ac am ddim: www.adelaide.edu.au/press/titles/coastal/Coastal-eBook.pdf]

Hill, K. (2015) 'Coastal infrastructure: a typology for the next century of adaptation to sea-level rise', *Frontiers in Ecology and the Environment*, 13(9), tt.468–76

Nicholls, R.J., Townend, I.H., Bradbury, A.P., Ramsbottom, D., Day S.A. (2013) 'Planning for long-term coastal change: experiences from England and Wales', *Ocean Engineering*, 71, tt.3–16.

Stive, M.J.F., de Schipper, M.A., Luijendijk, A.P., Aarninkhof, S.G.J., van Gelder-Maas, C., de Vries, J., de Vries, S., Henriquez, M., Marx, S., Ranasinghe, R. (2013) 'A New Alternative to Saving Our Beaches from Sea-Level Rise: The Sand Engine.' *Journal of Coastal Research*, 29(5), tt.1001–8

Canllaw astudio

Tirweddau Newidiol

Canllaw i'r cynnwys

Mae'r astudio'r thema opsiynol Tirweddau Arfordirol o fewn uned Tirweddau Newidiol yn cael ei gefnogi'n llawn gan y llyfr hwn.

Mae'r thema Tirweddau Arfordirol yn canolbwyntio ar natur ddynamig systemau a phrosesau ffisegol, ac ar y rhyngweithio a'r cysylltedd rhwng pobl, lleoedd ac amgylcheddau o ran amser a lle. Dylai'r astudio ganolbwyntio ar:

- y rhyngweithio rhwng gwyntoedd, tonnau a cheryntau
- cyflenwad gwaddod o ffynonellau daearol ac alltraeth
- amrywiadau gofodol ac amseryddol mewn prosesau geomorffolegol
- sut mae llifoedd egni a defnyddiau'n cyfuno i greu tirffurfiau penodol ar forlinau creigiog, tywodlyd a morydol.

Tirweddau Arfordirol (Thema 1.1)

Mae'r adran hon o'r fanyleb wedi ei strwythuro o amgylch deg is-thema fer.

Is-thema a chynnwys	Defnyddio'r llyfr hwn
1.1.1 Gweithrediad yr arfordir fel system	
Mae'r adran hon yn rhoi trosolwg gyffredinol i chi o amrywiol gydrannau'r system tirweddau arfordirol, gan gynnwys mewnbynnau, storfeydd a throsglwyddiadau egni, a defnyddiau ac allbynnau.	Pennod 1 tt.1–5
Mae'n cynnwys cyflenwadau gwaddod (alltraeth a daearol) yn ogystal â'r cysyniad o gell waddod.	Pennod 1 tt.19–22
Rhaid astudio'r syniad o ecwilibriwm dynamig yn y system arfordirol.	
1.1.2 Amrywiadau amseryddol a'u dylanwad ar amgylcheddau arfordirol	
Rhaid ystyried mewnbynnau egni mathau gwahanol o donnau, yn ogystal â llanwau dyddiol a cheryntau alltraeth ac atraeth.	Pennod 1 tt.5–18
1.1.3 Systemau tirffurfiau a thirweddau, eu nodweddion a'u dosbarthiad	
Yn yr adran hon, mae dau fath cyferbyniol o amgylchedd arfordirol dan sylw:	Pennod 3 tt.28–86
• Morlinau creigiog, egni uchel gyda'u systemau tirffurfiau a thirweddau erydol	
• Morlinau morydol a thywodlyd, egni isel gyda'u systemau tirffurfiau a thirweddau dyddodol.	

Is-thema a chynnwys	Defnyddio'r llyfr hwn
1.1.4 Ffactorau sy'n effeithio ar brosesau a thirffurfiau arfordirol	
Mae'r adran hon yn ymchwilio i'r cyrch, y math o donnau, cyfeiriad tonnau, a phlygiant ac adlewyrchiad tonnau. Rhaid ystyried ffactorau daearegol, hynny yw adeiledd creigiau (planau haenu, goledd, bregion, plygiadau a ffawtiau) a litholeg creigiau (cyfansoddiad mwynol, caledwch a hydoddedd).	Pennod 1 tt.8–14 Pennod 3 tt.51–63
1.1.5 Prosesau hindreulio arfordirol, màs-symudiad, erydiad, a nodweddion a phrosesau ffurfio tirffurfiau a thirweddau cysylltiedig	
Yma byddwch chi'n astudio amrywiaeth o brosesau hindreulio isawyrol (ffisegol, cemegol, biotig) a màs-symudiadau gan gynnwys tirlithriadau, cylchlithriadau a chwymp creigiau.	Pennod 2 tt.31–36
Y prosesau erydu morol byddwch chi'n eu hastudio yw gweithred hydrolig, sgrafelliad (cyrathiad), cyrydiad ac athreuliad.	Pennod 2 tt.29–31
Mae astudio nodweddion tirffurfiau a thirweddau arfordirol yn y DU a thu hwnt i'r DU yn cynnwys clogwyni, baeau a phentiroedd, y dilyniant ogof-bwa-stac-stwmp, llyfndiroedd tonnau, geos a mordyllau.	Pennod 3 tt.51–63
1.1.6 Prosesau trawsgludo a dyddodi arfordirol, a nodweddion a phrosesau ffurfio tirffurfiau a thirweddau cysylltiedig	
Yma byddwch chi'n astudio ystod o brosesau trawsgludo, hydoddiant, daliant, neidiant a rholiant gan gynnwys drifft y glannau.	Pennod 2 tt.36–42
Rhaid ystyried prosesau dyddodi ar yr arfordir gan gynnwys clystyriad a threfnu gwaddod, wedi ei achosi gan ostyngiad egni.	Pennod 4 tt.92–3
Mae astudio nodweddion tirffurfiau a thirweddau arfordirol yn y DU a thu hwnt i'r DU yn cynnwys traethau, tafodau, barrau, graeandiroedd a phenrhynau cysbaidd.	Pennod 3 tt.63–77
1.1.7 Prosesau aeolaidd, afonol a biotig, a nodweddion a phrosesau ffurfio tirffurfiau mewn amgylcheddau arfordirol	
Mae gweithred y gwynt a'i dirffurfiau cysylltiedig, er enghraifft twyni tywod, dan sylw yn yr adran hon.	Pennod 4 tt.95–103 Pennod 3 tt.78–91
Bydd hefyd angen astudio amgylcheddau morydol a'u tirffurfiau cysylltiedig, er enghraifft fflatiau llanw a morfeydd heli, gan gynnwys micro-arweddion fel sianeli a chornentydd.	Pennod 4 tt.104–7
Rhaid ystyried prosesau biotig yng nghyd-destun riffiau cwrel a mangrofau.	
1.1.8 Amrywiadau mewn prosesau arfordirol, tirffurfiau a thirweddau arfordirol dros gyfnodau amser gwahanol	
Mae'n bwysig gwerthfawrogi newid yn y parth arfordirol ar draws cyfnodau amser gwahanol.	Pennod 3 tt.54–9
Mae newidiadau tymor byr (eiliadau a munudau) oherwydd stormydd egni uchel a màs-symudiadau cyflym yn achosi newidiadau ym mhroffiliau clogwyni, er enghraifft.	Pennod 3 tt.75–6 Pennod 5 tt.115–6
Gall proffiliau traethau newid yn dymhorol wrth i egni'r tonnau amrywio.	
Mae newidiadau ewstatig ac isostatig yn digwydd dros filenia ac yn addasu tirffurfiau.	

Is-thema a chynnwys	Defnyddio'r llyfr hwn
1.1.9 Mae prosesau arfordirol yn gyd-destun hollbwysig i weithgareddau dynol	
Rhaid rhoi ystyriaeth i effeithiau cadarnhaol a negyddol prosesau arfordirol ar weithgareddau dynol.	Pennod 4 tt.106–7 Pennod 5 tt.129–30
Bydd angen astudio effeithiau cadarnhaol fel twristiaeth ac effeithiau negyddol fel colledion economaidd a chymdeithasol sy'n gysylltiedig ag erydiad arfordirol.	Pennod 6 tt.146–8, 156–62
Dylid datblygu astudiaeth achos ynglŷn â strategaeth sy'n rheoli effeithiau prosesau arfordirol ar weithgareddau dynol.	Pennod 5 tt.136–7
1.1.10 Effaith gweithgareddau dynol ar systemau tirweddau arfordirol	
Yn yr adran hon, ffocws yr astudio yw effeithiau cadarnhaol a negyddol gweithgareddau dynol ar brosesau a thirffurfiau arfordirol.	Pennod 6 tt.154–62 Pennod 7 tt.176–205
Mae effeithiau cadarnhaol fel rheoli a chadwraeth ac effeithiau negyddol fel carthu alltraeth ac erydiad twyni tywod yn enghreifftiau perthnasol o hyn.	
Dylid datblygu astudiaeth achos ynglŷn â strategaeth sy'n rheoli effeithiau gweithgareddau dynol ar brosesau a thirffurfiau arfordirol.	

Canllaw asesu

Mae Tirweddau Arfordirol yn cael ei asesu fel rhan o:

- *CBAC Uned 1* Mae'r arholiad hwn yn para 2 awr, ac mae ganddo gyfanswm o 64 marc. Mae 32 o farciau wedi'u dyrannu ar gyfer Tirweddau Arfordirol, sy'n awgrymu y dylech chi dreulio tua 45 munud yn ateb y cwestiynau hyn. Mae'r 32 marc ar gyfer:
  - cyfres o gwestiynau atebion byr sydd werth rhwng 2 ac 8 marc
  - cwestiynau 8 marc y dylech chi eu trin fel 'traethodau byr'
  - ychydig farciau sy'n cael eu rhoi am sgiliau fel cyfrifiad syml neu am gwblhau diagram fel graff, gan ddefnyddio data sydd wedi'u darparu.

Cwestiynau atebion byr

Bydd rhai o'r cwestiynau yn cynnwys adnoddau (mapiau, siartiau, tablau neu ffotograffau).

- Bydd y cwestiwn/cwestiynau agoriadol yn targedu AA3 (Amcan Asesu 3). Mae hyn yn golygu y bydd gofyn i chi ddefnyddio sgiliau daearyddol (AA3) i ddadansoddi neu dynnu gwybodaeth neu dystiolaeth ystyrlon o'r ffigur. Bydd y cwestiynau hyn yn defnyddio'r geiriau gorchymyn 'archwiliwch', 'dadansoddwch' neu 'cymharwch' yn ôl pob tebyg. Bwriad yr adrannau 'Dadansoddi a dehongli' sydd i'w cael drwy gydol y llyfr hwn yw cefnogi'r sgiliau astudio sydd eu hangen arnoch i ateb y math hwn o gwestiwn yn llwyddiannus.
- Gallai cwestiwn arall ofyn i chi fynd ati i gwblhau tasg rifyddol neu graffigol byr sy'n seiliedig ar sgiliau. Mae eich manyleb yn cynnwys rhestr o'r sgiliau a'r technegau mae disgwyl i chi allu eu gwneud, fel prawf ystadegol Spearman, cyfrifo amrediad rhyngchwartel neu blotio data'n gywir ar siart neu graff.

- Yn olaf, efallai bydd gofyn i chi roi esboniad posibl o'r wybodaeth sydd i'w gweld yn y ffigur gan ddefnyddio eich gwybodaeth eich hun. Mae'r math hwn o gwestiwn yn targedu AA2 (Amcan Asesu 2) a bydd y cwestiwn yn defnyddio'r gair gorchymyn 'awgrymwch' yn ôl pob tebyg. Bydd hefyd yn cynnwys y cyfarwyddyd: 'Gan gyfeirio at Ffigur 1'.

- Er enghraifft, gallech chi gael cyfres o gwestiynau byr i gyd-fynd â map Arolwg Ordnans sy'n dangos darn o'r parth arfordirol. Efallai mai'r cwestiwn agoriadol (AA3) fydd: 'Cymharwch y tirffurfiau arfordirol sydd i'w gweld yn Ffigur 1.' Gallai'r cwestiwn AA2 sy'n dilyn ofyn y canlynol: 'Awgrymwch resymau pam mae'r tirffurfiau arfordirol yn amrywio ar hyd y darn o forlin sydd i'w weld yn Ffigur 1.' I gael marciau llawn, rhaid i chi (i) gymhwyso gwybodaeth a dealltwriaeth ddaearyddol i'r cyd-destun newydd hwn, a (ii) sefydlu cysylltiadau clir iawn rhwng y cwestiwn sy'n cael ei ofyn a'r defnydd ysgogi.

Ni fydd ffigur yn cyd-fynd â rhai o'r cwestiynau atebion byr. Mae'r cwestiynau hyn yn targedu AA1 (Amcan Asesu 1) ac AA2 (Amcan Asesu 2), ac maen nhw werth 8 marc. Bydd y cwestiynau hyn yn defnyddio'r geiriau gorchymyn 'disgrifiwch ac esboniwch', 'archwiliwch' neu 'aseswch' yn ôl pob tebyg. Er enghraifft: 'Disgrifiwch ac esboniwch sut mae newidiadau yn lefel y môr yn arwain at ffurfio un tirffurf arfordirol.' Bydd myfyrwyr yn ennill marciau uchel am ysgrifennu atebion cryno a manwl sy'n cynnwys ac yn cysylltu ystod o syniadau, cysyniadau neu ddamcaniaethau daearyddol â'i gilydd. Fel rheol gyffredinol, ceisiwch sicrhau bod pob pwynt rydych chi'n ei wneud wedi'i ddatblygu neu wedi'i gefnogi ag enghraifft:

- Mae pwynt wedi'i ddatblygu yn mynd â'r esboniad gam ymhellach (e.e. drwy ddarparu manylion ychwanegol am y ffordd mae proses yn gweithredu).

- Mae pwynt wedi'i gefnogi ag enghraifft yn cyfeirio at enghraifft eithaf manwl neu enghraifft o'r byd go iawn i gefnogi'r esboniad â thystiolaeth.

Daearyddiaeth synoptig

Yn ogystal â'r tri phrif AA, bydd rhai o'ch marciau'n cael eu rhoi am 'synoptigedd'. Yn hytrach na chanolbwyntio ar un pwnc ar ei ben ei hun, mae disgwyl i chi dynnu gwybodaeth a syniadau ynghyd o bob rhan o'r fanyleb er mwyn gwneud cysylltiadau rhwng 'parthau' gwahanol o wybodaeth, yn enwedig cysylltiadau rhwng pobl a'r amgylchedd (h.y. cysylltiadau ar draws daearyddiaeth ddynol a daearyddiaeth ffisegol). Un enghraifft dda o ddaearyddiaeth synoptig yw astudio'r heriau sy'n wynebu cymunedau sy'n byw yn y Maldives (tudalen 136) ac o amgylch moryd Afon Exe (tudalen 196) oherwydd y cysylltiadau pwysig rhwng lefel y môr yn codi a phroses creu lleoedd.

Drwy gydol eich cwrs, cymerwch sylw manwl o'r themâu synoptig lle bynnag maen nhw'n ymddangos yn eich gwersi ac wrth ddarllen. Dyma rai enghreifftiau o themâu synoptig: sut mae symudiad dŵr drwy'r dirwedd yn effeithio ar siâp a datblygiad clogwyni; sut gallai cynlluniau rheoli arfordirol newid nodweddion lleoedd; sut mae prosesau tectonig yn gallu effeithio ar dirffurfiau arfordirol.

Pryd bynnag y byddwch chi'n gorffen darllen pennod yn y llyfr hwn, gwnewch nodyn gofalus o unrhyw themâu synoptig sydd wedi dod i'r amlwg (efallai fod y llyfr yn tynnu sylw at y rhain, neu efallai eich bod wedi gweld y cysylltiadau drosoch chi eich hun).

Asesiad synoptig

Mae rhan o Uned 3 wedi'i neilltuo ar gyfer synoptigedd. Caiff synoptigedd ei archwilio gan ddefnyddio asesiad o'r enw 'Sialensiau'r 21ain Ganrif'. Mae'r ymarfer synoptig hwn yn cynnwys cyfres o bedwar ffigur cysylltiedig (mapiau, siartiau neu ffotograffau) gyda dewis o ddau gwestiwn traethawd. Mae uchafswm o 26 marc ar gyfer y cwestiwn hwn. Dyma rai cwestiynau posibl:

Trafodwch pa mor ddifrifol yw'r risgiau gwahanol mae dinasoedd yn eu hwynebu yn amlach nag erioed.

I ba raddau gallai rheoli'r risgiau gwahanol arwain at newidiadau i nodweddion lleoedd trefol?

Fel rhan o'ch ateb, bydd angen i chi ddefnyddio ystod o wybodaeth o wahanol bynciau, a gwneud defnydd dadansoddol da hefyd o'r adnoddau dydych chi heb eu gweld o'r blaen er mwyn ennill credyd AA3 (mae'r adrannau 'Dadansoddi a dehongli' yn y llyfr hwn wedi'u cynllunio'n ofalus i'ch helpu yn hyn o beth). Gall un o'r cwestiynau neu'r ddau ymwneud yn ddigon amlwg â'r tesun Tirweddau Arfordirol, fel y mae'r teitlau enghreifftiol uchod yn dangos:

- Gallai risgiau i ddinasoedd gynnwys y bygythiadau i ddinasoedd arfordirol oherwydd y cynnydd yn lefel y môr a'r ffaith bod stormydd yn mynd yn fwy difrifol.
- Mae'r ail gwestiwn yn gadael i chi archwilio nid yn unig newidiadau i isadeiledd yn y 'byd go iawn' (er enghraifft amddiffynfeydd arfordirol mwy sydd o bosibl yn effeithio ar werth esthetig lleoliad). Ond gallwch chi hefyd archwilio sut mae canfyddiadau am le yn newid (sy'n gysylltiedig â theimlad o fod mewn mwy o berygl neu'n fwy agored i niwed) mewn perthynas â chynnydd mewn egni tonnau a risg o lifogydd arfordirol.

Bydd geiriau ac ymadroddion gorchymyn fel 'i ba raddau' a 'trafodwch' yn gofyn i chi ffurfio barn derfynol. Cofiwch roi eich barn y naill ffordd neu'r llall. Defnyddiwch yr holl ddadleuon a'r ffeithiau rydych chi wedi eu cyflwyno yn barod ym mhrif gorff y traethawd, ystyriwch eich tystiolaeth i gyd, a dywedwch a ydych chi – o ystyried popeth – yn cytuno neu'n anghytuno â'r cwestiwn. Fel canllaw, dyma dair rheol syml.

1 *Peidiwch byth â dangos ansicrwydd – gwnewch benderfyniad.* Mae teitlau traethodau wedi eu creu'n bwrpasol i gynhyrchu trafodaeth sy'n eich gwahodd i roi barn derfynol ar ôl dadlau'r mater. Peidiwch â disgwyl derbyn marc uchel iawn os ydych chi'n gorffen traethawd gydag ymadrodd fel hyn: 'Felly ar y cyfan, mae dinasoedd yn wynebu llawer o risgiau, ac maen nhw i gyd yn bwysig.'

2 *Yn yr un modd, mae'n well peidio cytuno neu anghytuno yn gryf.* Yn benodol, ni ddylech chi ddechrau eich traethawd drwy wrthod un safbwynt yn gyfan gwbl, er enghraifft drwy ysgrifennu: 'Yn fy marn i, newid hinsawdd yw'r risg mwyaf mae pob lleoliad yn ei wynebu a bydd y traethawd hwn yn esbonio'r holl resymau pam mae hyn yn wir.' Mae'n hanfodol eich bod chi'n ystyried ystod o ddadleuon neu safbwyntiau gwahanol.

3 *Y safbwynt gorau i'w gymryd yw un sy'n nodi 'rwy'n cytuno, ond....' neu 'rwy'n anghytuno, ond...'.* Dyma safbwynt aeddfed sy'n dangos eich bod chi'n gallu rhoi eich barn eich hun am fater ac ystyried safbwyntiau a barn pobl eraill hefyd.

Mynegai

Cydnabyddiaeth

Caniatâd testunol

t.107 Ffigur 4.17 Ailargraffwyd gyda chaniatâd ARC Centre of Excellence for Coral Reef Studies, Prifysgol James Cook; **t.121** Ffigur 5.7 *FAQ 5.1, Figure 1* o *Climate Change 2007: The Physical Science Basis*. Working Group I Contribution to the Fourth Assessment Report of the Intergovernmental Panel on Climate Change [Solomon, S., D. Qin, M. Manning, Z. Chen, M. Marquis, K.B. Averyt, M. Tignor and H.L. Miller (gol.)]. Cambridge University Press, Caergrawnt, y Deyrnas Unedig ac Efrog Newydd, NY, UDA; **t.197** Ffigur 7.16 © SCOPAC Sediment Transport Study. Ailargraffwyd gyda chaniatâd.

Cydnabyddiaeth ffotograffau

t.4 © Glebstock - stock.adobe.com; **t.8** Public domain/https://www.metmuseum.org/art/collection/search/45434; **t.10** *ch, c, dd* © Peter Stiff; **t.13** © Julius Fekete - stock.adobe.com; **t.29** © sergojpg - stock.adobe.com; **t.32, 34** *bch, gch, gdd,* **37, 39, 53, 55** *b, g,* **56, 57** *ch, dd,* **60** *bch, bc, bdd, g,* **62, 64** © Peter Stiff; **t.72** © SKYSCAN/SCIENCE PHOTO LIBRARY; **t.74, 77, 78, 92, 93** © Peter Stiff; **t.98** © Michael Raw; **t.100** © Peter Stiff; **t.104** © paylessimages - stock.adobe.com; **t.106** © whitcomberd - stock.adobe.com; **t.123** © sophiahilmar - stock.adobe.com; **t.124** © reisegraf.ch - stock.adobe.com; **t.125** © Peter Stiff; **t.126** © Jane Buekett; **t.130** © Hawlfraint Mike Page, Cedwir pob hawl; **t.135** © Bikeworldtravel - stock.adobe.com; **t.146, 151** *ch, dd* © Peter Stiff; **t.154** age fotostock/Alamy Stock Photo; **t.157** Michael Roper/Alamy Stock Photo; **t.158** © Simon Dawson/Bloomberg drwy Getty Images; **t.159** © Peter Stiff; **t.165** © East News sp. z o.o./Alamy Stock Photo; **t.180, 183, 184, 185** *b, g* © Peter Stiff; **t.188** © Rijkswaterstaat/Jurriaan Brobbel; **t.196** © Peter Stiff; **t.201** Google Earth/addaswyd o https://www.sciencedirect.com/science/article/pii/S0169555X15301719/o Geomorphology Cyfrol 256, 1 Mawrth 2016, Tudalennau 17-35/https://creativecommons.org/licenses/by/4.0/.